Walter Schmithals

Der Römerbrief
als historisches Problem

Gütersloher Verlagshaus
Gerd Mohn

Studien zum Neuen Testament

Herausgegeben von Professor Dr. Günter Klein, Münster;
Professor D. Willi Marxsen, Münster,
und Professor Dr. Wolfgang Schrage, Bonn

Band 9

ISBN 3-579-04449-4
© Gütersloher Verlagshaus Gerd Mohn, Gütersloh 1975
Gesamtherstellung: Hubert & Co., Göttingen
Umschlagentwurf: H. P. Willberg
Printed in Germany

Inhalt

Einleitung

Wer sich den historischen Problemen zuwendet, die mit der Erklärung des Römerbriefes verbunden sind, ist überrascht, wenn er die Fülle an Literatur, die bis zum Beginn unseres Jahrhunderts und auch noch bis zum Ersten Weltkrieg zum historischen Verständnis des Römerbriefes erschien, mit den spärlichen Arbeiten zum gleichen Thema in den folgenden 50 Jahren vergleicht. Diese auffällige Diskrepanz, die auch durch eine Anzahl in jüngster Zeit erschienener Aufsätze nicht aufgehoben wird, tritt noch stärker hervor, wenn man den Umfang der früheren Arbeiten, ihr sachliches Gewicht und die Intensität ihrer methodischen Besinnung im Vergleich mit späteren Untersuchungen beobachtet, in denen sich neue Gesichtspunkte kaum finden, die Problematik dagegen oft in irreführender Weise verkürzt erscheint [1].
Die intensive Diskussion unseres Themas wurde durch F. Chr. Baur ausgelöst, der in einem 1836 erschienenen Aufsatz ,Über Zweck und Veranlassung des Römerbriefes' nicht nur die Forderung erhob, der Römerbrief müsse *historisch*, d. h. aus seinen konkreten Abfassungsverhältnissen heraus erklärt werden [2], sondern der auch selbst eine solche historische Erklärung vorlegte, die den Brief dem von Baur begründeten Geschichtsbild der Tübinger Schule, welche die frühchristliche Entwicklung auf den Gegensatz von Judaismus und Paulinismus zurückführte, einordnete und die zugleich den literarischen Problemen des Römerbriefes erhebliche Aufmerksamkeit widmete. Um die Jahrhundertwende war die Flut der Stellungnahmen und der Lösungsvorschläge zu der durch Baur in den Vordergrund des Interesses gerückten Problematik langsam verebbt, jedoch steht W. Lütgerts Untersuchung von 1913 ,Der Römerbrief als historisches Problem' noch in unmittelbarer Kontinuität mit der vorangehenden Forschung.
Damit aber bricht der Strom der Literatur ab. P. Feine nennt in seiner ,Einleitung in das Neue Testament' 1930 Lütgerts Untersuchung. als letzten Beitrag zum historischen Problem des Römerbriefes. Behm kann in der Neubearbeitung dieser Einleitung 1936 nichts Wesentliches hinzufügen, und auch das Literaturverzeichnis in Kümmels 1963 erschienener Umarbeitung desselben Werkes enthält aus neuerer Zeit nur kleine Aufsätze zu Einzelproblemen, aber keine einigermaßen umfassende Untersuchung zu der historischen Problematik und zu den historischen Problemen dieses größten und einflußreichsten Paulusbriefes. Einige in den letzten Jahren erschienene und zum Teil bedeutsame Aufsätze ändern an diesem Bild nichts Entscheidendes. Wie ist der beschriebene Tatbestand zu erklären?

---

1. Vgl. z. B. Oskar Holtzmann, a.a.O. S. 618 ff.; Albertz, a.a.O. S. 338 ff.
2. Daß diese Forderung als solche nicht neu war, zeigt z. B. Tholuck, a.a.O. S. 14.

Sicherlich nicht mit der Auskunft, der von Baur aufgestellten Forderung, auch der Römerbrief müsse historisch erklärt werden, sei inzwischen Genüge getan. Gewiß: historische Erklärungen des Römerbriefes gibt es seit Baur in großer Zahl. Aber sie widersprechen sich oft in den entscheidenden Punkten. Das Gespräch wurde nach der Jahrhundertwende bei erstarrten Fronten abgebrochen[3], nicht aber mit einer befriedigenden Lösung abgeschlossen.

Bezeichnend ist z. B. die Tatsache, daß H. J. Holtzmann nie eine Vorlesung über den Römerbrief gehalten hat, weil er ihn, wie er v. Dobschütz[4] gegenüber erklärte, zwar als biblisch-theologische Quelle werten, aber trotz fünfzig Jahre intensiver Forschung als *Brief*, also *historisch*, nicht verstehen konnte. Dann aber muß der Verzicht, den Brief auszulegen, für den historisch-kritischen Forscher konsequent genannt werden: Kann man den Römerbrief als historisches Dokument nicht verstehen, kann man ihn auch nicht mit historisch-kritischen Mitteln adäquat auslegen.

Wenn uns diese Einsicht heute nicht ohne weiteres verständlich ist, mag das damit zusammenhängen, daß seit Barths Auslegung des Römerbriefes das unmittelbare dogmatische Interesse am Römerbrief das historisch vermittelte ganz zurückgedrängt hat[5]. Es ist dafür bezeichnend, daß auch ein so subtiler historischer Ausleger wie Kümmel den Versuchen, die historische Frage wachzuhalten und womöglich zu lösen, entgegenhält, man wolle „zu genau Bescheid wissen"[6]. Er bespricht demgemäß die mit dem Anlaß des Römerbriefes zusammenhängenden historischen Fragen sehr viel kürzer, als Feine es z. B. noch 1930 getan hatte, obschon sich der Umfang seiner Einleitung gegenüber der Bearbeitung von 1930 fast verdoppelte.

3. Vgl. Spitta (1901), S. 3; Wood, a.a.O. S. 211.
4. (1912), S. 469. Vgl. Schweitzer, a.a.O. S. 118.
5. Damit lebte eine ältere Tendenz wieder auf (siehe S. 29 ff.). Munck (1954), S. 190 urteilt nicht unzutreffend: „Die Form des Römerbriefes weicht etwas von den übrigen Paulusbriefen ab, und einige Forscher sind der Ansicht, daß die Absicht des Briefes die sein solle, die christliche Lehre darzustellen und von ihrer Wahrheit zu überzeugen. Durch die zahlreichen systematischen Theologen, die sich mit dem Brief beschäftigt haben, ist diese Tendenz noch stärker in Erscheinung getreten. Auf diese Weise ist der Römerbrief in weitem Maße als eine zeitlose Darstellung christlicher Theologie angesehen worden, und man hat nur in geringerem Maße Interesse daran gehabt, die Situation des Briefes zu erfassen, ob diese nun in der Gemeinde in Rom zu suchen war oder bei dem Verfasser." Heftiger und einseitiger ist das gleichsinnige Urteil von Barnikol (1931), S. 12 f.: „In naivem dogmatischem Schlummer freut man sich fast, beim Römerbrief, etwa im Vergleich zu den Korintherbriefen, so gut wie gar nichts mit geschichtlichen Einzelheiten, konkreten Zügen und einer umrißartigen Gemeindegeschichte zu tun zu haben, sondern unbeschwert, ,geschichtslos' und ,zeitlos', den angeblichen Paulus dogmatisieren lassen zu können, d.h. selbst zu dogmatisieren bzw. ,paulinisch' zu exegesieren.
6. (1964), S. 224.

Verhältnismäßig ausführlich behandelt indessen Marxsen[7] den Römerbrief, aber für diese Behandlung ist bezeichnend, daß das zentrale historische Problem, das der Römerbrief stellt, nicht in seiner vollen Schärfe sichtbar gemacht wird.

Worin besteht dies Problem?

P. Feine schreibt 1903[8]: „Auf den allgemeinsten Ausdruck gebracht, besteht das Problem des Römerbriefes in dem *Doppelcharakter* dieses Sendschreibens. Der Brief enthält im dogmatischen und religionsgeschichtlichen Teil (Kap. 1–11) in der Hauptsache eine Auseinandersetzung zwischen dem paulinischen Evangelium und dem *Judentum*, und doch hat es der Apostel in dem Brief auf unzweideutige Weise zum Ausdruck gebracht, daß er die christlichen Römer zu den *Heiden* rechne."[9]

Dieser Beobachtung ist zunächst in Kürze nachzugehen, um den Versuch einer Lösung der genannten Problematik vorzubereiten. Wer die Literatur zu unserem Problem kennt, die im vorigen Jahrhundert erschienen ist[10], weiß, daß dabei neue Entdeckungen, am Text gewonnen, kaum zu erwarten sind.

Wir beschränken unsere Untersuchung vorläufig im wesentlichen auf Röm 1–11. Diese Beschränkung ist wegen der relativen Selbständigkeit dieses grundlegenden Briefteils berechtigt, und sie empfiehlt sich, weil die Auslegung der folgenden Kapitel in vielen Fragen so kontrovers ist, daß der Versuch, Kap. 1–11 zu verstehen, über die Maßen erschwert würde, wenn man die Problematik von Kap. 14 f. sogleich mit berücksichtigte. Erst im weiteren Verlauf der Untersuchung wird deutlich werden, daß die vorläufige Beschränkung auf Kap. 1–11 auch aus literarischen und historischen Gründen notwendig war.

---

7. (1963), S. 85 ff.
8. S. 1. Hervorhebungen nicht im Original.
9. Vgl. Lipsius, a.a.O. S. 71 ff.; Spitta (1901), S. 152.
10. Wenn ich in relativ starkem Maße im ganzen Gang der vorliegenden Untersuchung Literatur aus dem vorigen Jahrhundert heranziehe, so geschieht das weder aus antiquarischem Interesse noch in der Überzeugung, das historische Problem des Römerbriefes sei im 19. Jahrhundert bereits befriedigend gelöst worden. Ich meine aber, daß eine Lösung dieses Problems nur möglich sei, wenn man zunächst das im vergangenen Jahrhundert vorhandene Problembewußtsein wiedergewinnt. Daß z. B. Käsemann in seinem kürzlich erschienenen Kommentar zum Römerbrief (a.a.O.) die Literatur des 18. und 19. Jahrhunderts so gut wie völlig ignoriert, läßt sich wissenschaftlich in keiner Weise rechtfertigen und wird mit dem Verlust wesentlicher Dimensionen der Auslegung teuer bezahlt.

Kapitel A: Römer 1–11

1. Paulus schreibt den Römerbrief an Heidenchristen

Paulus rechnet mit heidenchristlichen Empfängern des Briefes[1].
In 1,5 stellt er sich als Apostel vor, der berufen ist, den Gehorsam des Glaubens zu wirken ‚unter allen Heidenvölkern', und er fügt ausdrücklich hinzu: ‚zu denen auch ihr gehört als Berufene Jesu Christi'.
In 1,13–15 wird mit anderen Worten dieselbe Feststellung getroffen. Paulus will die römische Gemeinde besuchen, ‚damit ich auch bei euch einige Frucht gewinne wie auch bei den übrigen Heidenvölkern. Griechen und Nichtgriechen, Weisen und Unweisen bin ich Schuldner. Darum ist es mein Vorsatz, auch euch in Rom das Evangelium zu verkündigen.
Nachdem er *über* Israel gesprochen hat, und zwar über das ungläubige Israel, redet Paulus in 11,13 die bis dahin angesprochenen gläubigen Leser des Briefes an: ‚Zu euch aber, den Heiden, sage ich.'
Schließlich ist auf 15,15 ff. zu verweisen. Paulus rechtfertigt die Freiheit, die er sich genommen hat, den Römern zu schreiben, mit Hinweis auf die ihm zuteil gewordene Gnade, ‚Diener Christi Jesu für die Heiden zu sein, der priesterlichen Dienst am Evangelium Gottes versieht, damit die Darbringung der Heiden wohlgefällig sei ... Denn ich würde nicht wagen etwas zu sagen, das nicht Christus durch mich wirkt zum Gehorsam der Heiden.'
In solchem Dienst an den Heiden ist der Apostel im Begriff, die christliche Gemeinde Roms und den Westen des Reiches zu besuchen.
Man hat ferner darauf hingewiesen, daß die Schilderung des einst sündlichen, gesetzlosen Lebens der Leser des Briefes, die sich in 6,17 ff. findet, offensichtlich die heidnische Unsittlichkeit im Blick hat (vgl. Gal 2,15). Auch redet Paulus in 9,3 f. und in 10,1 f. von den Juden als von seinen Brüdern nach dem Fleisch in einer Weise, die es allem Anschein nach ausschließt, daß es sich um Volksgenossen auch der Leser, also um *unsere* Brüder nach dem Fleisch handelt[2]. Beide Argumente, für sich genommen wenig durchschlagend, sind im Zusammenhang mit der eindeutigen Anrede der Leser als Heidenchristen überzeugend.
Nicht unwichtig ist auch die Beobachtung, daß Paulus in Kap. 9–11 nicht voraussetzen könnte, daß fast ganz Israel das Evangelium ablehnt, wenn

---

1. Vgl. zum Folgenden z. B. Tholuck, a.a.O. S. 2 ff.; v. Hofmann, a.a.O. S. 623 f. 478 f. 534 f.; Bernhard Weiß (1886) S. 19 ff.; Pfleiderer (1882), S. 487 ff.; Heinrich Julius Holtzmann (1886), S. 261 f.; Willibald Beyschlag (1867), S. 640 ff.; Spitta (1901), S. 119 ff.; Weizsäcker (1902), S. 407 ff.; Feine (1903), S. 3 ff. 38 ff.; Feine-Behm, a.a.O. S. 162 f.
2. Vgl. Grafe a.a.O., S. 39 f.

die römische Christenheit dem durch ihre bloße Zusammensetzung bereits widersprochen hätte[3].

Es kann also kein Zweifel daran bestehen, daß die römischen Christen, an die Paulus schreibt, zumindest nach der Meinung des Apostels Heidenchristen sind.

2. Paulus setzt sich in Kap. 1–11 mit dem Judentum auseinander

Dem heidenchristlichen Charakter der Adressaten scheint der Inhalt von Kap. 1–11 geradewegs und insgesamt zu widersprechen. Denn dieser Hauptteil des Römerbriefes hat ein beherrschendes und durchgehendes antijüdisches bzw. antipharisäisches Thema: Angesichts der Heilsoffenbarung Gottes in Jesus Christus gibt es keinen Unterschied zwischen Juden und Heiden mehr[4].

Das Thema des Briefes: 1,16 f.

Der Römerbrief unterscheidet sich darin von allen anderen Paulusbriefen, daß sein Verfasser gegen Ende des Proömiums das ‚Thema' seines Schreibens ausdrücklich formuliert. Die Gemeinde weiß also von sich aus nicht, was zu schreiben Paulus sich gedrängt sieht. Der Anlaß zu schreiben wird weder direkt noch indirekt von der Gemeinde an Paulus herangetragen, wie es in den übrigen Schreiben der Fall ist, sondern vom Interesse des Paulus bestimmt.

1,14–16a leiten von der Darstellung der (verhinderten) Reisepläne des Apostels zur Themenbestimmung seines Briefes über: Paulus möchte auch in Rom – ohne Scheu – das Evangelium verkündigen.

---

3. Weizsäcker (1902), S. 421.
4. Vgl. zum Folgenden z. B. Grafe, a.a.O. S. 53 ff.; Heinrich Julius Holtzmann (1886), S. 262 f.;
   Willibald Beyschlag (1897), S. 647 ff.; Feine (1903), S. 1 ff.; Feine-Behm, a.a.O. S. 162 f.
   „Wenn das Verständnis einer Schrift bedingt ist durch die Erkenntnis ihres Gedankeninhaltes und Gedankenganges: so scheint auch die protestantische Kirche trotz dreihundertjähriger mühsamer und mühseliger Arbeit das Verständnis des Römerbriefes bis jetzt nicht gewonnen zu haben. Zwar in der Auffassung der einzelnen Worte und Gedanken stimmen die Erklärer vielfach zusammen: in der Erfassung der Gliederung und der Bewegung der Gedanken gehen sie weit auseinander" (Holsten, 1879, S. 95). Dies Urteil hat 100 Jahre später fast unverändert Gültigkeit. Der folgende summarische Versuch, den Gedankengang des Römerbriefes bis Kap. 11 zu verfolgen, beruht deshalb in manchem stärker auf den Ergebnissen, die im Fortgang der vorliegenden Untersuchungen gewonnen werden, als auf dem Konsensus der Forschung. Dieser Zirkel ist unvermeidlich.

Dieses Evangelium wird in 1,16b–17 als δύναμις θεοῦ εἰς σωτηρίαν, sein Inhalt als δικαιοσύνη θεοῦ definiert. Der Ton liegt in 1,16b–17 freilich darauf, daß diese Gerechtigkeit eine *Glaubens*gerechtigkeit sei, und was ‚Glaube' für Paulus im Vorblick auf den ganzen Brief bedeutet, zeigt das παντὶ τῷ πιστεύοντι, Ἰουδαίῳ τε πρῶτον καὶ Ἕλληνι: das Evangelium bringt *allen* Heil, *sofern sie nur glauben*, also Juden und Heiden – unbeschadet des ‚heilsgeschichtlichen' Vorrangs der ersteren (πρῶτον; vgl. 2,9; 3,1 ff.)[5] – *ohne Unterschied*[6]. Die im Evangelium begegnende Gottesgerechtigkeit hebt, weil sie *Glaubens*gerechtigkeit ist, die von der Synagoge behauptete Bindung des Heils an das Judentum bzw. an das Gesetz auf. Jude und Grieche haben gleichen Zugang zur σωτηρία; denn der Gerechte wird *aus Glauben* leben[7]. Man beachte, daß Paulus das παντὶ τῷ πιστεύοντι, Ἰουδαίῳ τε πρῶτον καὶ Ἕλληνι so in seine Argumentation einbaut, daß es durch V. 17 begründet wird. Die Rede von der Glaubensgerechtigkeit hat keine selbständige dogmatische Funktion, sondern dient als Grundlage des Hauptgedankens: Weil Gott aus Gnade durch Glauben rechtfertigt, entfällt angesichts des gegenwärtig angebotenen Heils die Relevanz des heilsgeschichtlichen Unterschieds von Juden und Heiden[8]. Der Römerbrief entfaltet demnach nicht das dogmatische Thema ‚Gerechtigkeit Gottes'[9], auch nicht den Begriff ‚Glaube', sondern den speziellen Gedanken der Universalität des Heils[10], der *Gleich-*

---

5. „πρῶτον ist eine faktisch wertlose (vgl. 3,1 ff.) Konzession an das ‚auserwählte Volk Gottes'" (Lietzmann, 1933, S. 30). Mit ihm soll nicht mehr „als eine Art Ehrenvorrang ausgesagt sein" (Kuss, 1963, S. 22). Die heilsgeschichtlichen Vorrechte der Juden werden „bloß erwähnt, um in dem Ozean des ‚für jeden Glaubenden' auf ewig zu verschwinden" (Jülicher, 1908, S. 225). In 2,9 bezieht sich das πρῶτον dementsprechend auch auf die θλῖψις; es bezeichnet also keinen aktuellen Heilsvorrang.

6. „Für jeden . . . bestimmt" (Mangold, 1884, S. 306). „παντὶ τῷ πιστεύοντι klingt wie ein Kampfruf. Es besagt, daß vor dem Wort des Evangeliums die gesetzliche Unterscheidung zwischen Judentum und Heidentum hinfällig wird" (Michel, a.a.O. S. 53). „. . . andere Bedingungen gibt es nicht. Jeder Mensch hat die gleiche Chance, ob er nun Jude oder Grieche, d. h. Heide, ist" (Kuss, 1963, S. 21).

7. „Errettung, Heil *dem Glaubenden*: das ist für Paulus an und für sich ein antijüdisches Bekenntnis . . .; durch den Zusatz ‚jeder' wird diese Spitze noch verschärft, indem der Glaube dadurch als einzige und unfehlbar wirkende Bedingung des Heilserwerbs festgestellt wird" Jülicher, 1908, S. 225).

8. Vgl. Bartsch (1968), S. 284.

9. Anders z. B. wieder Klein, a.a.O. S. 133 (vgl. S. 144 f.): „Die diesen Brief durchgängig bestimmende Sachfrage, die Rechtfertigung des Gottlosen . . .". Bornkamm (1971), S. 131; Käsemann, a.a.O. passim.

10. Dieser Gedanke ist also auch nicht bloß ein „fortwährend mit ausgesprochenes *moment*" in dem hauptsächlich entfalteten Begriff der ‚Gerechtigkeit Gottes', wie Holsten (1868), S. 411 meint, sondern die Hauptsache selbst.

heit von Juden und Heiden angesichts der Gottesgerechtigkeit und des Glaubens [11].

Der erste Hauptteil: 1,18–3,20

Im ersten Hauptteil des Römerbriefes spricht Paulus von der Gleichheit aller angesichts des *Zornes Gottes* bzw. in bezug auf die Sünde. 1,18 formuliert dies Thema, das nicht das Thema ,Sünde' als solches ist, mit den Worten ἐπὶ πᾶσαν ἀσέβειαν καὶ ἀδικίαν ἀνθρώπων. Das artikellose ἀνθρώπων umfaßt nachdrücklich Juden *und* Heiden [12]. Paulus spricht vom Menschen schlechthin; *alle* sind Sünder: das ist sein erstes Unterthema, sein eigentliches Programm. Dogmatische Probleme wie z. B. die Frage nach der natürlichen Gotteserkenntnis, nach der Möglichkeit von Sündenerkenntnis, nach dem Verhältnis von Heilsoffenbarung und Offenbarung des Zorns usw. hat er als solche auch dort nicht im Blick, wo er sie anspricht, um die Gleichheit von Juden und Heiden nachzuweisen.

Nach der Formulierung des Themas in V. 18 geht der erste Argumentationsgang von 1,19–2,11 [13]. Paulus spricht zunächst von der Tatsache einer *allen* Menschen zugänglichen Offenbarung der Gottheit Gottes und entfaltet in diesem Rahmen (1,18–21a. 32) die Sünde der Menschheit so, wie der fromme Jude über den Heiden zu urteilen pflegte (1,21b–31). Daß Paulus dabei aber die Juden keineswegs ausgeschlossen wissen will, zeigt 1,23 f.: Paulus eröffnet die Schilderung des sündhaften Abfalls der Menschen von Gott mit Worten aus Ps 106,20, die von der Abgötterei *Israels* sprechen. Gerade *weil* der Urteilsspruch Gottes die Sünder zu Recht trifft (2,2), können – das zeigt Ps 106 – auch die über die Heiden urteilenden Juden dem Richtspruch Gottes nicht entgehen (2,3–5); denn sie tun selbst, was sie verdammen. Gott aber urteilt über jeden – den Juden wie den Heiden – auf Grund seiner Werke (V. 6), nicht auf Grund seiner Geburt (V. 6–8): ,Not und Drangsal *jedem* Menschen, der das Böse tut, dem Juden zuerst wie auch dem Heiden. Herrlichkeit aber und Ehre und Frieden *jedem*, der das Gute tut, dem Juden zuerst und auch dem Heiden; denn ein Ansehen der Person gibt es bei Gott nicht' (2,9–11). Unter doppelter Aufnahme der wichtigen Floskel aus der

---

11. Vgl. Jervell, a.a.O. S. 68 ff.; Leenhardt, a.a.O. S. 10 ff., der insofern mit gewissem Recht im Römerbrief nicht die Frage der Rechtfertigung, sondern das Problem der Kirche behandelt sieht. Richtig auch Wilckens, a.a.O. S. 152 und öfter.

12. Ebenso in 3,28. Siehe dazu Klein, a.a.O. S. 149, der freilich zum Nachteil seiner im übrigen überzeugenden Argumentation fälschlicherweise in 3,28 ff. zum ersten Male im Römerbrief überhaupt „die theologische Indifferenzierung von Juden und Heiden" begrifflich ausgedrückt findet.

13. 2,1 könnte eine Glosse sein; siehe unten S. 204.

Themenformulierung in 1,16[14] und im Rückgriff auf das universalistische ἄνθρωπος von 1,18 schließt Paulus damit den Ring des ersten Argumentationsgangs, der keine allgemeine dogmatische Belehrung über die Sünde enthält, sondern den Gedanken entfaltet, daß Juden und Heiden *in gleicher Weise* Sünder sind. Eine Bußpredigt, wie sie in der Synagoge gegenüber den Heiden gehalten werden konnte, wendet Paulus gegen die Juden selbst, um die von ihnen behauptete Vorzugsstellung zu eliminieren.

2,12–29 bildet einen zweiten Argumentationsgang. Dieser Abschnitt schließt in V. 12 an das Vorangehende an: Das Gericht Gottes macht keinen Unterschied zwischen denen, die ἀνόμως, und denen, die ἐν νόμῳ sündigen. Dieser Gedanke wird im Blick auf die Heiden (V. 13–16)[15] und die Juden (V. 17–25), die jeweils zu Beginn der Abschnitte als solche genannt werden, entfaltet; im Blick auf die Heiden so, daß ihnen Kenntnis des (natürlichen) Gesetzes unterstellt, im Blick auf die Juden so, daß ihnen die Übertretung des mosaischen Gesetzes vorgeworfen wird. Da über die Kenntnis des Gesetzes durch die Juden und über seine Übertretung durch die Heiden zwischen Paulus und der Synagoge kein Streit besteht, ist erneut die Gleichheit von Juden und Heiden festgestellt, und darum endet der zweite Argumentationsgang, zu seinem Anfang zurückkehrend, konsequenterweise mit der Feststellung, daß die Beschneidung keinen Vorrang verleiht (V. 26–29). Nur diese Aussage intendiert der Abschnitt 2,12–29.

Dies abschließende Urteil führt zu einer Digression, nämlich zu der Frage, welchen Sinn dann die Geschichte Gottes mit seinem Volk hatte, welchen Vorzug Israel besitzt, ob die den Juden gegebenen Verheißungen noch ihre Gültigkeit haben (3,1–3). Die letzte Frage bejaht Paulus, indem er die Wahrhaftigkeit Gottes betont angesichts der Feststellung, daß *jeder Mensch* ein Lügner sei (V. 4). Diese Feststellung wäre für die Antwort des Paulus nicht erforderlich; sie hält, wie das Stichwort πᾶς zeigt, das Thema des ganzen Briefes fest. Sie führt aber zugleich zu einer erneuten Abschweifung, weil Paulus sich genötigt sieht, den synagogalen Vorwurf zurückzuweisen, die Gerechtigkeit Gottes bedürfe der menschlichen Bosheit (V. 5–8).

Resolut macht Paulus am Schluß von V. 8 der Behandlung der sich aufdrängenden Nebengedanken ein Ende; er wird sie später ausführlich wieder aufgreifen (Kap. 6.9–11). Er kehrt zum Thema zurück, es noch einmal deutlich[16] formulierend: ‚Wie steht es nun? Haben wir (Juden) einen Vorzug?

---

14. „So kann es uns nicht wundernehmen, daß der Apostel 2,9.10, ohne inzwischen noch anderweitige religiös-verbindliche und wirksame Motive genannt zu haben, das Ἰουδαίῳ τε πρῶτον καὶ Ἕλληνι wiederaufnimmt. Er hat es dauernd im Auge behalten . . ." (Kühl, a.a.O. S. 49).

15. Zu V. 13.16 siehe unten S. 204.

16. Das undeutliche προεχόμεθα empfängt seinen Sinn aus dem Zusammenhang.

Ganz und gar nicht! Denn wir haben vorhin die Anklage erhoben, daß die Juden sowohl wie die Heiden *allesamt* (πάντας) unter der Gewalt der Sünde stehen' (V. 9). Ein Mosaik aus alttestamentlichen Zitaten belegt diesen Satz (V. 10–18), um die jüdischen Einwände endgültig zum Verstummen zu bringen (V. 19). Mit V. 20 endet der erste Hauptteil des Römerbriefes.

Die Verbindung zum zweiten Hauptteil ist kunstvoll hergestellt. 3, 20 führt bereits das Stichwort des zweiten Hauptteils ein (δικαιοσύνη), während umgekehrt die Verse 22b–23a noch einmal das Motiv des ersten Hauptteils explizieren: οὐ γάρ ἐστιν διαστολή· πάντες γὰρ ἥμαρτον. Paulus gibt damit erneut deutlich zu erkennen, worum es ihm in 1, 18–3, 20 ging: um „den Aufweis der Allgemeinheit der Sünde" [17]. Er entfaltet also im Horizont der Sünde das in 1, 16 angegebene Thema, die Aufhebung des Unterschiedes von Juden und Heiden, den Leitbegriff πᾶς (ἄνθρωπος) mitnehmend (1, 18; 2, 6. 9; 3, 4. 12. 19. 20. 23). Nirgendwo in 1, 18–3, 20 geht es Paulus dagegen um eine dogmatische Entfaltung des Sündenbegriffs.

Der zweite Hauptteil: 3,21–4,25

Mit 3, 21 beginnt der zweite Hauptteil des Römerbriefes; sein erster Argumentationsgang umfaßt 3, 21–31. Das in 1, 16 genannte Thema des ganzen Briefes wird nun im Horizont der dort bereits begegnenden Begriffe δικαιοσύνη θεοῦ und πίστις entfaltet und gleich am Anfang wiederholt: εἰς πάντας τοὺς πιστεύοντας (= zu allen Menschen, sofern sie nur glauben); οὐ γάρ ἐστιν διαστολή (V. 22). Auch die Beschreibung der ‚Glaubensgerechtigkeit‘ in 3, 21–31 verfolgt also keine grundsätzlich-dogmatische Intention, sondern dient der Feststellung, daß durch den Glauben die Unterschiede von Juden und Heiden aufgehoben werden und *der Mensch schlechthin* (δικαιοῦσθαι πίστει ἄνθρωπον V. 28) [18] die Gerechtigkeit empfängt: ‚Oder ist Gott etwa nur der Juden Gott, nicht auch der Heiden? Natürlich auch der Heiden, wenn anders er der *eine* Gott ist! – der ‚die Beschneidung‘ aus Glauben und ‚die Vorhaut‘ um des Glaubens willen gerecht sprechen will‘ (V. 29f.).

4, 1–25 bringt in einem zweiten Argumentationsgang den Schriftbeweis für die Behauptung, daß die Glaubensgerechtigkeit, die keine Unterschiede zwischen Juden und Heiden macht, die vor Gott geltende Gerechtigkeit sei; denn sie wurde dem Abraham bereits zugesprochen, als er noch nicht beschnitten war (V. 9f.). Deshalb ist Abraham der Vater, πάντων τῶν πιστευόντων, nämlich der ‚Vorhaut‘, so daß ihnen die Gerechtigkeit zugerechnet wird, *und* Vater der ‚Beschneidung‘ …‘ (V. 11 f.). ‚Deswegen also das ‚Aus

---

17. Bultmann (1965), S. 250.
18. Siehe S. 13, Anm. 12.

Glauben', damit das ‚Gemäß der Gnade' gültig sei, so daß die Verheißung für *alle* Nachkommen gewiß sei, nicht nur für die unter dem Gesetz geborenen, sondern auch für die, welche (nur) durch den Glauben Abrahams Nachkommen sind; denn er ist unser *aller* Vater' (V. 16). Man darf sich durch den hymnischen Schluß des vierten Kapitels nicht verleiten lassen, den Skopos der paulinischen Interpretation des Glaubens Abrahams zu verschieben. Dieser Skopos dient unzweideutig dem Thema des ganzen Briefes: die Glaubensgerechtigkeit ist älter als das Gesetz; sie liegt *vor* der Differenzierung von Juden und Heiden; sie gilt für *alle* Menschen ohne Unterschied, sofern sie nur glauben [19].

5,1–11 in den Zusammenhang des Römerbriefes einzuordnen, hat seit jeher Schwierigkeiten gemacht. Das in 1,16 formulierte und in 1,18–4,25 durchgeführte Thema des Römerbriefes klingt in 5,1–11 offensichtlich nicht an. Das ist um so merkwürdiger, als es in 5,12–21 wieder aufgenommen wird. Wir lassen deshalb 5,1–11 vorerst unberücksichtigt und beschäftigen uns mit diesem Abschnitt in einem anderen Zusammenhang (siehe S. 197 ff.).

Die Synthese: 5,12–21

Sieht man von 5,1–11 ab, so begegnet in 5,12–21 der dritte Argumentationsgang, eine Synthese der beiden Hauptteile. Paulus führt sein Thema an Hand der Antitypologie Adam–Christus durch. V. 12 ist bekanntlich Anakoluth. Erst V. 18 nimmt V. 12 unmittelbar wieder auf und bringt nach der Abweisung von möglichen Mißverständnissen in V. 13–17 die Intention der Antitypologie zu deutlichem Ausdruck [20]: ‚Also: wie auf Grund *einer* Übertretung *alle* Menschen verurteilt wurden, so wurden auch auf Grund *einer* Rechtstat alle Menschen gerecht gesprochen, um zu leben' (V. 18 ≈ V. 19). Paulus greift wieder den Leitbegriff seines Themas auf: εἰς πάντας ἀνθρώπους [21].

---

19. Vgl. Bartsch (1968) S. 285 f., dessen Polemik gegen Klein allerdings ins Leere trifft.
20. Vgl. Bornkamm (1952), S. 80 ff.; Klein, Bibelkritik als Predigthilfe, 1971, S. 131 ff. Vgl. Wilckens, a.a.O. S. 153 f.
21. „In keinem Brief des Apostels taucht so häufig wie im Römerbrief die Wendung πάντες auf" (Harder, a.a.O. S. 20 f.; vgl. Marxsen, 1963, S. 94 f.). Es ist ein Mißverständnis der paulinischen Gedankenführung im Römerbrief überhaupt, wenn Bornkamm seine richtige Feststellung: „Nicht zufällig begegnen in keinem Paulusbrief die Worte ‚alle', ‚jeder' oder auch negativ ‚keiner' so häufig wie in dem an die Römer" (1971, S. 135) damit erklärt, daß die Aussagen des Briefes „nicht mehr nur für diese oder jene einzelnen Gruppen und Gegner, sondern allen" gelten. Aber Paulus argumentiert nicht gegenüber allen, sondern gegenüber den Römern; ihnen gegenüber argumentiert er, *daß* alle, nämlich Juden und Heiden, vor dem Glauben gleich seien und keiner einen Vorzug besitze. Falsch auch Klein (siehe Anm. 20) S. 131: „. . . zu ‚allen Menschen', d. h. zu jedem einzelnen."

16

Indem *alle* Menschen als Sünder in Adam und als Gerechte in Christus beschlossen sind, verliert der Unterschied zwischen Juden und Heiden die von der Synagoge behauptete grundsätzliche Bedeutung; das diesen Unterschied begründende Gesetz hat nur eine begrenzte Funktion innerhalb der von Anfang an *universalen* Geschichte von Sünde und Heil (V.20). Durch die Wiederholung der Aussage von V.18 in V.19 hebt Paulus das Ziel seiner Argumentation deutlich hervor.

Richtig urteilt Haupt (1900). Er hält den Abschnitt 5,12–21 für den Abschluß des ersten Teils des Römerbriefes. „Nachdem im ersten Abschnitt Paulus die gleiche Verdammungswürdigkeit aller dargelegt hat, im zweiten die gleiche Erlösung aller durch den Glauben", gibt der dritte Abschnitt „die Synthese der beiden vorigen" (S. 146).

Auch 5,12–21 darf man also nicht grundsätzlich-dogmatisch erklären. Paulus stellt die Adam-Christus -Typologie in den Dienst seines Themas: Juden und Heiden sind vor Gott gleich. Dabei gelingt es ihm, mit Hilfe der Antitypologie Adam-Christus = Sünde-Gerechtigkeit = Gericht-Gnade die beiden bisherigen Behandlungen des Themas in einer übergreifenden theologischen Vorstellung zusammenzufassen: eine kunstvolle Anlage des Briefes.

Zwei Exkurse: 6,1–23 und 7,1–16

Ein Haupteinwand der Synagoge gegen die *universale* Glaubensgerechtigkeit lautet, mit der Abrogation des jüdischen Gesetzes sei dem Sündigen freie Bahn gegeben, ja, der Glaubende müsse sogar die Sünde vermehren, um den Glauben groß zu machen. Gegen diesen mit Ernst, Ironie oder Böswilligkeit vorgebrachten Einwand hatte Paulus sich bereits kurz in 3,7f. gewandt. In Kap.6 nimmt er in zwei Durchgängen (6,1–14 und 6,15–23) dies Thema wieder auf, wobei er jeweils zu Beginn des Abschnittes den jüdischen Vorwurf formuliert. Im Blick auf den Hauptteil und das Hauptthema des Römerbriefes kann man Kap.6 am besten als einen nachgestellten Exkurs bezeichnen[22]. Indem der Apostel die synagogalen Einwände gegen die Abrogation des Gesetzes zurückweist, sichert er seine These von der Universalität des Heils.

Ein zweiter Einwand der Synagoge geht von dem Gesetz als wesentlicher Heilsveranstaltung Gottes aus: Leugnet Paulus nicht die Heilsbedeutung der Sinaioffenbarung? Schon in 3,20.31; 4,15; 5,20f. hatte Paulus sich diesem Problem gestellt. In 7,1ff. thematisiert er es in drei Durchgängen, deren erster eine Überleitung von Kap.6 darstellt[23].

22. Vgl. Dahl, a.a.O. S. 41.
23. Etwas anders Luz (1969), S. 170f. 176, Anm. 40.

7,1–6: Der Christ ist mit Christus dem Gesetz gestorben, um als Glaubender im neuen Geist zu dienen[24]. Christus ist das Ende des Gesetzes; vgl. 10,4.
7,7–12: Das Gesetz deckt zwar die Macht der Sünde auf, ist deshalb aber nicht selbst Sünde, sondern heilig, gerecht und gut.
7,13–16: Die Sünde wird zwar durch das Gesetz ‚überaus sündig‘, so daß die Sünde durch das Gesetz den Tod bringt, das Gesetz selbst aber ist dennoch gut.
Die Abschnitte 7,7–12 und 7,13–16 beginnen jeweils mit einem Einwand der Synagoge und schließen gleichsinnig mit der Feststellung, daß das Gesetz ‚gut‘ sei[25]. 7,7–16 bildet insofern eine formale Parallele zu Kap. 6 und V. 16 einen deutlichen Abschluß. Man kann den ganzen Abschnitt 7,1–16 einschließlich des überleitenden Stückes 7,1–6 als einen zweiten nachgestellten Exkurs bezeichnen, der ein in den Hauptteilen des Briefes bereits mehrmals angeschnittenes und vom Thema des Briefes gestelltes Problem zusammenfassend behandelt, um bestimmte synagogale Einwände gegen die paulinische Konzeption von der Universalität des Heils unwirksam zu machen.

Der dogmatische Schlußabschnitt: 7,17–8,39

In 7,17 ff. entfaltet Paulus den in V. 14–16 bereits angesprochenen Zwiespalt zwischen dem das Gute wollenden und dem das Böse vollbringenden Ich des Menschen. Dabei geht es ihm nun aber überhaupt nicht mehr um die Rehabilitierung des Gesetzes, sondern um diesen Zwiespalt als solchen. Die Verse 17–25 beschreiben ‚dogmatisch‘ den Menschen in der Sünde[26].

24. Das Thema von 7,1–6 wird schon durch 6,14 vorbereitet. Der Zielpunkt, unter dem das Gesetz in 7,1–6 behandelt wird, ist also noch der von Kap. 6, wie 7,4–6 zeigt. Zugleich aber wird in 7,1–6 bereits das Gesetz als solches thematisiert. Vgl. Käsemann a.a.O. S. 177.

25. Der Aufbau von 7,7–16 ist also der folgende:

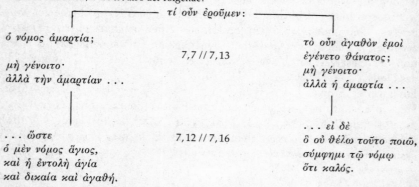

26. „Die Schilderung wird offenbar Selbstzweck, d. h. der Gesichtspunkt verschiebt sich im Laufe

Das erweckt den Eindruck, als betrachte Paulus die Behandlung des Briefthemas einschließlich der zugehörigen Exkurse in 7,16 für abgeschlossen
und beabsichtige, nun eine grundsätzliche dogmatische Erörterung anzuschließen. Tatsächlich greift Paulus bis 8,39 nicht mehr auf das Thema des
bisherigen Briefes zurück. Zugleich bildet der ganze Abschnitt 7,17–8,39
eine Dogmatik in nuce.
7,17–24 erörtern das Thema der Sündenverfallenheit des Menschen.
7,25–8,11 sprechen von der Erlösung, der Rechtfertigung im Geist [27].
8,12–14 beschreiben den neuen Gehorsam.
8,15–30 enthalten nach der Überleitung V.15–16 einen ausführlichen eschatologischen Ausblick, der in V.17–25 stärker futurisch (Hoffnung), in V.26
bis 30 stärker präsentisch (Trost) orientiert ist.
8,31–39 sind der quasi-hymnische Abschluß des *ganzen* dogmatischen Abschnitts von 7,17 an; das πρὸς ταῦτα in V.31 bezieht sich auf alles in 7,17–
8,30 Gesagte. In V. 31b–32 faßt Paulus kurz den zentralen Inhalt des seit

der Erörterung, und stand im Anfang des Abschnitts die Rehabilitation des Gesetzes im
Vordergrund, so ist mindestens von V.18 an die Aufklärung des Zwiespalts Hauptanliegen
des Verfassers. Und so erklärt sich, daß der Abschnitt, der als Apologie des Gesetzes begonnen hatte, mit einer Frage nach dem Erlöser aus dem Zwiespalt endet". (W. G. Kümmel,
Römer 7 und die Bekehrung des Paulus, 1929, S. 10). Der Neuansatz liegt freilich bereits in
V. 17, wie schon die abgerundete Komposition von 7,7–16 zeigt (siehe vorige Anm.).
Das νυνὶ δέ zu Beginn von V.17 leitet nicht anders als das νυνὶ δέ von 3,21 einen ganz
neuen Abschnitt des Briefes ein: ,Steht es so, (daß ich unter die Sünde verkauft bin und das
tue, was ich hasse, dann) handele ich nicht mehr, sondern die in mir wohnende Sünde . . .'.
Der für die Argumentation in 7,13–16 benötigte Hilfsgedanke wird so zum selbständigen
Thema ,Sündenverfallenheit', mit dem der dogmatische Briefteil eingeleitet wird. Eine
ähnlich glatte und unauffällige Naht beim Übergang von situationsbedingten Darlegungen
zu mehr grundsätzlichen Ausführungen findet sich in 1 Thess 5 zwischen V.3 und V.4,
wenn man, was ich für angemessen halte, der Interpretation von Wolfgang Harnisch,
Eschatologische Existenz, FRLANT 110, 1973 (vgl. besonders S. 80 Anm. 13, S. 125ff.)
folgt.
Der Aufbau des unter dem Thema ,Sündenverfallenheit' stehenden Abschnittes 7,17–24 ist
durchsichtig und ebenso wie der Abschnitt 7,7–16 in sich abgeschlossen. Der erste Argumentationsgang umfaßt 7,17–20, wie bereits daran deutlich wird, daß V.20 den V.17 fast wörtlich wieder aufgreift: der Mensch hat der Macht der Sünde gegenüber seine Freiheit eingebüßt. Der zweite Argumentationsgang, mit πᾶς angeschlossen, bringt keine weiterführende Folgerung, sondern nur eine Erläuterung des in 7,17–20 entfalteten Grundsatzes, daß
mir mein eigenes Tun als ein fremdes Tun gegenübersteht: ,Das heißt also, daß ich mich in
folgender Zwangslage vorfinde: ich will das Gute tun und erreiche das Böse'. V.24 leitet von
dieser Einsicht in die Verfallenheit des menschlichen Daseins zu dem neuen Themenkreis
,Erlösung' über.

27. 7,25b ist eine Randglosse zu 7,23; 8,1 eine Randglosse zu 8,2 oder zu 8,3 (vgl. unten
S.206).

7,17 entfalteten christlichen Kerygmas zusammen: Gott ist für uns. Im folgenden sichert er diesen Satz ab gegenüber den Anfechtungen durch die Anklage der Sünde (V. 33 f.; der Rückbezug auf 7,17 ff.; 8,3 ist deutlich), durch die Wirklichkeit des Leidens der Christen (V. 35–37) und durch das Geworfensein in die Zwänge und Mächte des Kosmos (V. 38–39).

Der ganze Abschnitt 7,17–8,39 unterscheidet sich also als ‚dogmatischer' grundlegend von 1,18–7,16, wie sich zugleich äußerlich schon daran zeigt, daß mit 7,16 das Gespräch mit der Synagoge, das in 1,18–7,16 durchgehend herrschte, nicht nur inhaltlich, sondern auch formal abbricht; sprach Paulus in 1,18–7,16 mit und gegen die Synagoge, so ‚predigt' er in 7,17–8,39 den Christen. Das in 1,16 formulierte und bis 7,16 behandelte Thema, die *Universalität* des Heils, begegnet nicht mehr.

Der hymnische Abschluß des Ganzen in V. 38 f. erinnert sehr stark z. B. an 1Kor 15,54 f. 57 und an 1Kor 13,8–13, so daß man hinter Röm 8,38 f. eigentlich nichts anderes mehr erwartet als den Übergang zum Briefschluß, der ja sowohl auf 1Kor 13,13 (mit 16,1–12) [28] wie auf 1Kor 15,57 (mit 15,58 und 16,13–24) [29] ursprünglich folgte.

Ein Nachtrag: Kap. 9–11

Kap. 9–11 nehmen indessen noch einmal auf das Leitthema des Römerbriefes selbst Bezug. Es geht in diesen drei Kapiteln nämlich um die Entfaltung des Ἰουδαίῳ πρῶτον aus der Themenformulierung von 1,16, das in 2,9 f. aufgenommen und in 3,1–4 ansatzweise erklärt wurde. Im Blick auf den zentralen Gegenstand des Römerbriefes bilden die Kap. 9–11 also nach Kap. 6 und nach 7,1–16 einen dritten Exkurs [30], der aber als ein in sich abgeschlos-

---

28. Siehe Schenk; Der 1. Korintherbrief als Briefsammlung, ZNW 60, 1969, S. 225 f.
29. Siehe ebd. S. 224 f.
30. Bruno Bauers Urteil, mit Kap. 9 beginne „eine schlechthin neue Frage" (a.a.O. S. 47 f.), trifft in dieser Form keineswegs zu, und seine Begründung: „Der Verfasser von Cap. 9–11 spricht *als Jude* und *aus der Anhänglichkeit* an das jüdische Volkswesen heraus – im vorhergehenden Abschnitt ist dagegen die Sache der Juden und des Judenthums entschieden und *abgemacht"* übersieht den engen sachlichen Zusammenhang beider in ihrem Unterschied nicht unrichtig beschriebenen Abschnitte, der durch 1,16; 2,9 f.; 3,1–4 auch ausdrücklich manifestiert wird: die Sache des Judentums ist dadurch ‚abgemacht', daß sie in den christlichen Universalismus *aufgehoben* wurde; die Enttäuschung des Apostels über das Fernbleiben seines Volkes ist in diesem Universalismus selbst angelegt.
Dabei ist freilich nicht zu übersehen, daß das Thema von Röm 9–11 im Unterschied zu den Ausführungen in Röm 1–8 im Galaterbrief keine Parallele besitzt. Der *Nachtrags*charakter von Kap. 9–11 wird durch diese Beobachtung deutlich unterstrichen.

sener *Anhang* ausgearbeitet ist[31], sofern der dogmatische Abschnitt 7,17–8,39 als integraler Bestandteil des Römerbriefes angesehen werden muß. Dies letztere aber erscheint mir schon angesichts des engen Übergangs von 7,13–16 zu 7,17–24, der sich schwerlich redaktionell erklären läßt, und außerdem deshalb unerläßlich zu sein, weil eine beispielhafte Predigt bzw. dogmatische Belehrung, wie sie in 7,17–8,39 vorliegt, in dem Brief des Paulus an die ihm unbekannten Christen in Rom gut am Platze ist.

Der Nachtrag Kap. 9–11 steht dabei durchaus unter dem 1,18–7,16 beherrschenden Thema des Briefes: οὐ γάρ ἐστιν διαστολὴ Ἰουδαίου τε καὶ Ἕλληνος (10,12)[32]. Zu Beginn des Nachtrags versichert Paulus, daß dieser in 1,18–7,16 ausführlich entfaltete Grundsatz nichts an seiner herzlichen Liebe zu dem Israel nach dem Fleisch ändert (9,1–5). Aber das *wahre* Israel sind nach Gottes freier Gnadenwahl nicht die Kinder des Fleisches, sondern die Kinder der Verheißung (9,6–29). Wenn zum gegenwärtigen Zeitpunkt das Israel nach dem Fleisch im Unterschied zu den Heiden die verheißene Gnadengabe nicht annimmt, so liegt das an dem schuldhaften Bestreben der Synagoge, die eigene Gerechtigkeit vor Gott aufzurichten, obschon den Juden die Gerechtigkeit aus Gnaden angeboten wurde (9,30–10,21); denn Gott ist reich über *alle*, die ihn anrufen (10,11–13), und *allen* wurde die Botschaft ausgerichtet (10,18), wenn auch nicht *alle* dem Evangelium geglaubt haben (10,16). Dennoch hat Gott sein Volk nicht verstoßen; schon jetzt ist ja ein ‚Rest' des Israel nach dem Fleisch gerettet (11,1–10). Wenn die Synagoge als ganze sich dem Christus Jesus bisher nicht öffnete und die Ekklesia der Heiden entstand, dient diese Entwicklung dazu, das Israel nach dem Fleisch ‚eifersüchtig' auf die Glaubenden zu machen; keineswegs dürfen deshalb die Heidenchristen meinen, sie seien an die Stelle Israels getreten (11,11–24). Am Ende wird auch Israel gerettet werden (11,25–31). Dieses ganze seltsame Geschick Israels spricht nicht gegen, sondern für die Weisheit Gottes, wie Paulus meint: συνέκλεισεν γὰρ ὁ θεὸς τοὺς πάντας εἰς ἀπείθειαν ἵνα τοὺς πάντας ἐλεήσῃ (11,32); so lautet das Fazit aus Kap. 9–11, und dies Fazit ist nichts anderes als eine besondere Form des leitenden Themas von 1,18–7,16[33], ein Fazit, das zu dem Lobpreis in 11,33–36 Anlaß gibt.

31. „Äußerlich unvermittelt, aber von innen her aufs engste mit dem Gesagten verbunden" stehen Kap. 9–11 im Römerbrief, schreibt Gaugler, a.a.O. II S. V; Luz (1968), S. 19 f.

32. Das entsprechende πᾶς findet sich allein in 10,11–18 fünfmal; vgl. Spitta (1901), S. 149 f.

33. Man kann deshalb Kap. 9–11 nicht für einen ‚Sermon' halten, der ganz unabhängig von Kap. 1–8 konzipiert wurde und mehr oder weniger zufällig von Paulus an Kap. 1–8 angehängt worden ist. Dies ist die Meinung von Dodd, a.a.O. S. 148 ff.; ähnlich schon v. Manen (1891), S. 77 ff. 113. Dagegen wendet sich mit Recht Luz (1968) S. 19 f. Allerdings ist richtig, daß die Kap. 9–11 ebenso wie die Kap. 1–8 in starkem Maße vorgeprägtes Material zu einem dem Apostel geläufigen Thema enthalten.

Zusammenfassung

Im Rückblick auf Röm 1–11 ergibt sich also folgender Aufriß der Epistel: Nach dem Protokoll, das mit der Themenangabe schließt (1,1–17), wird das Thema in drei Schritten behandelt (1,18–3,20; 3,21–4,25; 5,12–21) und durch zwei Exkurse gegen Einwände verteidigt (6,1–23; 7,1–16). Dann folgt ein vom Thema unabhängiger dogmatischer Abriß der paulinischen Verkündigung (7,17–8,39) und in Kap. 9–11 in Gestalt eines Nachtrags ein dritter auf das Thema bezogener Exkurs.

Dieser Nachtrag ist als solcher für paulinische Schreiben ohne Analogie. Indessen ist auch der Römerbrief ein literarisches Unikum im paulinischen Briefkorpus: Paulus greift von sich aus zur Feder; das Thema des Briefes wird von ihm an die römische Christenheit herangetragen; er entfaltet es im Gespräch nicht mit den Römern, sondern mit der Synagoge; das Thema wie seine Durchführung einschließlich der drei Exkurse sind nicht ad hoc geboren, sondern traditionell vorgegeben und in der Auseinandersetzung des Paulus mit der Synagoge oftmals durchgespielt worden; auch der ‚dogmatische' Abschnitt 7,17–8,39 bietet weitgehend vorgedachtes und vorformuliertes Gut. Ohne daß man einen konkreten Anlaß des Römerbriefes im geringsten in Zweifel ziehen dürfte, tragen Röm 1–11 in starkem Maße den Charakter einer Epistel, ja, einer Abhandlung. Dieser im Vergleich zu den anderen Paulusbriefen besondere Charakter des Schreibens nach Rom erlaubt es, den Römerbrief als literarische Größe nicht streng an den anderen Briefen des Apostels zu messen und Röm 1–11 einschließlich des Nachtrags Kap. 9–11 als eine literarische Einheit anzusehen.

Da der Nachtrag (ebenso wie die beiden angehängten Exkurse Kap. 6 und 7,1–16) im Hauptteil des Briefes bereits angekündigt wird (3,1ff.), darf man annehmen, daß Paulus Kap. 9–11 nicht auf Grund eines späten Einfalls an den im wesentlichen bereits abgeschlossenen Brief angehängt hat, sondern daß die Dreiteilung 1,18–7,16; 7,17–8,39; 9,1–11,36 von vornherein geplant war. Verhält es sich so, wollte der Apostel auf den ‚unaktuellen' dogmatischen Abschnitt 7,17–8,39 nicht verzichten, ihm aber auch nicht den gewichtigen Platz am Ende des Briefes geben, um das eigentliche Thema und den konkreten Anlaß seines Schreibens nicht zu verdrängen. Verhält es sich anders, führten die Ausführungen in 7,13–16 den Apostel dazu, den guten Anschluß wahrzunehmen und mit der Darstellung der Verfallenheit des Menschen an die Sünde den dogmatischen Teil zu beginnen (7,17), was dann zur Folge hatte, daß Kap. 9–11 den Charakter eines Nachtrags bekommen mußten[34].

---

34. Natürlich ließe sich das literarische Problem von Röm 1–11 erleichtern, wenn man 8,39 für das Ende des Briefkorpus ansähe und Kap. 9–11 für ein von Kap. 1–8 unabhängiges Stück

22

3. Der Doppelcharakter des Römerbriefes

Das Leitthema von Röm 1–11[35] gehört, wie immer man es im einzelnen durchgeführt sieht, in die Diskussion mit der Synagoge. Es wird aber auch im einzelnen im Gespräch mit der Synagoge abgehandelt[36].
Wie kommt Paulus dazu, Heidenchristen gegenüber überhaupt und nun gar derart ausführlich die Aufhebung des Gesetzes und damit der Vorzugsstellung Israels zu rechtfertigen? *Sie* konnten doch der paulinischen Predigt nicht den Vorwurf machen, daß diese den Vorzug Israels bestritt! Gewiß, Kap. 11 ist Heidenchristen gegenüber verständlich, die, wie wir sahen, schon in 9,3f. und in 10,1f. als Leser direkt vorausgesetzt sind und als Heidenchristen angesprochen werden: sie sollen bedenken, daß das Heil in Christus Heil für Heiden *und Juden* ist. Aber Kap. 11 ist zugleich nur verständlich als *Kehrseite* der Argumentation von Kap. 1 an, die den paulinischen Grundsatz rechtfertigte, daß Gott zwischen Juden *und Heiden* keinen Unterschied macht. Solche Rechtfertigung ist *Heiden*christen gegenüber unbegreiflich. Paulus kann sich z. B. schwerlich gegen den *heiden*christlichen Vorwurf verteidigen, die Aufhebung des Gesetzes bedeute das Ende der Sittlichkeit.
Dazu kommt, daß Paulus bei den heidenchristlichen Lesern von Kap. 1–11 eine gründliche Kenntnis des Alten Testaments wie selbstverständlich voraussetzt. In 7,1 redet er sie ausdrücklich als solche an, die ,das Gesetz kennen', was bei Paulus nur heißen kann: die das mosaische Gesetz[37] kennen, nicht aber: die des römischen Eherechts[38] kundig sind. Damit ist 7,4 zu verbinden. Die Feststellung: ,Daher, meine Brüder, seid auch ihr dem Gesetz gestorben ...' ist, auf Heidenchristen bezogen, eine zumindest merkwürdige Folgerung; denn diese haben dem Gesetz doch nie gelebt.

hielte. So urteilen, unter der Voraussetzung der Unechtheit *aller* Teile des Römerbriefs, Bruno Bauer (1852), S. 47ff.; Steck, a.a.O. S. 241. 362; v. Manen (1891) S. 77ff.; ohne diese Voraussetzung: Weisse (1855), S. 146; (1867) S. 46ff. (Kap. 9–11 u. 16 sind nach Ephesus gerichtet); Völter (1889), S. 274f.; (1890) S. 31ff. Aber die Kap. 9–11 sind keineswegs nachpaulinischen Ursprungs. Und diese Kapitel als ein selbständiges Schreiben nach Rom anzusehen, das von der Hand des Paulus stammt, ist angesichts der engen sachlichen Verbindung von Kap. 9–11 mit 1–8, der offensichtlich völlig identischen Situation und des Fehlens von ausgesprochen brieflichen Rahmenstücken bzw. von Übergängen dazu in Kap. 9–11 die literarisch schwierigere Lösung.

35. Die oben vorläufig begründete Beschränkung unserer Untersuchung auf Kap. 1–11 findet durch die Bestimmung des Leitthemas dieser Kapitel eine gleichfalls vorläufige Rechtfertigung: In Kap. 12–16 wird das in 1,16 formulierte Thema nicht wieder aufgenommen; der Leitbegriff πάντες (ἄνθρωποι) begegnet nicht mehr.
36. Vgl. Lipsius, a.a.O. S. 72f.
37. So urteilen mit Recht die meisten Forscher. Vgl. z. B. Feine (1903), S. 59ff.; Michel, a.a.O. z. St.; Lietzmann (1933) z. St. Vgl. unten S. 87f.
38. So aber z. B. Bernhard Weiß (1886), S. 328f.

In 2,17 schreibt Paulus: ,Wenn aber du dich einen Juden nennst und dich auf das Gesetz verläßt und dich Gottes rühmst ...' Das ist zwar keine direkte Anrede des Lesers – so wenig wie 2,1 –, sondern eine rhetorische Einführung in der Weise popularphilosophischer Diatribe. Aber diese Einführung (,Wer sich einen Juden nennt ...') macht zur Genüge deutlich, daß die *Argumentation* des Paulus Leser voraussetzt, die sich als oder wie Juden rühmen konnten.

Natürlich kann man auch auf 4,1 verweisen, wo Paulus den Abraham ,unseren Vorvater nach dem Fleisch' nennt, was Heidenchristen gegenüber denkbar schlecht paßt. Diese Stelle hat nicht schon deshalb aus der Diskussion auszuscheiden[39], weil Paulus auch in 1Kor 10,1f. vor eindeutig heidenchristlichen Lesern die Väter der Wüstenzeit οἱ πατέρες ἡμῶν nennt; denn dabei fehlt gerade das bezeichnende κατὰ σάρκα[40]. Genügt die Feststellung, daß der Apostel in 4,1 „sein Eigentum und seine inneren Erfahrungen als christliches Gemeingut behandelt"[41]?

Der Doppelcharakter von Röm 1–11 ist also offenkundig; der Römerbrief wird von einem inneren Widerspruch durchzogen. Die paulinische Argumentation setzt anscheinend eine judenchristliche Leserschaft voraus; die direkte Anrede des Apostels richtet sich dagegen stets nur an Heidenchristen.

Daraus erklärt sich, daß das historische Problem des Römerbriefes unlösbar mit der Frage nach der ethnischen Zusammensetzung der Gemeinde verbunden ist.

Die Versuche, den beschriebenen Doppelcharakter zu erklären, sind schier unübersehbar. Es ist nicht leicht, sie in eine übersichtliche Ordnung zu bringen, zumal nicht wenige Forscher ihre Meinung im Laufe der Zeit geändert haben und also an verschiedenen Stellen begegnen müssen. Man kann versuchen, die Lösungsvorschläge in drei Gruppen zu ordnen, muß aber dabei bedenken, daß vermittelnde Ansichten solche Ordnung gelegentlich als zu starr erscheinen lassen.

4. Versuche der Lösung: Die Leser sind Judenchristen

Ein Teil der Forscher geht von der *Argumentation* des Briefes aus. Dann sind die Adressaten Judenchristen, und man muß bestreiten, daß Paulus Heidenchristen anredet, sofern man nicht versucht, diese Anrede trotz judenchristlicher Leserschaft verständlich zu machen.

39. Gegen Willibald Beyschlag a.a.O. S. 646.
40. Andere, freilich nicht überzeugende Argumente, die für einen judenchristlichen Charakter der Gemeinde in Rom sprechen, finden sich z. B. bei Mangold (1884) S. 293ff.; Lipsius, a.a.O. S. 73.
41. Jülicher (1906), S. 99.

Diesen Weg der Erklärung beschritt F. C. Baur mit seiner bereits genannten Untersuchung ‚Über Zweck und Veranlassung des Römerbriefes' (1836), die er in seinem ‚Paulus' übernahm. Baur hält Kap. 9–11 für den Mittelpunkt und Kern des ganzen Briefes, aus dem hervorgeht, daß Judenchristen in Rom der Meinung Ausdruck gegeben hatten, „so lange nicht Israel als Nation, als das von Gott erwählte Volk, an dieser Gnade Theil nehme", müsse „die Theilnahme der Heiden an ihr als eine Verkürzung der Juden, als eine Ungerechtigkeit gegen sie, als ein Widerspruch mit den den Juden, als dem Volk Gottes, von Gott gegebenen Verheißungen" erscheinen[42]. Gegen diesen Standpunkt stelle Paulus sich vor allem in Kap. 9–11, während Kap. 1–8 diese seine Stellungnahme *vorbereiten*.

„Allerdings läßt der Römerbrief selbst keinen Zweifel darüber, daß schon damals nicht blos Judenchristen, sondern auch Heidenchristen zur römischen Gemeinde gehörten, aber wir wissen nicht, auf welchem Wege sie bekehrt worden sind, und zum Hauptinhalt und Hauptzweck des Briefes sehen wir sie in jedem Falle nur in einem untergeordneten Verhältniß stehen. Gerade der Umstand, daß der Apostel, wenn er sich vorzugsweise an die Heidenchristen wendet, sie auch besonders anredet, wie namentlich 11,13–24 beweist, daß er sonst nicht immer sowohl Heidenchristen, als vielmehr Judenchristen, vor Augen hat. Sie werden zum Schlusse des dogmatischen Abschnitts als ein Theil des Ganzen besonders hervorgehoben, und erscheinen daher, wie gerade die besondere Anrede beweist (11,13), in einem untergeordneten Verhältniß zum Ganzen, welchem gegenüber es keiner solchen speciellen Bezeichnung bedarf."[43]

Damit ist eine der Stellen geschickt entkräftigt, die für das vorherrschende Heidenchristentum der römischen Gemeinde sprechen. Weniger elegant ist es, wenn Baur in 1,5 und 1,13 unter den ἔθνη nicht die Heiden, sondern die Völker überhaupt unter Einschluß der Juden versteht (so daß Paulus sich im Römerbrief − anders als z. B. Gal 1,16; 2,2.7f. − auf einmal als Universalapostel vorstellt), und wenn Baur 15,15ff. deswegen außer Betracht läßt, weil er Kap. 15 als ganzes dem Römerbrief abspricht.

Immerhin gelingt es ihm auf diese Weise, die Behauptung zu decken, Paulus rede mit seinem ganzen Schreiben Judenchristen an, wie der Inhalt des Römerbriefes in der Tat nahelegt.

Die These Baurs war in etwa vorbereitet durch Koppe[44], der erklärt hatte, „*Iudaeos* maximam ecclesiae partem constituisse"; durch Christian Friedrich Schmid[45], der sich allerdings fast nur auf 16,17–20 stützt und meint, die

---

42. Baur (1845), S. 344.
43. Ebd. S. 376.
44. A.a.O. S. 18 der Einleitung.
45. (1830) passim.

von außen gekommenen Judaisten hätten noch keinen großen Erfolg in der Gemeinde gehabt; sowie durch Rückert[46], der freilich nur in Röm 9–10 und in 14–15 mit Sicherheit Polemik gegen Judenchristen erkennt, weil Heidenchristen kein derartiges Interesse an dem Problem der Verwerfung der Juden haben konnten, wie Paulus es bei seinen Lesern voraussetzt.

Der Einfluß Baurs war bedeutend. Das lag zum Teil daran, daß er mit seiner historischen Erklärung des Römerbriefes diesen in das umfassende Geschichtsbild der von ihm gegründeten Tübinger Schule einordnen konnte. Außerdem war eindrucksvoll, daß er den Doppelcharakter des Römerbriefes scharf fixierte und historisch auflöste, dem eigentlichen Problem des Römerbriefes also nicht auswich. Das hatte zur Folge, daß seine Lösung auch außerhalb seiner Schule mehr oder weniger weitgehend akzeptiert wurde.

Dabei wurden verständlicherweise mancherlei Modifikationen angebracht. Die Behauptung Baurs, die römischen Christen seien so schroffe Judaisten gewesen, daß sie die Heiden vorläufig von der Teilnahme am Heil überhaupt ausschließen wollten, hat schon er selbst in ‚Paulus' (2. Aufl., 1866) nicht wiederholt. Auch ging er von der einseitigen Betonung der Kap. 9–11 als Kern und Mittelpunkt des ganzen Briefes später ab[47], ohne indessen seine Interpretation prinzipiell zu ändern.

Seine Schüler und Nachfolger erklärten zumeist[48], der Römerbrief griffe die römischen Judenchristen überhaupt nicht an, sondern verfolge eine irenische Tendenz. Paulus bemühe sich um Aussöhnung mit der römischen Christenheit. Er wolle bei den dortigen Judenchristen, die mehrheitlich einer milden Richtung angehörten und keineswegs, wie Baur ursprünglich meinte, Vertreter des schroffen ‚Ebionitismus' seien, die Abneigung gegen das gesetzesfreie Evangelium vollständig beseitigen. Vorurteile der Judenchristen gegen ihn und seine für den Westen geplante gesetzesfreie Mission wünsche der Apostel zu zerstreuen, den Verdacht einer feindseligen Gesinnung gegen Israel und sein heiliges Erbe zurückzuweisen. „Mochte er auch nicht alle sofort für diese Ansicht gewinnen, einige durfte er immer hoffen zu überzeugen, und so bei seinem persönlichen Auftreten einen günstigen Anknüp-

---

46. A.a.O. S. 687 ff.

47. Vgl. bereits Baurs Beitrag ‚Über Zweck und Gedankengang des Römerbriefs' in Theol. Jb. 16, 1857, S. 60–108; 184–209, bes. S. 60–96.

48. Cedner (1836), S. 385 ff.; Kling, a.a.O. S. 297 ff.; Zeller (1844), S. 585 ff.; (1854) S. 294; Krehl, a.a.O. S. 11 ff.; Schwegler, a.a.O. S. 166 ff. 285 ff.; K. R. Köstlin, a.a.O. passim; Thiersch, a.a.O. S. 163 ff.; J. Köstlin, a.a.O. S. 68 ff.; Holsten (1868), S. 411; (1872) S. 456; (1885) S. 203 ff.; Volkmar (1875), S. X ff.; Hilgenfeld, a.a.O. S. 310; Schenkel, a.a.O. S. 109; Hausrath (1872), S. 438 ff.; (1875) S. 392 ff.; Reuss, a.a.O. S. 96 ff.; Mangold (1884), S. 167 ff.; Bleek-Mangold, a.a.O. S. 543 f.; Lipsius, a.a.O. S. 74 f.; Sabatier, a.a.O. S. 197 f.; Zahn (1906), S. 311; (1910) S. 19 ff. (Gegen Zahn schreibt Feine 1903, S. 6 ff.); Eduard Meyer, a.a.O. S. 465 ff. Holsten (1879), S. 97 ff.

fungspunkt vorzufinden."[49] Der Schwerpunkt des Briefes liegt dann nicht
mehr wie bei Baur auf Kap. 9–11, sondern – richtig – in Kap. 1–5.
Der Inhalt des Briefes ordnet sich solcher Deutung im wesentlichen zwanglos
unter: Eine Grundlage der paulinischen Glaubenslehre hinsichtlich ihrer anti-
judaistischen Elemente. Seine Adresse wurde von daher bestimmt: „Ist der
Römerbrief seinem ganzen Inhalt nach eine prinzipielle Bestreitung des
Judenchristenthums, seiner Voraussetzung und Forderungen, so folgt unmittelbar daraus, daß die römische Gemeinde, an die er gerichtet ist, eine
judenchristliche gewesen seyn muß."[50]
Dabei wurde der Anteil der Heidenchristen gelegentlich als bereits relativ
groß angesehen. Vor allem mußte man bei dieser erweichten Baurschen
Deutung das Tübinger Geschichtsbild insofern korrigieren, als eine konzilia-
torische Tendenz bereits Paulus selbst zugeschrieben wurde. Da das mit dem
Paulus des Galaterbriefes nicht übereinstimmte, war man gezwungen, eine
Wandlung des Apostels psychologisch verständlich zu machen. Dazu diente
vor allem der Hinweis auf die (von Judaisten verursachten!) korinthischen
Wirren, die dem Apostel gezeigt haben sollen, daß ohne Versöhnung mit
den Judenchristen sein Missionswerk überhaupt gefährdet sei[51].
Die Schwierigkeiten, die jene Stellen bieten, an denen Paulus die Adressaten
seines Briefes als Heidenchristen anredet, werden manchmal etwas anders
umgangen als von Baur. So soll Mangold zufolge, der besonders ausführlich
im Sinne der Baurschen Tendenz jene Stellen, die für heidenchristliche
Adressaten in Rom sprechen, diskutiert[52], ἐν οἷς (ἔθνεσιν) ἐστε καὶ ὑμεῖς
heißen: in deren geographischem Bereich auch ihr Judenchristen lebt[53]. In
der Sache aber schließt man sich Baur auch in dieser Frage mehr oder
weniger eng, jedenfalls aber mit dem gleichen Ziel an: Paulus apostrophiert
die Gemeinde insgesamt nie als heidenchristliche; ihr judenchristlicher
Charakter steht demnach fest.
1876 kann H. J. Holtzmann auf einen stolzen Erfolg der Baurschen Arbeiten
zurückblicken: „Als gründlich beseitigt kann übrigens ... durch die gesammte
Forschung der Gegenwart, so weit sie dem Römerbrief zugewandt ist, die
ältere Meinung von dem vorwiegend heidenchristlichen Charakter seines
Lesepublikums gelten."[54]
Indessen findet diese von Baur begründete Auffassung von der historischen
Situation des Römerbriefes heute auch in ihrer milden Fassung so gut wie

49. Reuss, a.a.O. S. 97.
50. Schwegler, a.a.O. Bd. 1, S. 291; Lemme, a.a.O. S. 348 ff.
51. So z. B. Holsten (1879), S. 97. Vgl. im übrigen die bei Lütgert, a.a.O. S. 32 f. genannte
    Literatur.
52. Mangold (1884), S. 192–226; vgl. auch Zahn (1906), S. 251 f. 261 f.
53. Mangold (1884), S. 193 ff. So jetzt auch Wilckens, a.a.O. S. 118 mit Anm. 25.
54. Heinrich Julius Holtzmann (1876), S. 280.

keine Zustimmung mehr[55]. Sie scheitert an der einfachen Tatsache – und das ist das entscheidende Argument –, daß die genannten Stellen 1,5.13ff.; 11,13; 15,15ff. keine andere Deutung zulassen als die, daß Paulus seine Leser als Heidenchristen anredet. Diese Tatsache braucht heute nicht mehr bewiesen zu werden[56].

Auch ist die Anerkennung, die Paulus der Gemeinde zollt (1,8.12; 15,14.24), bei Judenchristen, *gegen* die er Stellung nimmt, unvorstellbar; denn als captatio benevolentiae wäre solches Lob unter der Voraussetzung des Baurschen Geschichtsbildes unverzeihlich. Will man jedoch zur Erklärung dieser Stellen mit den Nachfolgern Baurs auf die irenische Tendenz des Römerbriefes verweisen, so bleibt die Diskrepanz zwischen dieser Irenik und der sachlichen Unnachgiebigkeit des Apostels in den ‚antijüdischen‘ Ausführungen von Kap. 1–11 unerklärt.

Man hat ferner mit vollem Recht darauf verwiesen, daß Paulus auf Grund der Abmachung von Gal 2,7ff. nicht habe versuchen können, eine judenchristliche Gemeinde in Rom zu seinem gesetzesfreien Evangelium herüberzuziehen[57], wie denn überhaupt das Tübinger Geschichtsbild, mit dem die Baursche Deutung des Römerbriefs steht und fällt, nicht aufrechterhalten werden kann.

Weil Kaiser Claudius gegen Ende seiner Regierungszeit (41–54) die Juden aus Rom vertrieben hat[58], ist es zudem äußerst unwahrscheinlich, daß zur Zeit der Abfassung des Römerbriefes ca. 57/58 die römische Christenheit fast rein oder mehrheitlich judenchristlich war.

Schließlich wäre – wie schon gesagt – einer geschlossenen judenchristlichen Gemeinde in Rom gegenüber die Feststellung in Kap. 9–11, daß *die* Juden im Gegensatz zu den Heiden das Heil nicht angenommen haben, schlechthin verfehlt.

55. Eine Ausnahme macht in gewisser Weise Fahy (a.a.O.), der die römische Gemeinde wieder für im wesentlichen judenchristlich hält. Paulus will diesen Christen zeigen, daß der neue Bund konsequent aus dem alten herauswächst. Die auf heidenchristliche Leserschaft hinweisenden Stellen werden ähnlich wie von Baur weginterpretiert. Bei Fahy findet sich zudem die kuriose Bemerkung, Markus habe den Römerbrief gekannt und gewußt, daß er in Rom umläuft; darum schweige er in seinem etwas später für die Römer geschriebenen Evangelium von der Problematik des jüdischen Gesetzes für die christliche Gemeinde.
    Vgl. ferner Krieger (a.a.O.): „Der jüdische Heidenapostel scheint demnach an stammverwandte Brüder geschrieben zu haben, um unter ihnen Mitarbeiter zu gewinnen, nach Art der Judenchristen Prisca und Aquila . . .“ (S. 148). Über die Frage, wieso Paulus diese stammverwandten Judenchristen als Heidenchristen anreden kann, reflektiert Krieger freilich nicht.
56. Vgl. schon Grafe, a.a.O. S. 35ff.; Willibald Beyschlag, a.a.O. S. 647ff.; Lipsius, a.a.O. S. 70f.; Feine (1903), S. 38ff.
57. Vgl. schon Kneucker, a.a.O. S. 9f.
58. Sueton, Claudius 25; vgl. die Kommentare zu Apg 18,2.

5. Versuche der Lösung: Die Leser sind Heidenchristen

Die zweite Gruppe von Lösungsvorschlägen geht deshalb davon aus, daß die Leser des Römerbriefes im wesentlichen Heidenchristen waren, also von einer zweifellos korrekten Ansicht, die bis F. C. Baur auch wie selbstverständlich herrschte. Dann muß man sich aber der schwierigen Aufgabe unterziehen, den an Juden gerichteten Inhalt von Kap. 1–11 verständlich zu machen[59]. In der alten Kirche und bei den Reformatoren[60] entledigte man sich dieser Aufgabe, indem man es unterließ, Röm 1–11 aus der Situation der römischen Gemeinde zu verstehen; man verzichtete also – verständlicherweise – noch auf eine eigentlich *historische* Erklärung des Römerbriefes. Melanchthon beispielsweise sagt in seinen ‚Loci', die aus einer Erklärung des Römerbriefes herausgewachsen sind, dieser sei ‚doctrianae christianae compendium'[61]. Solche Auskunft[62], der zufolge der Römerbrief eine objektive Darstellung

---

59. Die Feststellung: „An Heidenchristen wendet sich auch der Römerbrief, wiewohl Paulus darin seine Gedanken in einer gedachten Auseinandersetzung mit dem Judentum entwickelt" (Gäumann, a.a.O. S. 22 f.) erklärt nicht, sondern konstatiert nur das Rätsel des Römerbriefes.
60. Vgl. dazu die Forschungsübersicht bei Godet (1892/93), S. 68 f.
61. Loci communes, ed. Plitt-Kolde, 4. Aufl., 1925, S. 63.
62. Olshausen (a.a.O. S. 50): „... eine rein objective Darstellung des Wesens des Evangeliums"; Flatt, a.a.O. S. 477 ff.; Rückert, a.a.O. S. 637; Köllner, a.a.O. S. 44*; Glöckler, a.a.O. S. 22; Reiche, a.a.O. S. 70 ff. 84; Fritzsche, a.a.O. I S. 19 ff.; Baumgarten-Crusius, a.a.O. S. 4; Tholuck in den älteren Auflagen seines Kommentars, anders seit der 5. Aufl. 1856; Neander, a.a.O. II S. 352; v. Hofmann, a.a.O. S. 623 ff.; de Wette (1847), S. 2; Oltramare, a.a.O. I S. 76 ff.; Klostermann, a.a.O. S. 11 f.; Dietzsch, a.a.O. S. 10 ff.; Krenkel, a.a.O. S. 148; Beck a.a.O., I S. 8 f.; Reuss, a.a.O. S. 97; weitere Forscher mit dieser Auffassung sind aufgeführt bei Theodor Schott, a.a.O. S. 16 ff.; Grafe, a.a.O. S. 15. 25; Godet (1892/93) S. 68 f.; Heinrich Julius Holtzmann (1886), S. 264 f.
Aus neuerer Zeit sind unter anderem zu nennen: Clemen (1906) S. 45: „... ein kurzer Abriß seiner ganzen Glaubens- und Sittenlehre"; ders. (1904), II S. 238 ff.; Belser, a.a.O. S. 495 ff.; Sanday-Headlam, a.a.O. S. XLIII f.; Sickenberger (1932), S. 173 ff.; Bardenhewer, a.a.O. S. 1 ff.; Meinertz, a.a.O. S. 110: „So ist der Brief eine zwar ergreifende, aber leidenschaftslose Darstellung des paulinischen Evangeliums"; Nygren, a.a.O. S. 11 ff. nennt den Römerbrief eine „Lehrschrift", eine „theologische Abhandlung", die man um so besser versteht, je mehr man von der Situation der römischen Gemeinde absieht; Schlatter, a.a.O. passim; Ortigues, a.a.O. S. 53 ff.; Martin, a.a.O. passim; Roosen, a.a.O. S. 468: „L'épître aux Romains est un εὐαγγέλιον, une prédication rappelant les fondements de la vie chrétienne ... une seconde évangélisation adressée à ceux qui croient déjà"; Luz (1969), S. 163: „... eine zusammenhängende Darstellung der von Paulus in seinen Auseinandersetzungen mit den Gemeinden erreichten Position"; Lohse, a.a.O. S. 47: „... Darlegung des paulinischen Verständnisses des Evangeliums als Offenbarung der Gerechtigkeit Gottes".
Damit ist Baurs Anregung ganz vergessen und ein Stadium der Forschung erreicht, das Melanchthons *doctrinae christianae compendium* entspricht und das mehr oder weniger

des paulinischen Evangeliums geben wolle, fand Baur[63] als weit verbreitet vor; gegen sie wendet er sich vornehmlich und mit gutem Grund, ohne sie freilich dauerhaft verdrängen zu können. Zumal in unserem Jahrhundert rechtfertigen theologische Erbaulichkeiten unterschiedlichen Niveaus erneut und in steigendem Maße den Verzicht auf historisches Verständnis.

Man vgl. z. B. G. Richter[64]: Paulus beabsichtigt, den Römern „zu ihrer Stärkung diese und jene geistliche Gabe mitzuteilen ... Nun ist er einstweilen noch verhindert, zu ihnen zu kommen, und schickt deshalb diesen Brief voraus ... als der brüderliche Erguß eines liebewarmen, vom Geiste Christi erfüllten Herzens ... Der ganze Römerbrief soll eine Antwort sein auf die Frage: Warum ist uns das Evangelium so lieb und wert? Er greift also so recht ins Volle hinein ...: Seht, was ihr am Evangelium habt; freut euch darüber, und macht es euch zunutze!"

Aber auch Bultmann[65] schreibt, „daß Paulus im Römerbrief ... der ihm bisher fremden Gemeinde, um sich als echten Apostel zu legitimieren, die Hauptgedanken seiner Verkündigung in einem geschlossenen Zusammenhang vorträgt", wobei er „nicht etwa zuerst eine Darstellung des Heilsgeschehens ... gibt, deren Glaubwürdigkeit zunächst anerkannt werden müßte. Statt dessen beginnt er damit, die Situation des Menschen aufzudecken, so daß dann die Verkündigung der Heilstat zur Entscheidungsfrage wird."

Relative Einschränkungen eines solchen Urteils bedeuten keine prinzipielle Modifizierung; vgl. z. B. Best, a.a.O. S. 8: „Paul's letter is not the purest expression of his—or anybody's—Christianity, but its expression when faced

deutlich die extreme Position Godets wiederholt: Im Römerbrief wird „das Werk der Erlösung, der Erlösung für Juden und Heiden, ohne irgendwelche Nebenabsicht dargelegt"; Paulus erteilt der römischen Gemeinde Unterricht nach dem festen „Lehrplan", der auch sonst seiner Missionsarbeit zugrunde lag (1892, S. 66; 72 f.; vgl. 1894, S. 235 f.). Nicht anders das Urteil von F. W. Beare in: BHH III (1966), S. 1611: „Da er der röm. Gemeinde nicht persönlich bekannt ist, ergreift er die Gelegenheit, ihnen eine ausführliche Darlegung des Evangeliums, das er verkündigt, zu geben und von seinen Folgen, die es für das Leben des Christen hat. Auf diese Weise ist die R(ömerbrief) zur wichtigsten Quelle für unsere Kenntnis des paulinischen Denkens geworden und zugleich zum ersten großen Dokument christl. Theologie überhaupt."

Ähnlich Käsemann, der a.a.O. passim „die Rechtfertigungslehre des Apostels als Briefthema erkennt" (S. 368; vgl. z. B. S. III; 21 ff.).

Kuss (1971) meint, der Römerbrief trage „nahezu systematischen Charakter" (S. 202); er hält ihn für „eine Art Rechenschaftslegung auch vor dem Forum des eigenen Gewissens, eine Zusammenfassung seiner spezifischen Verkündigung ..." (S. 204).

63. (1845), S. 334 ff.
64. A.a.O. S. 13–15.
65. (1965), S. 301.

with a particular problem: who can be members of the Christian church and on what conditions?" Vgl. auch Klijn, a.a.O. S. 77.

Nicht ohne Grund konnte H. Preisker[66] in unserer Generation feststellen, es gelte „fast als ein dogmatischer Lehrsatz in der neutestamentlichen Forschung, daß Paulus seinen Brief nach Rom nicht geschrieben hat wie seine anderen Briefe, um zu konkreten Vorgängen in der Gemeinde Stellung zu nehmen, sondern daß er sich ‚über die Grundwahrheiten des Christentums, wie er sie sieht und lehrt, des längeren aussprechen' (Feine-Behm, 1950, S. 173) will".

Diese These wäre, falls sie richtig ist, geeignet, den Doppelcharakter des Römerbriefes zu erklären. Sie geht auch von der zutreffenden Einsicht aus, daß Paulus in Röm 1–11 offenbar weithin nicht *ad hoc* formuliert, durch akute und zufällige Probleme der römischen Gemeinde herausgefordert, sondern daß er ohne explizierten und scheinbar auch ohne sachlichen Bezug zur spezifischen Situation der römischen Christen seit langem systematisierte und ausgeprägte Motive seiner Theologie vorträgt.

Diese These scheitert aber daran, daß Röm 1–11 keineswegs eine Reflexion „des grundlegenden Kerygmas"[67], einen Abriß der christlichen Lehre im Verständnis des Paulus darbietet[68], sondern, wie wir sahen, ein bestimmtes, wenn auch genuin paulinisches, nämlich das antijüdische bzw. antisynagogale Thema des Heidenapostels abhandelt: die Universalität des Heils in Christus; der unmittelbare Zugang der Heiden zum Reich Gottes; die Abrogation des jüdischen Gesetzes zugunsten des Glaubens[69].

Dieser Sachverhalt ist sicherlich nicht hinreichend erklärt, wenn Jülicher[70] schreibt: „... er redet zu den Römern wie zu Christen, die der Stärkung noch bedurften, die für ihren Glauben das Fundament in Form einer klaren Anschauung von den Heilstatsachen und sicheren Begründung der Heilsgewißheit erhalten sollten. Bei so allgemeiner Darstellung seines Evangeliums ergibt sich für einen Paulus die Frontstellung gegen das Judentum ganz von selber ..." Ähnlich argumentieren Feine-Behm[71].

Aber was sollen die Heidenchristen Roms mit einem solchen Selbstgespräch oder mit einer für sie unaktuellen und überhaupt kaum verständlichen Auseinandersetzung mit dem Judentum anfangen? Sie hätten den Brief, der

---

66. A.a.O. S. 25; vgl. Bartsch (1968), S. 281.

67. Klein, a.a.O. S. 144.

68. Vgl. u. a. Kümmel (1964), S. 223; Friedrich (1961), Sp. 1139; Richter, a.a.O. S. 7 ff.; Wikenhauser-Schmid, a.a.O. S. 457.

69. Es gibt keinen für Heidenchristen ungeeigneteren Gegenstand der paulinischen Verkündigung.

70. (1906), S. 102. Zu der Erklärung von Klein, a.a.O. siehe S. 173.

71. A.a.O. S. 167 f.; vgl. auch Kühl, a.a.O. S. 495 f.

31

keineswegs ein allgemeines Glaubensfundament legen will, doch nur als Irrläufer zurückschicken können.

Wie kommt es, „daß *im Brief an die doch vorherrschend heidenchristliche Gemeinde* zu Rom weniger die natürlichen Gegensätze des Heidenthums zum Christenthum berücksichtigt worden, als vielmehr *Gegensätze, Einwürfe und Bedenken,* wie sie sich *aus der gesetzlichen Denkweise des Judenthums* theils ergaben, theils ergeben konnten", erklärt Beck[72] mit den „geschichtlichen Verhältnisse(n)": Einmal trieb es die Heiden jener Zeit überhaupt sehr zum Judentum; zum andern hatten „gerade Judenthum und Römerthum ... auch innerlich so nahe Berührungspunkte", daß der Versuch, Heiden in Rom zu gewinnen, vor allem eine Auseinandersetzung mit dem Judentum nötig machte – eine Erklärung, die dadurch nicht überzeugender wird, daß Paulus durch die juristischen Neigungen der Römer, in denen sie sich mit dem δικαιοσύνην ζητεῖν der Juden trafen, auf den Begriff der Gerechtigkeit geführt worden sein soll!

Jerusalem als ‚heimliche' Adresse des Römerbriefs?

Ganz anders, aber keineswegs zutreffender ist die Auskunft, die in unseren Tagen G. Bornkamm[73] als Lösung anbietet. Bornkamm meint nicht ohne allen Grund, der Inhalt des Römerbriefes kreise „genau um die Fragen und Intentionen der Theologie des Apostels, für die er bald danach sich in Jerusalem verantworten und einsetzen mußte und die zugleich das Fundament seiner künftigen Mission unter den Heiden bleiben und werden sollte" (S. 108). „Der Gegner" des Römerbriefes ist also „das Judentum und sein Heilsverständnis, das in der judenchristlichen frühen Kirche, zumal in Jerusalem noch aufs stärkste nachwirkte" (S. 110). Paulus schreibt den Römerbrief nicht als zeitlosen theologischen Traktat, sondern in Ausrichtung „auf die vor dem Apostel liegende bedeutsame Begegnung mit der Jerusalemer Urgemeinde". Der Brief „erhält sein Profil und seine Besonderheit" also „nicht aus der speziellen Situation der römischen Gemeinde, die Paulus *vor* sich hat und anspricht" (S. 110); er enthält vielmehr „die Zurüstung" für die Paulus „in Jerusalem bevorstehende Auseinandersetzung"[74].

---

72. A.a.O. I S. 13 ff.
73. (1969), S. 103 ff.; vgl. derselbe ausführlicher (1971) passim und schon (1963) passim.
74. (1971), S. 137. Ähnlich auch Hans Wilhelm Schmidt, a.a.O. S. 249. Schon Fuchs nannte (Hermeneutik, 1954, S. 191) Jerusalem die heimliche Adresse des Römerbriefes – eine treffliche Formulierung, sieht man auf den wesentlichen Inhalt von Kap. 1–11, die aber das historische Problem des Römerbriefes faktisch mit der unmöglichen Auskunft erledigt, der Römerbrief sei an die falsche Adresse geraten.

Aber gesetzt den Fall, Paulus fürchte tatsächlich trotz der klaren Abmachungen des ,Apostelkonzils' (Gal 2,1–10)[75], die Jerusalemer Christen könnten seinem gesetzesfreien Evangelium für die Heiden widersprechen: warum er die für Jerusalem bestimmten Argumente in einem Brief an die auch nach Bornkamms Meinung (S.103) *heiden*christliche Gemeinde Roms niederlegt, bleibt so unbegreiflich, daß Bornkamm diese Frage gar nicht erst zu stellen wagt. Mit einem für Jerusalem konzipierten Brief spricht Paulus die heidenchristlichen Römer überhaupt nicht an, und er unterließe es überdies, die Adressaten über den wahren Anlaß seines Schreibens zu unterrichten. Eine derartige Gedankenlosigkeit darf man Paulus zumal in diesem bedeutenden Brief nicht zutrauen[76].

Die von Bornkamm offengelassene Frage versucht Jervell[77] zu beantworten. Er ist dezidiert der Meinung, daß Baur die Forschung in die Irre geführt habe, als er nach einem Anlaß des Römerbriefes in der römischen Gemeinde suchte. Die Veranlassung liege vielmehr bei Paulus. „Er schreibt für sich selbst" (S.62). „Er stellt dar und erklärt, was er als Überbringer der heidnischen Gabe (der Kollekte) an die Muttergemeinde in Jerusalem sagen will, damit er und die Gabe nicht abgewiesen werden. Dies tut Paulus, um die römische Gemeinde um Solidarität, Stütze und Fürbitte zu bitten den zwei Parteien gegenüber, mit denen er in Jerusalem konfrontiert werden wird: den ungläubigen Juden und der christlichen Gemeinde 15,30–33."

Aber abgesehen davon, daß Paulus in 15,30–33 nicht von möglichen judenchristlichen Einwänden gegen seine Missionsarbeit spricht[78], gibt er durch nichts zu erkennen, daß der ganze Römerbrief der Vorbereitung der (im Briefschluß durchaus traditionellen: Phil 4,6; Kol 4,2; 1Thess 5,25; Phlm 22; vgl. Hebr 13,18) Bitte um Fürbitte für seine Arbeit und Person dienen soll. Diese Zweckbestimmung konnten die römischen Christen dem Brief deshalb auch gar nicht entnehmen. Daß Paulus den Römerbrief insofern „für sich selbst" schreibt, als er auch die römische Gemeinde als Zeugen für sich und sein Evangelium gewinnen will (S.73), ist zwar richtig und wird von dem Apostel als die wirkliche Zweckbestimmung seines Schreibens im Proömium deutlich genug ausgesprochen. Darum aber stimmt es nicht, es sei „kein großes Problem, daß wir so wenig über die Gemeinde in Rom wissen" (S.73). Vielmehr *stellt* sich dann gerade das von Baur scharf gesehene Problem,

---

75. Bornkamm beruft sich m. E. zu Unrecht auf Röm 15,30ff. zum Erweis dessen, daß die Anerkennung dieser Abmachungen durch die Jerusalemer Christen von Paulus in Zweifel gezogen wird; vgl. meine Untersuchung ,Paulus und Jakobus' (1963), S.65ff.

76. Übrigens stehen in Röm 1–11 Jerusalem und die Reise nach dort überhaupt nicht im Blick des Paulus; den später geschriebenen Abschnitt 15,14–33 darf man aber nicht heranziehen, um die historische Situation von Kap. 1–11 zu bestimmen. Siehe dazu unten S.165ff.

77. A.a.O. S.61ff.

78. Siehe Anm.75.

wie die *heiden*christliche Gemeinde in Rom beschaffen sein muß, wenn der Apostel sie mit *diesem* Brief für sich gewinnen möchte, der mit einer Jerusalemer Adresse tatsächlich leichter verständlich wäre als mit der römischen.

Diese Frage bleibt auch bei dem jüngst von Borse[79] vorgelegten Lösungsvorschlag unbeantwortet: Paulus habe im Römerbrief Themen aufgegriffen, verallgemeinert und weitergeführt, die nicht in Rom, sondern in den Gemeinden zu Galatien und Korinth aktuell waren. Der Römerbrief sei eine programmatische, grundlegende Darstellung des paulinischen Evangeliums unter dem in Auseinandersetzung mit den Galatern und Korinthern gewonnenen Aspekt. Aber der spezifische theologische Aspekt des Römerbriefes, die *Universalität* des Heils, begegnet *so* weder im Galaterbrief noch in den Korintherbriefen; dieser zentrale Aspekt des Römerbriefes muß aus der römischen Adresse verständlich gemacht werden.

Wilckens, a.a.O. S.127, kombiniert und variiert die Thesen von Bornkamm und Jervell: Paulus habe gerade die galatische Affäre hinter sich. Die Jerusalemer Gegner seien dort erfolgreich gewesen. Darum fürchtet Paulus, seine Kollekte möchte in Jer. nicht angenommen werden. Die Bitte um Fürbitte in 15,30ff. sei deshalb der eigentliche Anlaß des Römerbriefes. Damit die Römer aber wissen, für welche *Sache* sie diese Fürbitte tun sollen, lege Paulus ihnen zuerst „die Sache der einen Heilsgemeinde Gottes aus Juden und Heiden" (S.139) dar, um die er erneut in Jerusalem ringen muß (S.143). Dann ermahne er die Juden- und Heidenchristen zur Einheit und Eintracht (Kap.14f.) und rücke schließlich am Ende des Briefschlusses mit seinem eigentlichen Anliegen heraus.

Die gegen Bornkamms und Jervells Untersuchungen erhobenen Einwände summieren sich angesichts dieser These, die – mit Wilckens gesprochen – „so wenig auf Hinweise im Text selbst gegründet (ist), daß sie mir kaum brauchbar erscheint" (S.124f. Anm.48). Man schreibt doch keinen langen Brief, dessen zu seinem Verständnis unerläßlichen Anlaß der Leser bestenfalls von den letzten Sätzen her erraten kann! Legt Paulus „der römischen Gemeinde sein Evangelium so dar, wie er es demnächst in Jerusalem zu vertreten gedenkt" (S.167) – warum verschweigt er das in 1,8ff.? Und wenn er *dafür* „die Unterstützung der römischen Christen erbittet" (S.167) – warum erwähnt er in 15,31 nur die Kollekte?

Außerdem ist Wilckens Deutung der im Römerbrief nirgendwo angedeuteten galatischen Affäre sehr zweifelhaft und eine vage Basis seiner Hypothese. Jene Auseinandersetzung ist m.E. nicht von Jerusalemer Judenchristen veranlaßt worden, und sie wurde, wie 1Kor 16,1 m.E. zeigt, außerdem mit einem Erfolg des Paulus abgeschlossen. Ferner sind in Kap.1–11 nicht Judenchristen, sondern Juden die Gesprächspartner des Paulus (vgl. S. 89, Anm. 250). Da Wilckens verständlicherweise Kap. 1–11 an Judenchristen, Kap. 14 f. aber an Heidenchristen gerichtet sein läßt (S. 122), unterliegt seine Erklärung zusätzlich dem Gewicht der gegen eine gemischte Zusammensetzung der Gemeinde vorzubringenden schwerwiegenden Argumente.

Andere Deutungen

Unter dem Eindruck der historischen Argumente Baurs wurde die ‚dogmatische' Deutung des Römerbriefes vereinzelt dahingehend modifiziert, daß Paulus sich mit seiner ‚Dogmatik' *zugleich* prophylaktisch gegen Argumente wehre, die möglicherweise von Judenchristen des Ostens gegen ihn in Rom erhoben werden möchten; diese Absicht habe zu der tendenziösen antisynagogalen Ausrichtung seines dogmatischen Leitfadens geführt[80]. Dieser prophylaktische Nebenzweck des Römerbriefes erklärt indessen um so weniger, als Paulus nichts dergleichen andeutet, den römischen Heidenchristen also der Sinn der antijüdischen Ausführungen ebenso rätselhaft gewesen sein müßte wie uns, wenn nicht die aktuelle Situation in *Rom* sie ihnen verständlich machen konnte.

Eichholz[81], dem es mit Recht nicht genügt, den Römerbrief als Versuch des Paulus zu charakterisieren, der jungen Kirche in Rom seine Theologie im Zusammenhang zu skizzieren, bestimmt den Anlaß des Römerbriefes deshalb unter Verweis auf Kap. 6 präziser dahingehend, daß Paulus sich gegen judenchristliche Verdächtigungen, die in *Rom* gegen ihn bereits laut werden, zur Wehr setzt (S. 165 ff.). Eichholz hält die römische Christenheit für mehrheitlich heidenchristlich (S. 87) und vermutet, „daß sich seit den Anfängen der Gemeinde eine *Strukturverschiebung* ergeben hat, daß also eine ursprüng-

---

80. Credner, a.a.O. S. 386 f.; Tholuck, a.a.O. S. 17 ff.; Jatho, a.a.O. II S. 66 f.; Philippi, a.a.O. S. XX: Der Römerbrief enthält „nur eine allgemeine, positiv dogmatische Exposition des Heiles in Christo im Gegensatze zu dem Unheile, welchem die Heiden- und Judenwelt ausser Christo unterliegt, höchstens mit mittelbarer Verwahrung gegen leicht in der christlichen Gemeinde auftauchende, falsch nomistische Bestrebungen und auch die Römergemeinde zunächst von außen bedrohende Versuchungen der Art"; Willibald Beyschlag, a.a.O. S. 658 ff.; Heinrich Julius Holtzmann (1886), S. 269: Der Brief will „im Großen und Ganzen die Gemeinde gegen judaistische Occupationsgelüste sichern . . ."; Schaefer, a.a.O. S. 11 ff.; Belser, a.a.O. S. 509: „Durch die gründliche Darlegung seines Lehrstandpunktes . . . will der Apostel die römische Gemeinde gegen Verführung für die Zukunft sicherstellen"; Zahn (1906), S. 311; Wendland, a.a.O. S. 350; Kühl, a.a.O. S. 45 f.: „. . . jedenfalls war Gefahr im Verzuge. Ihr rechtzeitig zu begegnen, ist ein Hauptzweck unseres Briefes." Haupt (1895), S. 386 f.; Fritz Barth, a.a.O. S. 62 f. 67; Althaus, a.a.O. S. 1.

81. (1965), S. 65 ff. 161 ff.

liche judenchristliche Mehrheit inzwischen zur Minderheit geworden ist" (S. 87). Indessen tritt in Röm 1–11 weder direkt noch indirekt eine judenchristliche Minderheit in den Blick, und Paulus spielt auch nicht auf Vorwürfe an, die von *Christen* in *Rom* gegen ihn laut werden; die in Kap. 6 zurückgewiesenen Anschuldigungen stammen aus der *Synagoge* des *Ostens.* Außerdem läßt sich der *Exkurs* Kap. 6 nicht zum Schlüssel des ganzen Briefes machen.

Nicht haltbar ist auch das verwandte Urteil von Friedrich[82]: „Paulus bereitet mit dem R(ömerbrief) seine Spanienreise vor. Die Römer sollen wissen, wer er ist, wenn sie ihn aufnehmen und nach Spanien geleiten." In Rom könnte ein falsches Bild von ihm entstanden sein. Paulus gibt daher Rechenschaft über das von ihm verkündigte Evangelium. Indessen: Da Paulus in Kap. 1–9 die unbedingte Gleichberechtigung der Heidenchristen behauptet und verteidigt, müßten die römischen *Heiden*christen ihn dahingehend mißverstanden haben, daß er einen Vorzug des jüdischen Volkes zur Geltung bringen wolle. Das ist undenkbar und auch durch die Tatsache, daß er sich in 3,8; 6,1 ff. u. ö. gegen die gegenteiligen Vorwürfe verteidigt, ausgeschlossen. Eine Apologie der paulinischen Heidenmission gegenüber *Heiden*christen kann nicht mit ‚judaistischen' Mißverständnissen der paulinischen Theologie durch Heidenchristen begründet werden.

Ludwig[83] hält Ephesus für die heimliche Adresse des Römerbriefes. Zwar sei „der Brief deutlich als an die Gemeinde von Rom gerichtet ausgewiesen" (S. 227). Aber zur Zeit der Abfassung des Römerbriefes befinde sich Paulus „gewissermaßen in einem Übergangsstadium, in dem er Ruhe hatte, das Vergangene zu verarbeiten" (S. 227). Angesichts des Lehrbuchcharakters des Briefes dränge sich so die Frage auf, „ob Paulus mit diesen lehrhaften Ausführungen nicht seine Schüler in Ephesus als Empfänger im Auge hat, denen er mit diesem Brief eine zusammenfassende Darstellung seiner bisherigen theologischen Arbeit geben will" (S. 226), weil er die einst „gegebenen Antworten zur Förderung der theologischen Weiterarbeit seiner Schüler für nicht ganz befriedigend gehalten hat" (S. 228). Kap. 1–15 seien nach Rom, Kap. 1–16 nach Ephesus gesandt worden. – Damit träte neben das Rätsel des Römerbriefes auch noch das Rätsel eines Epheserbriefes.

Andere Forscher geben eine weniger differenzierte Auskunft auf die Frage, warum Paulus der ihm unbekannten Gemeinde in Rom *diese* Darstellung seines Evangeliums zusendet. So schreibt v. Dobschütz[84]: „Damit scheint mir das eine, das Hauptmotiv für den Römerbrief bestimmt: es ist das Bedürfnis, die ganze Summe seiner christlichen Gedanken, wie er sie in eigner Selbstauseinandersetzung mit seiner jüdischen Vergangenheit entwickelt, in

82. A.a.O. Sp. 1139.
83. Helga Ludwig: Der Verfasser des Kolosserbriefes, Diss. Göttingen, 1974.
84. (1912), S. 347; vgl. Nygren, a.a.O. S. 10 ff.

seiner Mission erprobt, im Kampf mit dem Judaismus zu polemischer Schärfe geschliffen hatte, einmal niederzulegen ... Daß es ein Römerbrief wurde, lag an der besonderen, augenblicklichen Situation", nämlich an dem Plan, nach Rom zu reisen, und an der Notwendigkeit, sich dort anzumelden. „Paulus ist weniger im Dialog mit seinen Lesern als mit Leuten, die ihn beim Schreiben umgeben, Gliedern seiner Gemeinde und judaistischen Agitatoren innerhalb derselben" (S. 472). „Paulus gibt nur ganz bestimmten Gedanken, die ihn augenblicklich lebhaft beschäftigen, Ausdruck und vergißt dabei nie ganz (!), daß er an die Christen Roms schreibt" (S. 472 f.). – Nur selten ist das *Rätsel* des Römerbriefes so deutlich formuliert worden wie bei diesem Lösungsversuch!

Ein anderes Motiv dafür, daß Paulus seinen dogmatischen Monolog nach Rom richtet, gibt Bernhard Weiß[85] an: „Es lag tiefbegründet in der eigenthümlichen Begabung des Apostels, daß er das Bedürfnis fühlte, den gesammten geistigen Ertrag dieser Jahre sich selbst zum Bewußtsein zu bringen (sc. der Kampfesjahre mit dem ‚Judaismus') und durch eine schriftstellerische Darstellung zu fixieren." Er schreibt so, wie es geschieht, nach Rom, weil er die künftige große Bedeutung Roms für die Christenheit ahnte und darum die Stadt zur Trägerin seiner Auffassung vom Christentum machen wollte – eine unmögliche These angesichts der Erwartung des Paulus, daß das baldige Ende aller irdischen Dinge bevorsteht!

Wieder anders urteilt Feine[86], dem sich Schrenk[87] anschließt: Der Römerbrief ist die „Darstellung des heidenchristlichen und doch judenfreundlichen Evangeliums des Paulus für die das ungläubige Israel hochmütig beurteilenden heidenchristlichen Römer" (S. 80). Die römischen Christen sind also Heidenchristen, die sich hochmütig über die Synagoge erheben. Dann liegt, wie ursprünglich bei Baur, im Römerbrief alles Gewicht auf Kap. 9–11, und für Kap. 1–8 gilt: „Daher ergreift der Apostel die Gelegenheit, sich bei der Gemeinde der Reichshauptstadt damit einzuführen, daß er eine Gesamtdarstellung des Evangeliums als Heilsweg in seiner Eigenart und im Unterschied vom Judentum gibt" (S. 145 f.). – Aber Kap. 1–8 lassen sich nicht als bloße Einleitung zu Kap. 9–11 verstehen, zumal diese Einleitung, die den Vorzug der Juden konsequent bestreitet, denkbar ungeeignet ist, Kap. 9–11 vorzubereiten, wenn die Intention des Apostels dahin geht, heidenchristliche Überheblichkeit zu bekämpfen. Tatsächlich sind Kap. 9–11 die notwendige Abgrenzung angesichts eines möglichen, einseitig antijüdischen Mißverständnisses der grundlegenden Ausführungen in Kap. 1–8[88].

---

85. (1886), S. 36; vgl. dagegen Feine (1903), S. 27 ff.; Richter, a.a.O. S. 12.
86. (1903), S. 80 ff.; (1930), S. 145 f.
87. A.a.O. S. 85.
88. Die Schwierigkeiten, Röm 1–11 als Ausführungen für Heidenchristen verständlich zu

Hermann von Soden [89] schreibt: „Bei allen Christen Roms setzt Paulus voraus, daß sie die Frage beunruhigt, wie es zu begreifen sei, daß die Botschaft, die sie für sich gewonnen, von den Juden ausgegangen sei, auf deren heilige Schriften sich stütze und dennoch mit ihrem Gesetz nichts zu tun habe, dennoch von diesen Juden verworfen werde. Wenn der Apostel diese für jeden Nachdenkenden brennende, die eigene Gewißheit ernstlich bedrängende Frage in der Form von Rede und Gegenrede behandelt, Einwendungen formuliert, um sie zu widerlegen, so ist das üblicher Stil für derartige Abhandlungen, der dem lebhaften, zur dialektischen Gedankenentwicklung neigenden Geist des Paulus ganz besonders gelegen sein mußte." Aber warum nennt Paulus jene Absicht seines Briefes nicht? Konnte er solche allgemeine Aufklärung nicht besser bis zu seiner persönlichen Gegenwart in Rom aufschieben? Vor allem aber: In Kap. 1–9 erklärt Paulus nicht, daß und warum die Juden das Evangelium verwerfen, sondern daß und wieso die unbeschnittenen Heiden als solche berufen sind.

Der Römerbrief: ein Rundschreiben

Andere Forscher halfen und helfen sich mit der Auskunft, dem Römerbrief liege ein Rundschreiben zugrunde, das an mehrere Gemeinden gegangen

machen, zeigte schon die folgende merkwürdige Hypothese von Theodor Schott (1858), bes. S. 99–117, die ebenfalls im Anschluß an Baur das Schwergewicht des Briefes auf die Kap. 9–11 legt, die jedoch im Unterschied zu Baur vornehmlich mit heidenchristlichen Adressaten rechnet: Paulus steht im Begriff, im Westen des Reiches mit seiner Mission zu beginnen. Dort gibt es aber nur relativ wenige Juden, so daß Paulus auch nur wenige Juden wird bekehren können. Darum muß die Mission im Westen den Vorzug des Judentums ganz besonders stark leugnen; denn dort kann die Bekehrung der Heiden nicht den Effekt haben, in bemerkenswertem Maße die Juden eifersüchtig zu machen. Zugleich aber muß dem heidenchristlichen Hochmut gewehrt werden, „als sei es nun überhaupt mit der Bedeutung Israels für die weitere neutestamentliche Heilsgeschichte völlig aus" (S. 112). Mit dieser Problematik beschäftigt sich Paulus, und aus solcher Beschäftigung wachsen als Rechtfertigung seiner Pläne für den Westen, die in Röm 1–11 vorliegt, die Erwägungen über das Recht der einseitigen Heidenmission und die Warnung davor, das jüdische Volk vom Heil auszuschließen.
Aber im Westen, speziell in Rom, war die Zahl der Juden sehr hoch, und daß ausgerechnet die römischen Heidenchristen von der Sorge bewegt waren, es möchten zu viele Heiden vor den Juden bekehrt werden, ist eine ganz unnatürliche Voraussetzung dieser künstlichen These, die u. a. Willibald Beyschlag, a.a.O. S. 633 f., mit guten Gründen zurückgewiesen hat.
Ähnlich wie Schott, wenn auch hinsichtlich der historischen Verhältnisse einfacher, urteilte zur gleichen Zeit Jatho, a.a.O. Bd. II, S. 63.
89. A.a.O. S. 41.

sei, unter anderem auch an die römische. Diese These ist zum Teil mit den literarischen Problemen der letzten Kapitel des Briefes verbunden und wird uns insoweit erst später beschäftigen.

Bereits Renan hielt 1869 den Römerbrief für ein derartiges Rundschreiben. Seiner Meinung nach verwendet Paulus die Ruhezeit in Korinth dazu, „in Briefform eine Art Zusammenfassung seiner theologischen Lehre zu geben. Da dieser große Überblick für die ganze Christenheit wichtig war, schickte Paulus ihn an die meisten Gemeinden, die er gegründet hatte und die er im Augenblick erreichen konnte ... Paulus hatte sogar die Idee, dieses Schriftstück an die römische Gemeinde zu richten."[90] Renan glaubt, nach Rom seien die Kapitel 1–11 und 15 gesandt worden. Er rechnet bei seiner These allerdings mit einer judenchristlichen Mehrheit in Rom (S. 341).

Spitta[91] konkretisiert die These, der Römerbrief sei ein Rundschreiben, dahingehend, daß Paulus schon zur Zeit des Apostelkonzils ein Sendschreiben zur Verteidigung der Heidenmission an die Judenchristen gerichtet habe, das sich nun in 1,16b–11,10 wiederfinde[92], und zwar in einen Rahmen gestellt, der die Leser ausdrücklich als Heidenchristen anredet. Diese Auskunft ist insofern geschickt, als sie den Kern des Römerbriefes nicht für einen dogmatischen Leitfaden hält, sondern ihm seine konkrete Zielrichtung sachgemäß läßt. Aber die entscheidende Frage nach dem *Anlaß* des Römerbriefes, die Frage also, *warum* Paulus mit den Römern in dieser Weise korrespondiert, wird von Spitta kaum gestellt, geschweige denn hinreichend beantwortet.

Als Möglichkeit hat auch Johannes Weiß[93] eine derartige Konstruktion erwogen.

Neu begründet wurde die Ansicht, der Römerbrief sei eine Art Memorandum, von T. W. Manson[94], dem sich W. Manson[95] und Munck anschließen. Literarische und inhaltliche Beobachtungen an Kap. 12–16 und die Bevorzugung der Textform von p^{46} geben das Material für diese Ansicht her, die Munck[96] folgendermaßen formuliert: „Diese Beobachtungen scheinen zu zeigen, daß der Römerbrief im wesentlichen eine Zusammenfassung ist hinsichtlich des Standpunktes, zu dem Paulus während des langen Streites, der in 1Kor und Phil 3 beginnt, gelangt ist. Nachdem Paulus diese Darlegung

90. (1935), S. 326.
91. (1901), S. 117 ff.
92. Auch 1,1–7 gehört Spitta zufolge (1901, S. 178 ff.) im wesentlichen bereits dem Sendschreiben an die Judenchristen an, das von Paulus durch 2,14 f.; 3,1–8; 6,12 f.; 6,15–23 für die römische Adresse ergänzt worden sein soll.
93. (1917), S. 276; vgl. ders. in ,Das älteste Evangelium', 1908, S. 5.
94. A. a. O. S. 225 ff.
95. A. a. O. passim.
96. (1954), S. 193; vgl. (1956), S. 11 ff.

befriedigend ausgearbeitet hatte, beschloß er, ein Exemplar davon an seine Freunde in Ephesus zu schicken, die er auf seiner Reise nach Jerusalem nicht zu besuchen beabsichtigte (Apg 20,3.16). Dieses Exemplar sollte dazu dienen, die Gemeinden in Asia aufzuklären. Gleichzeitig hatte er die Idee, ein Exemplar nach Rom zu schicken mit einer Darstellung seiner zukünftigen Pläne. Möglicherweise blieb ein Exemplar in Korinth zurück, aber notwendig ist es nicht, da der Inhalt des Römerbriefes vermutlich mit Mitgliedern der Gemeinde in Korinth durchgesprochen und diskutiert worden war." Weder Manson noch Munck beachten, daß sich das Thema von Röm 1–11 total von der antignostischen Auseinandersetzung in den Briefen nach Korinth und Philippi unterscheidet.

Trocmé[97] hat Mansons These jüngst unter berechtigter Kritik an ihr modifiziert. Seiner Meinung nach enthält das Kernstück des Römerbriefes (1,16–15,14) ein Dokument, das Paulus häufig brauchte, nämlich immer dann, wenn er eine Gemeinde von der Synagoge wegführen wollte. Aber die paulinischen Gemeinden sind doch von vornherein außerhalb des Synagogenverbandes konstituiert worden; denn sie waren prinzipiell gesetzesfreie Gemeinden, die zu keiner Zeit innerhalb der Synagoge haben existieren können. Richtig ist, daß die Kap.1–11 faktisch die Gesetzesfreiheit der christlichen Gemeinden gegenüber der Synagoge rechtfertigen und daß der dialogische Charakter dieser Kapitel deutlich die Diskussion mit den Vertretern der Synagoge widerspiegelt. Aber ein paulinisches Dokument, mit dessen Hilfe der Apostel eine von ihm gegründete Gemeinde nachträglich aus der Synagoge herausführen wollte, kann es nicht gegeben haben.

Die zuletzt angeführten Erklärungen, die den Römerbrief als Rundschreiben verstehen, haben in allen ihren Formen den Vorzug, daß sie den besonderen antijüdischen Charakter von Röm 1–11 mehr oder weniger zutreffend verständlich machen, der sich mit der heidenchristlichen Adresse des Briefes nicht verträgt. Aber sie verschieben das Problem nur. Denn die Frage, warum Paulus dieses antisynagogale Memorandum nach Rom an Heidenchristen schickt, bleibt unbeantwortet.

Ein literarkritischer Lösungsversuch

Originell und in mancher Hinsicht beachtenswert ist in diesem Zusammenhang ein Aufsatz des japanischen Theologen Junji Kinoshita: ‚Romans – Two Writings Combined'[98].

97. A.a.O. passim; vgl. auch A. Fridrichsen: The Apostle and his Message, Uppsala Universitets Årsskrift, 1947, 3, S.7f.
98. A.a.O. S.258–277.

Der Verfasser stellt zunächst mit Hilfe traditioneller Argumente fest, daß die Gemeinde in Rom im wesentlichen aus Heidenchristen bestanden haben muß und daß Paulus auch tatsächlich an Heidenchristen schreibt; andererseits aber werden in wesentlichen Teilen des Römerbriefes spezifisch jüdische Probleme abgehandelt. Der Verfasser löst diese Aporie mit Hilfe der in anderen Paulusbriefen erfolgreichen und durch Röm 16 nahegelegten literarkritischen These, daß neben dem Empfehlungsbrief an die Phöbe (Röm 16) im Römerbrief zwei verschiedene paulinische Dokumente redaktionell vereint worden seien. Das eine dieser Dokumente sei ein ‚Manual of Instruction on the Jewish problems', das Paulus für die Hand von Gemeinden und Mitarbeitern verfaßt habe. Zu diesem ‚Leitfaden' gehören 2,1–5.17–29; 3,1–20; 3,27–4,25; 5,12–7,25; 9,1–11,36; 14,1–15,3 sowie 15,4–13 als ein von Paulus hinzugefügtes Postskript, mit dem er dies ‚Manual' an eine seiner Gemeinden, vermutlich die zu Ephesus, gesandt haben soll. Diese Instruktion bezieht sich auf Fragen, die in der Diskussion mit der Synagoge aktuell waren.

Der eigentliche Römerbrief umfaßt die restlichen Abschnitte 1,1–32; 2, 6–16; 3,21–26; 5,1–11; 8,1–39; 12,1–13,14; 15,14–33.

Diese Lösung scheitert daran, daß der Verfasser bei der Aufteilung des Römerbriefes nach seinen inhaltlichen Kriterien unzerreißbare Nähte zerschnitten und unpassende neue Nähte geschaffen hat. Man kann z. B. nicht 2,6 von 2,5; 3,21–26 von 3,27 ff. loslösen, 8,1 ff. nicht von 7,25, 2,1 ff. nicht von Kap. 1 abtrennen. 2,1 ff. kann auch keinesfalls ein ‚manual' einleiten, sondern setzt inhaltliche Aussagen bereits voraus usw.

Dennoch hätte der Aufsatz von Kinoshita mehr Aufmerksamkeit verdient, als er dem Anschein nach gefunden hat. Der Verfasser ist einer der wenigen Forscher, die in den letzten fünfzig Jahren das ungelöste historische Problem des Römerbriefes zum Gegenstand einer selbständigen Untersuchung gemacht haben. Er weist auch mit Recht darauf hin, daß der Römerbrief neben deutlich situationsbezogenen Aussagen in starkem Maße vorgeformtes Gut enthält, das teilweise auch im Galaterbrief begegnet und in der Tat in einem ‚Leitfaden' für Mitarbeiter, die der Synagoge entgegentreten müssen, eher zu erwarten wäre als in einem aus aktuellem Anlaß geschriebenen Brief an Heidenchristen. Schließlich beobachtet der Verfasser nicht ohne Grund literarische Brüche auch in Röm 1–15, wenn er z. B. 5,1–11 von seinem Kontext isoliert, und es bleibt zu fragen, ob solche Beobachtungen nicht auch dann Aufmerksamkeit verdienen, wenn man Kinoshitas Aufteilung des Römerbriefes für nicht hinreichend begründet hält und sich außerstande sieht, den rätselhaften Doppelcharakter dieses Schreibens literarkritisch zu erklären.

Heidenchristliche Leser setzt auch Lütgert voraus, wenn er 1913 in seiner Studie ‚Der Römerbrief als historisches Problem' zu dem ganz neuartigen Ergebnis kommt, Paulus wolle mit seinem Brief die Gemeinde vor einem antinomistisch-libertinistischen Christentum warnen. Ob und wieweit sich in Röm 12–16 Anhaltspunkte für diese These finden, wird später zu fragen sein. Sie muß sich, wie auch Lütgert sieht, in jedem Fall an Kap.1–11 bewähren. Das aber ist nicht der Fall. Lütgert argumentiert mit jenen Stellen, an denen Paulus eine positive Bedeutung des Gesetzes behauptet: 2,16; 3,31; 7,7ff. Diese Stellen wie die im Römerbrief vorgetragene Rechtfertigungslehre überhaupt wollen nach Lütgerts Meinung vor den libertinistischen Tendenzen warnen. „Hieraus erklärt es sich, daß er (sc. Paulus) seine positive Stellung zum Gesetz so nachdrücklich im Römerbrief ausspricht und daß er seiner Gnadenlehre die Form der Rechtfertigungslehre gibt, denn damit ist sein positives Verhältnis zum Gesetz in seine Gnadenlehre mit aufgenommen" (S.111f.). Röm 6,1ff. und 3,7f. zeigen angeblich, wie weit der Libertinismus verbreitet war: man hat ihn Paulus bereits in die Schuhe geschoben.

Aber mit dem allen sind die Kap.1–11 nicht wirklich verstanden. Von Polemik gegen akute libertinistische Tendenzen kann nicht im entferntesten die Rede sein, wie zuerst Pachali[99] gegen Lütgert nachgewiesen hat. Mit gutem Grund hat Lütgerts Lösung der historischen Problematik des Römerbriefes keine Zustimmung gefunden[100].

Zu jener Gruppe von Lösungsvorschlägen, die mit heidenchristlichen Adressaten des Römerbriefes rechnet, gehört auch der zuerst 1876 geäußerte eindrucksvolle Vorschlag von Carl Weizsäcker, Paulus wende sich gegen judaistische Gegner, die in Rom eingedrungen seien. Weizsäcker[101] schreibt zusammenfassend: „Der Römerbrief ist eine Streitschrift gegen judaistische Lehren nicht nur, sondern ohne Zweifel auch gegen judaistisches Treiben ... Die beiden Tatsachen, daß die Gemeinde heidenchristlich und daß sie von sich aus nicht judaistisch ist einerseits, und daß Paulus für sie den Judaismus zu widerlegen hat andererseits, fordern die Annahme, daß judaistische Lehrer sich ihrer zu bemächtigen im Begriffe sind, und daß Paulus hievon Nachricht erhalten hat ... In der That werden wir darauf geführt, daß hier in Rom ein Wettkampf der beiden entgegengesetzten Lehren vom Evangelium begann. Paulus hatte längst Rom ins Auge gefaßt; er bedauerte die Zögerung,

99. A.a.O. passim
100. Vgl. aber Althaus, a.a.O. S.3; Michel, a.a.O. S. 9. 48. 322. 328; Hans Wilhelm Schmidt, a.a.O. S.117.
101. (1902), S.425f.

42

die ihm auferlegt war; aber er konnte mit Ruhe zuwarten; so wie dort die Dinge lagen, konnte er in den römischen Christen Verbündete sehen und auf eine leichte Verständigung mit ihnen hoffen. Aber auch die Judaisten haben dieses Ziel als eine Beute für sich ins Auge gefaßt. Und sie sind ihm nicht nur zuvorgekommen, sie haben dort den Boden gleich so besetzt, daß sie ihm den Eingang abzuschneiden gedachten. Das ist die Lage."

Die Stärke dieser These ist, daß sie das Tübinger Geschichtsbild mit der unzweifelhaften heidenchristlichen Adresse des Römerbriefes verbindet. Sie hatte ihre Vorgänger. Es ist auf Schmid[102] zu verweisen, der sich, läßt man die literarischen Probleme außer acht, nicht ungeschickt auf 16,17–20 stützt[103], und auf Lutterbeck[104], der wie Weizsäcker judaistischen Einfluß in einer heidenchristlichen Gemeinde behauptete. Auch Grau[105] suchte die Lösung bereits in dieser Richtung.

Weizsäcker fand lebhafte Zustimmung, unter anderem bei Grafe[106], Schürer[107], Harnack[108] und Lietzmann[109], der sogar die Hypothese beiträgt, Petrus persönlich sei dem Paulus in Rom zuvorgekommen. Mangold eröffnete seine Untersuchung über die geschichtlichen Voraussetzungen des Römerbriefes 1884[110] mit der Feststellung: „Es hat nicht an mahnendem Freundeswort gefehlt, das mir abgerathen hat, mich noch einmal mit dem geschichtlichen Problem des Römerbriefs zu befassen; alle die Vorfragen, von deren richtiger Beantwortung das Verständnis dieses Briefes abhänge, die Fragen nach der Beschaffenheit und Situation seiner ersten Leser und nach dem Zweck, welchen der Apostel an diesen Lesern durch sein Sendschreiben erreichen wolle, meinte man, seien durch Weizsäcker's bekannte Abhandlung über die älteste römische Christengemeinde befriedigend und endgültig beantwortet."

102. A.a.O. passim.
103. Vgl. Baur (1845), S. 359.
104. A.a.O. S. 90 ff.
105. A.a.O. S. 102 ff.: Bei der Rückkehr der Juden und Judenchristen infolge der Aufhebung des von Claudius verhängten Edikts „kehrten manche aus dem Osten zurück, welche das Gift der judaistischen Irrlehrer und Widersacher des Apostels in sich aufgenommen hatten. Vielleicht waren jetzt auch einige von denen, die sich an den Galatern und Korinthern (2Kor 11,1 ff.) versucht hatten, nach Rom gegangen . . . Jetzt war die Krisis da . . . Noch war die Gemeinde gesund. Aber sie bedurfte der Stärkung, um den Gegnern gewachsen zu sein" (S. 105 f).
106. A.a.O. S. 56 ff.
107. (1882), Sp. 420.
108. ZKG 2, 1878, S. 56 ff.
109. (1958), S. 290 f.
110. Siehe S. 26 f.

Tatsächlich aber läßt sich Weizsäckers Erklärung nicht halten; sie wird heute nirgendwo mehr vertreten. Die Gründe gegen seinen Lösungsversuch sind oftmals aufgezählt worden [111]. Vor allem findet sich im Brief selbst keinerlei Hinweis darauf, daß Gegner in die römische Gemeinde eingedrungen sind, wie es in den anderen Paulusbriefen der Fall ist. Weizsäcker wie Grafe [112] wissen keinen einsichtigen Grund für diesen Tatbestand anzugeben. Darum ist es aber gänzlich willkürlich, wenn Weizsäcker sich auf die in 3,7f. und 6,1ff. angedeuteten Vorwürfe stützt, um seine These zu begründen; denn wo und von wem diese Vorwürfe ausgesprochen wurden, sagt Paulus nicht. Auch scheitert diese ganze Aufstellung schon daran, daß es eine judaistische Gegenmission unter den Heidenchristen niemals gegeben hat [113]. So findet sich denn auch im Römerbrief das Beschneidungsproblem überhaupt nicht angesprochen, obschon es doch angesichts der von Weizsäcker vermuteten judaistischen Gegner im Mittelpunkt der Auseinandersetzung hätte stehen müssen.

Wir werden im weiteren Verlauf unserer Untersuchung noch einige originale Versuche nachtragen, das historische Problem des Römerbriefes unter der Voraussetzung heidenchristlicher Leserschaft zu lösen. Schon jetzt aber sieht man, wie die Mehrzahl der Forscher sich mit gutem Grund der Einsicht nicht hat entziehen können, daß die römische Christenheit sich wesentlich aus Heidenchristen zusammensetzt. Zugleich ist deutlich, daß es unter dieser richtigen Voraussetzung nicht gelingen will, eine einigermaßen befriedigende Lösung des Doppelcharakters des Römerbriefes zu finden und den konkreten Anlaß des größten paulinischen Schreibens zu bestimmen. Die vorgeschlagenen Lösungen sind ebenso zahlreich wie verschiedenartig und untereinander nicht zu vereinen. Liegt bei den anderen Briefen des Apostels der Anlaß zum Schreiben am Tage, so verschließt er sich beim Römerbrief den noch so intensiven Bemühungen vieler Forschergenerationen.

6. Versuche der Lösung: Die Leser sind Judenchristen und Heidenchristen

Es ist deshalb verständlich, daß nicht selten ein dritter Lösungsweg beschritten wird. Es handelt sich um einen die beiden bisher beschriebenen Positionen vermittelnden Weg. Man erklärt, die Gemeinde setze sich aus Juden- und Heidenchristen zusammen. Der Doppelcharakter des Briefes

---

111. Mangold (1884), S.174–292; Godet (1892), S.62; Lipsius, a.a.O. S.74; Feine (1903), S.29ff.; Lütgert, a.a.O. S. 12. 21ff.; Ropes, a.a.O. passim.
112. A.a.O. S.60f.
113. Siehe meine Untersuchung über ,Paulus und Jakobus' (1965).

müsse aus dieser gemischten Zusammensetzung der Gemeinde verständlich gemacht werden.

Diese Erklärung[114] findet sich bereits bei Origenes[115], der bekanntlich in beachtlichem Maße historisch zu denken verstand, und dann bei nicht wenigen mittelalterlichen Auslegern[116]. Von späteren Exegeten lassen sich viele hierher rechnen[117]. Auch die gemäßigten Tübinger, die vorne[118] genannt wurden, kann man in diesem Zusammenhang insofern erneut anführen, als sie eine heidenchristliche Minderheit in der römischen Gemeinde annehmen, mit der Paulus sich an einzelnen Stellen seines Briefes auseinandersetzt[119]. Als Anlaß des Schreibens gilt den Forschern, die mit einer gemischten Zusammensetzung der römischen Christenheit rechnen, seit alters der Versuch des Paulus, die beiden Gruppen zu versöhnen[120].

Mit Recht nennt W. Michaelis[121] diesen Erklärungsversuch eine Verlegenheitslösung[122]. Denn die Forscher, die zu dieser Lösung greifen, bestreiten im allgemeinen nicht, daß Paulus die Römer direkt als *Heiden*christen anredet. Sie behaupten jedoch, daß der Apostel an vielen Stellen trotz dieser Anrede zu den *Juden*christen in der Gemeinde *spricht*. Die Unmöglichkeit

---

114. Vgl. die ältere Literatur bei Grafe, a.a.O. S. 2.

115. Zu Röm 3,1; die Texte und andere Stellen aus der Väterliteratur bei Zahn (1910), S. 13, Anm. 22.

116. Siehe bei Godet (1892), S. 65.

117. Berthold, a.a.O. S. 3271 ff.; Hug, a.a.O. S. 353 ff.; Rückert, a.a.O. S. 687 ff.; Philippi, a.a.O. I S. XIII f.; de Wette (1848), S. 270 ff.; Krenkel, a.a.O. S. 147 f.; Bleek-Mangold, a.a.O. S. 536. 539 ff.; Heinrich Julius Holtzmann (1886), S. 269; Lipsius, a.a.O. S. 75; Sanday-Headlam, a.a.O. S. XXVI; Pfleiderer (1882), S. 500 ff.; (1902) S. 149 f.

118. S. 26, Anm. 48.

119. Vgl. z.B. Volkmar (1875), S. XI. Karl Reinhold Köstlin urteilt in seiner Besprechung von Baurs ‚Paulus': „Sowol die Judenchristen als auch die Heidenchristen verliert der Apostel, wie wir sehen werden, nie ganz aus dem Auge, (der Verf. geht wol auch in der Unterordnung der Beziehung auf die letztern zu weit), und nur insofern bekämpft er die Erstern mehr (πρῶτον), denn die Letztern, als ihre Polemik gegen die Universalität des Christenthums und gegen den rechtfertigenden Glauben der paulinischen Auffassung doch noch stärker widerstrebt, als die Polemik der Heidenchristen gegen die Prärogative des jüdischen Volks ... Die so modificirte Baur'sche Ansicht lässt sich auf die einfachste Weise durch das Ganze durchführen" (a.a.O. S. 1118).

120. Vgl. z. B. schon Hug, a.a.O. S. 361. Andere frühe Vertreter dieser Auffassung nennt Reiche, a.a.O. I S. 75.

121. A.a.O. S. 158.

122. Die Formulierung: „‚Die römische Gemeinde ist also heidenchristlich' (wenigstens in ihrer Mehrheit)" (Hans Wilhelm Schmidt, a.a.O. S. 21) ist ein bezeichnendes Beispiel dieser Verlegenheit, da sie eine richtige exegetische Einsicht zu 1,6 sofort im Interesse anderer Gesichtspunkte einschränkt.

eines solchen Verfahrens liegt auf der Hand, und zwar besonders bei jenen Forschern, die sich das Problem verschleiern.

Appel [123] z. B. ist der Meinung, daß nach dem Tode des Claudius eine massenhafte Rückwanderung von Juden und Judenchristen nach Rom eingesetzt habe. Damit hörte die Gemeinde sofort auf, eine rein heidenchristliche zu sein. „Möglicherweise waren die Judenchristen bald in der Majorität … Den Apostel mußte dieser Zustand der römischen Gemeinde im höchsten Maße beunruhigen. Am allerwenigsten konnte er wünschen, daß das judenchristliche Element zur Herrschaft gelangte. So wendet er sich in Kap. 1–8 aufs eingehendste gegen judenchristliche Anmaßung und Selbstüberhebung, die eben, weil sie in der jüdischen Herkunft der Bekämpften begründet ist, als jüdische würdigt. Andererseits durfte es nicht zu einem wirklichen Auseinandergehen der beiden Parteien kommen, denn das wäre das Ende des Christentums in Rom überhaupt gewesen. Deshalb weist er auch die Heidenchristen in ihre Schranken zurück, Kap. 9–11, und ermahnt schließlich noch 15,7ff. beide Teile zur Einigkeit."

Wie sich diese Auskunft mit der heidenchristlichen Adresse des ganzen Briefes verträgt, fragt Appel überhaupt nicht. Wer sich dieser Frage stellt, erklärt gerne, die Heidenchristen seien in der Mehrheit gewesen und Paulus habe die Gemeinde *a parte potiori* benannt [124]. Aber wie hätte er dies tun können, wenn er auch und gerade bei den Judenchristen Gehör finden wollte? Man kann zwar aus der Tatsache, daß Paulus die römischen Christen als Heidenchristen anredet, nicht zwingend schließen, es habe in Rom überhaupt keine Judenchristen gegeben bzw. Paulus habe von ihrer Existenz nichts gewußt. Aber sicher ist, daß Paulus seinen Brief an die Heidenchristen in Rom richtet, denn nur diese redet er an, während der Inhalt seines Schreibens paradoxerweise eine Preisgabe des jüdischen bzw. eines spezifisch judenchristlichen Standpunktes fordert.

In einem besonderen Dilemma waren jene bereits genannten, der Baurschen Schule nahestehenden Forscher, die zwar mit einer gemischten Zusammensetzung der Gemeinde rechnen und den im Sinne der Tübinger irenischen Charakter des Römerbriefes behaupten, jedoch im Gegensatz zu Baur nicht umhin können zuzugestehen, daß Paulus die Gemeinde als eine heidenchristliche anredet; denn ihnen ist das hier liegende Problem deutlich bewußt. Lipsius [125] zufolge *stand* die Gemeinde unter dem tonangebenden Einfluß eines milden Judenchristentums; sie *bestand* aber überwiegend aus Heidenchristen, weswegen Paulus die römischen Christen insgesamt als ehemalige Heiden anredet, „wobei die Rede zeitweilig den heidenchristlichen Theil der

123. A.a.O. S. 45. Ohne Appels Sperrungen.
124. Philippi, a.a.O. I S. XIV.
125. A.a.O. S. 74 f.

Gemeinde ganz aus dem Auge zu verlieren scheint" (S. 75)!! Hilgenfeld [126] meint, Paulus rede die Gemeinde als Ganze schon als heidenchristlich an, obgleich sein Ziel ist, die Judenchristen in der Gemeinde mit dem gesetzesfreien Evangelium erst auszusöhnen. „Überall hat Paulus judenchristliche Leser vor Augen" (S.311); aber: „Er hat also wirklich die römische Christengemeinde schon unter die ihm zugewiesenen ἔθνη gerechnet" (S.310). „Zu derselben Zeit, als er die Aussöhnung der judenchristlichen Urgemeinde mit der Heidenkirche durch eine große Liebesgabe im Sinne hatte, hat er auch in der damaligen Welthauptstadt das Patricier-Bewußtsein des Judenchristenthums mit der so überraschend verbreiteten und erstarkten Plebs des Heidenchristenthums auszusöhnen, die Abneigung der Judenchristen gegen das gesetzesfreie Evangelium vollständig zu beseitigen versucht" (S.310). In einem ähnlichen Dilemma steckt auch Pfleiderer [127], dem zufolge Paulus versucht, „eine sich gedrückt und verletzt fühlende judenchristliche Minderheit für sein Evangelium zu gewinnen und mit dem siegreich vordringenden Heidenchristenthum zu versöhnen". Daß Paulus dabei die Heidenchristen anredet, erklärt Pfleiderer mit dem doppelten Zweck des Römerbriefes: Paulus will zugleich die sittlichen Mängel der heidenchristlichen Mehrheit beseitigen. So kommt es, daß er „immer mit dem einen Auge auf den judenchristlichen und zugleich mit dem anderen Auge auf den heidenchristlichen Teil der Leser zu blicken scheint" (S.158), was nicht nur anatomisch unmöglich ist.

Heinrich Julius Holtzmann [128] nimmt in einer seiner öfter wechselnden Ansichten zu unserem Problem die Hypothese zur Hilfe, daß Paulus selbst nicht genau über die ethnische Zusammensetzung der Gemeinde Bescheid wußte. Eine etwaige dem Apostel bewußte Ignoranz hätte indessen als solche im Brief zum Ausdruck kommen müssen; sie kann aber nicht erklären, daß Paulus den Römerbrief ohne alle Zeichen der Unsicherheit an Heidenchristen adressiert.

Schließlich sei noch auf Bleek [129] verwiesen, der Reibereien zwischen dem heidenchristlichen und dem judenchristlichen Teil der Gemeinde vermutet. Darauf nehme Paulus Rücksicht und versuche, beide Teile zu versöhnen. Den geborenen Juden sagt er: die Verstoßung der Juden ist selbst verschuldet; den geborenen Heiden sagt er: werdet nicht hochmütig. Vor allem aber handelt es sich bei dem Römerbrief um „eine fast rein objektiv gehaltene Auseinandersetzung des Wesens des Evangeliums" (S.542). Dieser Vorschlag verbindet die verschiedensten Lösungsvorschläge, ignoriert aber die entscheidende Frage nach der heidenchristlichen Adresse des ganzen Briefes.

126. A.a.O. S. 310 f.
127. (1902), S. 149 ff.; gegen ihn Feine (1903), S. 25 ff.
128. (1886), S. 261.
129. Bleek-Mangold, a.a.O. S. 541 f.

Neuere Ausführungen zu unserem Thema machen das Dilemma, in das der merkwürdige Doppelcharakter des Römerbriefes die Forschung geführt hat, vollends deutlich. Preisker[130] zufolge sind die Standpunkte der beiden römischen Parteien grundverschieden. Paulus erfährt von Debatten, die über zahlreiche Fragen zwischen Juden- und Heidenchristen geführt werden. Der Römerbrief stellt eine sehr konkrete fortlaufende Auseinandersetzung mit diesen verschiedenen strittigen Problemen dar. Paulus will beide Parteien aussöhnen, indem er die Streitfragen löst. Warum er zu diesem Zweck nur die Heidenchristen und zugleich die Gemeinde insgesamt als heidenchristliche anredet, erfahren wir von Preisker ebensowenig wie von Harder[131], der in einem wenig später geschriebenen Aufsatz Preisker grundsätzlich zustimmt, ihn im einzelnen (mit Recht) kritisiert und als Hauptzweck der paulinischen Argumentation ansieht, daß Paulus den judenchristlichen(!) Gemeindeteil auffordert, den heidenchristlichen als dem Heil voll zugeführt anzunehmen – wozu er also die Heidenchristen anredet! Die paulinischen Glieder der römischen Gemeinde, so vermutet Harder, haben Paulus um solche Schützenhilfe gebeten, da sie von den Judenchristen stark bedrängt wurden[132].

In die gleiche Richtung zielt die Lösung von Hans Wilhelm Schmidt, nach dessen Meinung[133] eine judenchristliche Minderheit bemüht ist, sich in Rom Geltung zu verschaffen; Paulus versuche, in diesen Reibereien zu vermitteln. Auch Michel sucht, freilich sehr unentschlossen und zurückhaltend, die historische Situation des Römerbriefes aus solcher Konfrontation zu verstehen[134].

Daß es in Rom um Auseinandersetzungen zwischen Juden- und Heidenchristen geht, schließt Marxsen[135] mit vielen Forschern vor ihm und nach ihm aus Kap. 14 f. Marxsen zufolge hat der Brief seinen Schwerpunkt am Ende. Kap. 1–11 dürfe man nur mit großer Vorsicht zur Erhellung der Situation in Rom benutzen. In diesen Kapiteln bereite Paulus lediglich durch prinzipielle Erörterungen die Lösung des in Rom aktuellen Problems vor, auf das er erst am Ende des Briefes eingehe. Nun, das hieße, mit Kanonen nach Spatzen schießen, und warum Paulus, wenn er Frieden zwischen Heidenchristen und Judenchristen in Rom stiften will[136], die Heidenchristen

---

130. A.a.O. passim.
131. A.a.O. passim.
132. Zur Kritik an Preisker und Harder vgl. Klein, a.a.O. S. 137 ff.
133. A.a.O. S. 2 f.; ähnlich Schoeps: Paulus, 1959, S. 250.
134. A.a.O. S. 9 ff.
135. (1963), S. 88 ff. Vgl. ferner u. a. Schmid (1830) passim; Tholuck, a.a.O. S. 698; Beck, a.a.O. I S. 4; Hilgenfeld, a.a.O. S. 317; Kühl, a.a.O. S. 17. 222. 444 f. 463 f. 497 ff.; Bartsch (1967), S. 33; (1971), S. 85 ff.; Donfried, a.a.O. S. 443 ff. Minear, a.a.O. passim.
136. Übrigens hält Marxsen die ‚Schwachen‘ für Proselyten, so daß der Eindruck entsteht, die

und nur sie und zugleich die ganze Gemeinde als heidenchristlich anredet, erfahren wir von Marxsen nicht[137]. Dazu kommt, wie wir später sehen werden[138], daß der in Kap. 14 f. angesprochene Gegensatz keinesfalls der Gegensatz von Judenchristen und Heidenchristen ist.

Besonders kennzeichnend dafür, daß in der Gegenwart zumeist schon das historische Problem als solches gar nicht mehr scharf gesehen wird, das der Römerbrief stellt, ist Feines Einleitung in der Neubearbeitung von Kümmel[139]. Einerseits gilt (mit Recht): „Die alte Anschauung, der Röm. sei ein planvolle, lehrhafte Darstellung des christlichen Glaubens ... ist ... unhaltbar"; andererseits heißt es: „Der Wunsch, sich bei den Christen von Rom einzuführen, ihnen zu sagen, wer er ist und was er predigt, gibt Paulus den Anlaß, sich über die Grundwahrheiten des Christentums, wie er sie sieht und lehrt, des längeren auszusprechen. Röm. ist das ... theologische Selbstbekenntnis des Paulus." Einerseits gilt (mit Recht): „Der Brief kennzeichnet seine Leser unzweideutig als Heidenchristen"; andererseits heißt es: „Indessen ist die römische Gemeinde sicher nicht rein heidenchristlich gewesen." Einerseits gilt: „... hat man immer wieder den Eindruck, Paulus wende sich gegen falsche Anschauungen, die in der römischen Gemeinde vertreten werden"; andererseits heißt es: „... wird man nicht zu bezweifeln brauchen, daß Paulus auch sich selber mit dieser weitgehend argumentierend vor-

137. römische Gemeinde sei überhaupt judenchristlich gewesen. Aber diese Probleme bleiben unscharf; die Frage nach der Zusammensetzung der römischen Gemeinde wird von Marxsen nicht thematisch gestellt und in ihrer Bedeutung offensichtlich nicht richtig eingeschätzt. Ebenso muß man über die Studie von Minear (a.a.O.) urteilen, die dem Ansatz von Marxsen sehr verpflichtet ist. Minear meint, das entscheidende Problem in Rom sei der Streit unter den Starken und den Schwachen gewesen, zwischen denen eine Mittelgruppe stand. Da Paulus mit einer zerstrittenen Gemeinde im Rücken nicht in Spanien arbeiten kann, versucht er, die römischen Gruppen zu einigen. Kap. 1–13 dienen der Vorbereitung auf Kap. 14, 1–15, 12. Dabei richten sich die verschiedenen Abschnitte in Kap. 1–13 teils an die einzelnen Gruppen als solche, teils an die Leser insgesamt.

137. Zur Kritik vgl. Klein, a.a.O. S. 137 f. Wilckens, a.a.O. S. 127 ff. hält zwar wie Marxsen und andere dafür, die Gemeinde setze sich aus Juden- und Heidenchristen zusammen. Darum sei es möglich, daß Paulus die Spannungen zwischen beiden Gruppen mit im Auge habe (S. 124). Die Absicht, in der römischen Gemeinde zum Frieden zu wirken, könne aber den Brief in der vorliegenden Form nicht erklären (S. 126).

138. Siehe S. 95 ff.

139. A.a.O. S. 221 ff.; vgl. 17. Aufl., 1973, S. 270 ff. Bezeichnend ist aber z. B. auch das Urteil von Hans Werner Bartsch (1968), S. 288, nach dessen Meinung es „in dem ganzen Brief um den Ausgleich zwischen einer judenchristlichen Gruppe, die ihr Judentum im gesetzlichen Verständnis zu behaupten sucht, und einer heidenchristlichen Gruppe, die stolz auf die Judenchristen als Barbaren herabsieht", geht, der aber das Problem der heidenchristlichen Adresse nicht einmal nennt!

gehenden Darstellung über sein bisher verkündetes und nun in den fernen Westen zu bringendes Ev. Rechenschaft ablegt." Daß auf dieser widerspruchsvollen Basis eine Lösung des komplizierten historischen Problems des Römerbriefes nicht mehr möglich ist, bedarf keiner Frage, und es ist nur konsequent, daß Kümmel den konkreteren Lösungsversuchen pauschal vorhält: „Alle diese Thesen wollen zu genau Bescheid wissen." Aber kann eine Auslegung des Römerbriefes in unseren Tagen darauf verzichten, dies Schreiben aus seiner historischen Situation zu verstehen? Die Frage nach den historischen Umständen des Römerbriefes wird doch gerade als theologische Frage nicht von historischer Neugier bestimmt, sondern von dem hermeneutischen Zwang, den Brief adäquat, d. h. als einen geschichtlichen auslegen zu müssen.

Man wird nach dem allen sagen müssen, daß das historische Problem des Römerbriefes noch nicht hinreichend gelöst ist, daß zugleich aber in der gegenwärtigen Forschung die Gefahr besteht, dies Problem in seiner eigentlichen Problematik auch nicht mehr hinreichend in den Blick zu nehmen [140].

140. Dies Urteil gilt auch gegenüber Käsemanns jüngst erschienener Auslegung des Römerbriefes, die ohne nennenswerte Berücksichtigung des historischen Aspektes den Brief als „eine Summe paulinischer Theologie" (a.a.O. S.372) auslegt, „wenn auch unter einschränkender Perspektive und Antithetik" (ebd.) der Rechtfertigungslehre. Erst *nach* dieser Auslegung und folglich ohne *wesentliche* Beziehung zu ihr tritt der Römerbrief auch noch als „Dokument einer besonderen Situation" in den Blick, die sich freilich nur hypothetisch erheben lasse: „Die Austreibung unter Claudius hat die . . . judenchristliche Gemeinde mindestens dezimiert. Nach Milderung und erst recht nach Aufhebung des Ediktes zurückkehrende oder neu einwandernde Judenchristen fanden eine heidenchristliche Majorität vor, werden aber auch als Minorität eine nicht unerhebliche Rolle gespielt haben . . . Es stand zu erwarten, daß er mindestens hier auf ein in der Diaspora verbreitetes Mißtrauen gegenüber seinem Apostolat und seiner Lehre stoßen würde . . . Konnte Paulus durch sein Schreiben die römische Gemeinde und zumal ihre judenchristliche Minorität für sich gewinnen oder wenigstens vorhandenes Mißtrauen teilweise zerstreuen, gewann er Rückendeckung auch gegenüber Jerusalem. Ob ihm das gelungen ist oder nicht, läßt sich nicht beantworten. Zu behaupten ist jedoch, daß der Apostel den Versuch dazu gemacht hat. Eben deshalb geht er auf die Vorwürfe seiner judenchristlichen Gegner ein . . ." (a.a.O. S.387). Das ist ein wenig durchdachtes Konglomerat alter Ansichten. Der Hauptton des Briefes läge damit auf Kap.11 bzw. auf Kap.14f., eine Ansicht, die Käsemann wenige Seiten zuvor mit Recht als „beinahe grotesk" (S.384) zurückweist. Wieso Paulus mit einem Brief, der einschränkungslos an Heidenchristen gerichtet ist, vor allem eine „judenchristliche Minorität" gewinnen möchte, bleibt Käsemanns Geheimnis. Daß Paulus im Römerbrief „auf die Vorwürfe seiner judenchristlichen Gegner" eingeht, sollte man heute nicht mehr ernsthaft behaupten und wird von Käsemanns Auslegung auch nicht nahegelegt; Paulus setzt sich mit der Synagoge auseinander. Wie der Römerbrief, nach Käsemanns Ansicht unmittelbar vor der Abreise des Paulus nach Jerusalem geschrieben, dazu dienen

Eben deshalb lohnt es sich in diesem Zusammenhang, auch noch einen Blick auf die weithin vergessene radikale Kritik der Paulusbriefe zu werfen, die hinsichtlich des Römerbriefes sehr stark mit der unverständlichen historischen Situation dieses Schreibens argumentierte, um dann entweder den ganzen Brief oder wesentliche Teile desselben für unpaulinisch zu erklären.

So urteilte bereits Bruno Bauer[141] über den Verfasser von Kap. 1–9: „Im Lauf seiner dogmatischen Ausführung hat er die Römer vergessen – in *dem* Grade vergessen, daß er seine Voraussetzung, wonach er an Heidenchristen ... schreibt ..., fallen läßt und so spricht, als ob er es nur mit Judenchristen und mit der Befangenheit ihres gesetzlichen Bewußtseyns zu thun habe." Bauer schließt daraus, daß eine (seiner Meinung nach bereits unpaulinische) Abhandlung 1,18*–8,36* später 1,1–17 als sekundären Rahmen erhielt.

Loman[142] meint, der Römerbrief lasse eine Entscheidung über den judenchristlichen oder heidenchristlichen Charakter der Leser gar nicht zu, und diese Unmöglichkeit, überhaupt eine konkrete geschichtliche Situation des Schreibens festzustellen, erwecke Zweifel an der Authentizität des Römerbriefes.

Ähnlich argumentiert v. Manen[143], der zusammenfassend erklärt: „Zoo blijft ten laatste de vraag onbeantwoord en zij schijnt inderdaad niet voor beantwoording vatbar: was de gemeente, voor wie de brief bestemd zal zijn geweest, een Joodschchristelijke, een Heidenchristelijke of een gemengde? Wijst ook dit verschijnsel niet op het feit, dat wij hier niet staan voor een heuschen brief, maar voor een boek in den vorm van een brief geschreven?"

Auch W. B. Smith bedient sich in seinen verschiedenen Veröffentlichungen zum Römerbrief[144] entsprechender Argumente zum Nachweis der Unechtheit dieses paulinischen Dokuments, das angeblich erst um 160 in der Kirche bekannt wurde.

Völter[145] benutzt die Beobachtung angeblich wechselnder Adressatenkreise im Römerbrief als wesentliches Argument bei der Aufteilung des Schreibens auf verschiedene Hände. Der originale Brief des Paulus sei an gewöhnliche

---

konnte, Paulus in Jerusalem Rückendeckung zu verschaffen, kann man sich auch bei lebhaftestem Verkehr zwischen Rom und Jerusalem nicht vorstellen. Schließlich halte ich auch die Voraussetzung der Argumentation Käsemanns für falsch, der zufolge Paulus sich in heftigem Streit mit den Christen Jerusalems befindet.

141. A.O. S. 61.
142. A.a.O. S. 162. Ebenso argumentiert Steck, a.a.O. S. 361 f.
143. (1891), S. 25 f.
144. Siehe das Literaturverzeichnis.
145. (1890) passim; (1905), S. 188 ff.

Heidenchristen gerichtet worden, von denen manche zuvor als Proselyten oder Gottesfürchtige unter dem Einfluß der Synagoge gestanden haben, der *eine* Überarbeiter [146] richte seine Worte dagegen an heidenchristliche Judaisten.

Für derartige Lösungen unseres Problems wird sich heute niemand mehr erwärmen können [147], und zwar um so weniger, als auch den genannten Forschern eine deutliche Aufteilung des Römerbriefes auf verschiedene Adressatenkreise nicht gelungen ist. Aber es ist bedauerlich, daß wir das vom Doppelcharakter des Römerbriefes gestellte *Problem* heute weithin weniger ernst nehmen, als diese radikalen Kritiker taten. Zwar verlangt der Römerbrief nach einer besseren Lösung des durch ihn aufgegebenen historischen Rätsels, aber eben doch immer noch nach einer *Lösung*. Gegenüber den heute üblichen Scheinlösungen behalten die radikalen Kritiker das größere Recht.

8. Die gesicherten Feststellungen

Ausgangspunkt aller Untersuchungen müssen die gesicherten Feststellungen sein.

---

146. So ist die Annahme (1905), S. 217 ff.

147. Die oben bereits genannten Versuche, im Römerbrief eine paulinische ‚Denkschrift' oder ein ähnliches für Judenchristen bestimmtes Dokument und einen brieflichen Rahmen, der an die Römer gerichtet ist, zu unterscheiden, differieren freilich, *methodisch* gesehen, nur graduell von der radikalen Kritik, die den Römerbrief auf verschiedene authentische oder nicht authentische Hände und Vorlagen verteilt.

So kann man fragen, wohin man Michelsen rechnen will, der sich a.a.O. den Römerbrief in folgender Weise entstanden denkt:

1. Es gab zwei selbständige Schriften von der Hand des Paulus, die den Grundbestand einerseits von Kap. 1–11, andererseits von Kap. 12–14 umfaßten. Das erste Stück war ein „tractaat tot aanbeveling van de gerechtigheid uit‘geloof πᾶσι τοῖς οὖσιν ἐν ἀγαπῇ ϑεοῦ", keineswegs an eine bestimmte Gemeinde gerichtet (1887, S. 172). Der ursprüngliche ‚Sitz' des zweiten Stückes wird von Michelsen nicht näher bestimmt (1887, S. 197).

2. Beide Schriften werden von einem Redaktor zusammengefaßt, mit starken Interpolationen versehen und als Römerbrief herausgegeben.

3. Diese älteste Ausgabe wird von Marcion verkürzt (Kap. 1–14) und außerdem in einer westlichen (1,1–16,24) und einer östlichen (1–14 u. 16,25–27) Fassung verbreitet (1887, S. 190 f.).

4. Schließlich übernimmt die östliche Fassung die Interpolationen der westlichen Fassung, besonders 15,1–16,24, wodurch der uns geläufige alexandrinische Text entsteht.

Die erste dieser gesicherten Feststellungen lautet: Paulus will Einfluß in der römischen Christenheit gewinnen. Das geht aus dem Proömium des Briefes (1,8–15) hinreichend deutlich hervor.

Seiner Absicht, in Rom zu predigen, gibt Paulus in V.11.13–15 unzweideutigen Ausdruck. Dabei weiß er um die Problematik solchen Vorhabens. Er hat in Rom keine Gemeinde gegründet, hat also keinen Anspruch auf die dortige Christenheit, ist nicht ihr ‚Vater in Christo‘ (1Kor 4,14ff.), kann keine Rechte in Rom geltend machen. Auch wenn die römische Christenheit von einem Gemeindegründer überhaupt nicht sprechen kann, darf Paulus doch nicht wie ein solcher auftreten.

Sein Vorhaben ist um so delikater, als er ja nicht vor allem (Heiden)mission in Rom treiben möchte, sondern sich um Einfluß unter den römischen Christen bemüht. Das ὑμῖν in V.11 meint die Christen in Rom, wie V.12 unzweifelhaft zeigt [148]. Sie will er also mit ‚Gaben des Geistes‘ stärken. Dann kann das (ἐν) ὑμῖν V.13.15 die Christenheit Roms zumindest nicht ausschließen. An diese Christen richtet sich ja auch der Brief selbst, der ihnen eine massive und umfassende paulinische Predigt hält.

Man darf sich diese Einsicht in den Zweck des Schreibens nicht von Röm 15, 22ff. her verdunkeln lassen. Die Ankündigung der Spanienreise erfolgt nicht im Proömium. Der Leser des Briefes weiß zunächst nur, daß Paulus sich verpflichtet fühlt, den Christen in Rom das Evangelium zu predigen. Er liest den Brief vom Proömium aus, und zwar, wie wir noch sehen werden (siehe S.180ff.), nur vom Proömium aus.

Die verschiedenen captationes benevolentiae, die das Proömium durchziehen, haben offensichtlich die Aufgabe, dem Apostel die Durchführung seines Vorhabens zu erleichtern. Sie sollen „der Förderung eines günstigen Gesprächsklimas dienen" [149]. In diesem Sinne muß man die Bemerkung in 1,8b verstehen, ὅτι ἡ πίστις ὑμῶν καταγγέλλεται ἐν ὅλῳ τῷ κόσμῳ, – eine bewußt gewählte Hyperbel, die vorweg den Römern zugesteht, was Paulus bei ihnen beeinflußen möchte: den Glauben. Vor allem will dann V.12 „ausgesprochen – vielleicht schon ein wenig gar zu ausgesprochen – den Eindruck höflicher Bescheidenheit erwecken" [150]. Die Konzession, es solle ein Geben und Nehmen in geistlichen Gaben stattfinden, hat taktische Bedeutung [151]: in

148. Vgl. Jülicher (1908), S. 225.
149. Kuss (1963), S. 17.
150. Kuss (1963), S. 18.
151. Diese Funktion von V. 12 darf man nicht erbaulich verzerren. Die Behauptung, daß Paulus „zugleich nach brüderlicher Begegnung, nach brüderlicher Tröstung und Ermunterung hungert" (Eichholz, 1965, S. 94), wird der historischen Situation des Römerbriefes nicht gerecht.

V. 13 ist sie der Sache nach bereits wieder vergessen, und der Brief selbst denkt nicht ans ,Nehmen', sondern ausschließlich ans ,Geben'.

Aus dem gleichen Bestreben, seinen Versuch einer Einflußnahme nicht durch eine Verärgerung der römischen Christen zu gefährden, muß man auch die ebenso vorsichtigen wie bestimmten Formulierungen τι μεταδῶ (V. 11) und τινὰ καρπόν (V. 13) verstehen [152]. Auch die wiederholte Feststellung, Paulus wisse sich seit langem intensiv mit der römischen Gemeinde verbunden (V. 9f. 13. 15), kann in diesem Zusammenhang nur die Aufgabe haben, seinen Versuch zu rechtfertigen, Einfluß auf die römischen Verhältnisse zu nehmen. Feierlich ruft Paulus nach antiker Sitte Gott zum Zeugen dafür an, daß er unablässig der römischen Christen gedenkt, sie allezeit wie seine eigenen Gemeinden in sein Gebet einschließt und Gott bittet, er möchte ihn doch endlich einmal nach Rom führen (V. 9f.). Der Apostel äußert sein *herzliches Verlangen*, die Christenheit der Hauptstadt zu besuchen (V. 10). Feierlich [153] versichert er, daß er bereits oft habe kommen wollen und nur durch äußere Umstände bis jetzt an solcher Reise gehindert wurde (V. 13). Fühlt er sich doch *allen* Heiden verpflichtet (V. 14f.).

Hinter diesen Bemerkungen steht Absicht! Man hat gelegentlich gemeint, Paulus verteidige sich auf diese Weise gegen den Vorwurf, er vermeide es, nach Rom zu kommen [154]. Diese Erklärung kann schwerlich zutreffen. Die vermuteten Vorwürfe müßten ja von der Erwartung ausgehen, Paulus habe sich längst in Rom sehen lassen sollen. Mit solcher Erwartung rechnet Paulus aber gerade nicht; denn er muß seine *bloße Absicht* zu kommen mit großer Vorsicht begründen. Man wartet, wenigstens nach Meinung des Apostels, in Rom keineswegs auf ihn. Jedenfalls kann er nicht bei der Masse der römischen Christen eine solche Erwartung voraussetzen. Worauf hätte sie sich auch stützen können?

Im Zusammenhang des Proömiums will Paulus den Römern vielmehr sagen: Wenn ich unter euch ,Frucht' erstrebe, so mische ich mich nicht in eine fremde Angelegenheit ein. Ihr galtet mir schon immer als einer meiner Arbeitsbereiche. Wenn ich auch bisher daran gehindert wurde, nach Rom zu kommen, so daß dort inzwischen ohne mein Zutun eine christliche Gemeinschaft entstand, so setzt das doch meine seit jeher bestehende Absicht nicht ins Unrecht, auch in Rom mein Evangelium zu verkündigen – nun eben bei euch und mit euch.

Auf diese Weise erklärt sich 1,8–15 einheitlich und vollständig: Paulus will *sein* Evangelium in Rom verbreitet sehen. Dazu muß er, wie die Dinge

152. Vgl. Klein, a.a.O. S. 140f.
153. Vgl. Michel, a.a.O. S. 49.
154. Weizsäcker (1902), S. 405; Kühl, a.a.O. S. 28. 31f.; Althaus, a.a.O. z. St.; Michel, a.a.O. S. 45. 49; Preisker, a.a.O. S. 26.

liegen, Einfluß auf die *schon in Rom lebende* Schar der Christen nehmen. Zu diesem Zweck schreibt er seinen Brief und reklamiert dabei Rom als Gebiet seines Einflusses. Dabei soll der Brief, folgt man dem Proömium, den noch ausstehenden Besuch vorläufig ersetzen; denn das Proömium weiß nur von dem bisher verhinderten, nicht von einem bevorstehenden Besuch [155].

Zweifellos enthält der Brief eben jene Botschaft, die Paulus gerne längst persönlich in Rom zu Gehör gebracht hätte. Dabei handelt es sich nicht um eine Grundlegung des christlichen Glaubens oder um eine Summe der christlichen Lehre, sei es auch in ihrer paulinischen Ausprägung; denn die Römer sind gläubige Christen, von deren Glauben man in der ganzen Welt spricht (1,8). Paulus will sie nicht bekehren. Aber er hat den römischen Christen eine spezifische Botschaft auszurichten: Die Juden haben kein Vorrecht mehr vor den Heiden.

Daß Paulus mit *dieser* Botschaft in Rom bei den Heidenchristen Frucht haben will, ist das Rätsel des Römerbriefes, das es zu lösen gilt. Aber diese paradoxe Tatsache als solche muß die Grundlage jeder Lösung sein. Angesichts der unerwarteten und fortdauernden Verzögerung seines persönlichen Besuches schreibt Paulus nach Rom, um die dortigen Heidenchristen davon zu überzeugen, daß die Juden nichts voraus haben, wenn es um das Heil in Christus geht. Solche Überzeugung unter den Heidenchristen Roms zu wecken oder zu fördern ist die vor allem erhoffte, mit dem in 1,8 genannten Glauben nicht ohne weiteres gegebene Frucht seiner brieflichen Begegnung mit den Christen Roms.

Er möchte die römische Christenheit insofern also zu einer paulinischen Gemeinde machen. Für einen Missionar, der in weltweiten Dimensionen denkt und plant (15,19ff.), ist solcher Wunsch nicht nur verständlich, sondern auch unumgänglich. Wer unter den Heiden das Evangelium ,zur Fülle bringen' (15,19) will, kann Rom nicht umgehen.

Die Römer sind Heidenchristen

Damit ist bereits die zweite gesicherte Feststellung genannt, von der jede Lösung des historischen Problems unseres Briefes ausgehen muß [156]: Die römische Christenheit, an die Paulus sich mit seinem Schreiben richtet, war eine Heidenchristenheit, und zwar in ihrer Gesamtheit.

Daß Paulus die römischen Christen insgesamt als Heidenchristen *anredet*, wird heute zwar nicht mehr ernsthaft in Frage gestellt; die Mehrzahl der Lösungs-

---

155. Vgl. Klein, a.a.O. S. 134f.
156. Vgl. Kümmel (1964), S. 221, der seinen richtigen Grundsatz freilich nicht festhält.

versuche geht darum auch mit Recht von dieser Tatsache aus, wie unser forschungsgeschichtlicher Überblick zeigte. Man muß diesen Sachverhalt aber *voll* akzeptieren. Das geschieht nicht, wenn man, wie es üblich wurde, in Rom Reibereien zwischen Judenchristen und Heidenchristen voraussetzt, die Paulus mit seinem Brief beilegen will. Denn in diesem Fall ist die Gemeinde Roms keine heidenchristliche, sondern eine Gemeinde mit gemischter Zusammensetzung, und Paulus könnte die römischen Christen nicht, wie er es tut, insgesamt als Heidenchristen anreden.

Zumindest geht Paulus in seinem Schreiben davon aus, *daß* die römischen Christen Heidenchristen sind. Andernfalls hätte er schon wegen der Jerusalemer Abmachungen (Gal 2,1 ff.) von einer Einflußnahme Abstand nehmen müssen[157]. Auch hätte er nicht, wie er es in Kap. 9–11 tut, von der Tatsache ausgehen können, daß *die* Juden verstockt sind, wenn das Bild, das Paulus von der römischen Gemeinde besaß, dem widersprochen hätte[158]. Ob Paulus die römischen Christen *mit Recht* generell als Heidenchristen anredet, ist eine Frage, die für das Verständnis seines Briefes unerheblich ist.

Die *beiden* gesicherten Feststellungen führen erneut vor das Rätsel des Römerbriefes. Das Schreiben richtet sich in seinem Hauptteil gegen die Auffassung einer Vorzugsstellung der Juden. Mag das Heil auch von den Juden kommen – diesen ,heilsgeschichtlichen' Vorzug des Judentums leugnet Paulus nicht (1,16; 2,9; 3,1f.; 9,1ff.) –, so ist es durch den Glauben zu den Heiden gekommen, für die keine Notwendigkeit, ja, keine Möglichkeit mehr besteht, um des eschatologischen Heils willen Juden zu werden. Warum schreibt Paulus diese Botschaft den römischen *Heiden*christen?

9. Die Römer sind ,jüdische' Heidenchristen

Unzweifelhaft sind jene Forscher auf dem richtigen Weg, die davon ausgehen, daß Paulus sich mit seinem Brief an Heidenchristen in Rom wendet. Aber sie vermögen die heidenchristliche Adresse von Kap. 1–11 nicht mit dem antijüdischen Inhalt dieser Kapitel zu vereinen. Weder überzeugt die in verschiedenen Versionen vorgetragene ,dogmatische' Erklärung von Kap. 1–11, denn diese Kapitel enthalten kein Lehrkompendium; noch die antijudaistische, die eingedrungene oder möglicherweise eindringende Judenchristen bekämpft sieht, denn von solchen ist nirgendwo die Rede; noch die antilibertinistische, denn sie macht Kap. 1–11 zu einem Rätsel; noch die literarkritische, denn wenn Paulus ein nicht für die Römer gefertigtes Manuskript nach Rom

---

157. Vgl. meine Untersuchung ,Paulus und Jakobus' (1963) S. 29 ff.
158. Vgl. Munck (1956), S. 26.

schickt, hätte er solches Unternehmen begründen müssen.

Alle diese Erklärungen gehen davon aus, daß sich der rätselhafte Doppelcharakter des Römerbriefes nur verstehen läßt, wenn der sachliche Inhalt von Kap. 1–11 nicht unmittelbar auf die angeredeten Heidenchristen bezogen wird, sondern der Selbstreflexion des Paulus oder der Beziehung auf fremde Lehrer oder einer Situation im östlichen Missionsgebiet des Paulus entstammt. Daß das Problem von Röm 1–11 das Problem der Heidenchristen in Rom selbst sein könnte, wird von den Forschern, die den Brief mit Recht an Heidenchristen gerichtet sein lassen, im allgemeinen nicht erwogen bzw. für unvorstellbar erklärt. Wie sollte auch eine Notwendigkeit bestehen, Heidenchristen gegenüber die Wahrheit des Evangeliums aufzurichten, indem man ihnen die jüdische Vorzugsstellung bestreitet!

Und doch läßt der Römerbrief gar keine andere Wahl, als ihn unter diesem Aspekt, also unter dem Gesichtspunkt eines judaisierenden Heidenchristentums zu betrachten. Auch das ist längst geschehen, so daß wir, um der Lösung unseres Problems näherzukommen, noch einen weiteren Interpretationsstrang verfolgen müssen, der sich durch die Forschungsgeschichte hindurchzieht.

Eichhorn

Eichhorn [159] erklärte, der Römerbrief sei zwar deutlich polemisch-apologetisch, aber er richte seine Spitze nicht gegen Judenchristen, sondern gegen das Judentum. Die Juden hätten den dortigen Heidenchristen gegenüber die Notwendigkeit betont, das Heil im Judentum zu finden. Mit ihrer Agitation unter den Heidenchristen hätten sie offenbar Erfolg gehabt, zumal viele ehemalige Proselyten sich den Christen angeschlossen hatten und die Brücke von der Synagoge zu der christlichen Gemeinde bildeten. Deren Verlust beunruhigte die Synagoge besonders.

Soweit diese These mit ausgedehnter jüdischer Agitation unter den Heidenchristen rechnet, läßt sie sich ebensowenig halten wie Weizsäckers Ansicht vom Auftreten schroffer Judaisten in Rom; denn Paulus spricht von solcher Agitation überhaupt nicht, obschon er gewiß keinen Grund gehabt hätte, sie zu verschweigen.

Auch muß man es für sehr unwahrscheinlich ansehen, daß die Synagoge in Rom die heidenchristliche Gemeinde dort hätte unter theologischen Druck setzen können, sei es auch mit Hilfe einiger abgefallener Proselyten, die ja durchaus ihre Gründe gehabt haben müssen, sich der christlichen Gemeinschaft aus geborenen Heiden anzuschließen und damit ihren jüdischen Neigungen zu entsagen. Die Heidenchristen waren nicht von der Synagoge

159. A.a.O. S. 206–219.

aus missioniert worden: wie hätte es dann überhaupt zu so gewichtigen synagogalen Einflüssen in ihr kommen können? Eichhorns Erklärung ist also historisch schwerlich denkbar, so sehr sie geeignet wäre, den Doppelcharakter des Römerbriefes verständlich zu machen.

Jedoch sollte man beachten, daß Eichhorn die Argumentation des Paulus in Kap. 1–11 als antijüdisch, nicht als antijudenchristlich verstehen lehrt, und man muß einräumen, daß tatsächlich in Röm 1–11 nichts speziell auf ein judenchristliches Gegenüber des Paulus zielt.

Wichtiger noch ist, daß Eichhorn Proselyten ins Spiel bringt, die sich der christlichen Gemeinde angeschlossen haben sollen. Sie sind geborene Heiden, so daß Paulus sie als Christen aus den Heiden anreden könnte. Sie sind zugleich dem Judentum derart verbunden, daß eine Argumentation wie die in Kap. 1–11 ihnen gegenüber verständlich gemacht werden könnte. Insofern wird von Eichhorn der Versuch unternommen, den Doppelcharakter des Römerbriefes bei den Lesern selbst zu suchen, und zwar nicht derart, daß er zwei sich gegenüberstehende Gruppen von Lesern konstruiert, sondern so, daß er eine jüdische Befangenheit bei der einheitlich heidenchristlichen Gemeinde verständlich macht.

Willibald Beyschlag

Von besonderem Interesse ist in diesem Zusammenhang der konsequente Versuch von Beyschlag[160], auf die von Eichhorn angeregte Weise das historische Problem des Römerbriefes zu lösen.

Beyschlag sieht – wie die Forschung im vorigen Jahrhundert überhaupt – sehr scharf den inneren Widerspruch, der den Römerbrief durchzieht, und urteilt über die vorangehende Forschung mit Recht: „... weil in der That für jede von beiden Ansichten einige schlagende Anzeichen da sind, werden auch die gegentheiligen Ansichten des Briefes gewaltsam mit diesen Anzeichen in Einklang gebracht" (S. 640). Er folgert: „Läßt sich nicht schon aus diesem wunderlichen Stand der Untersuchung vermuthen, daß hier ein Räthsel ganz eigenthümlicher Art vorliege und nur eine solche Lösung desselben die richtige sein könne, welche beiderlei Anzeichen und Beweisführungen gerecht wird?" (ebd.). Das muß nach Beyschlag darauf führen, „daß der Charakter der römischen Gemeinde ein eigenthümlich zweiseitiger gewesen, ein solcher, der dem einen Gesichtspunkt ebensoviel Anwendung auf dieselbe verstattete als dem andern" (ebd.). Die Lösung des Rätsels, thetisch formuliert, lautet: „... die römische Gemeinde ist in ihrem wesentlichen Bestande als eine der *Abkunft* nach *heidenchristliche*, aber der *Denk-*

---

160. A.a.O. passim.

art nach *judenchristliche* vorzustellen, als eine Gemeinde, deren Hauptbestand von nationalrömischen Proselyten des Judenthums gebildet ward" (ebd.) [161].

Diese Auffassung wird von Beyschlag zunächst exegetisch erhärtet. Sein Plädoyer für die heidnische Abkunft der Christen Roms ist glänzend und nach meinem Erachten das Beste, was zu diesem Punkt geschrieben wurde. Nicht weniger überzeugend ist der Nachweis, daß „die Zeugnisse für die judenchristliche *Denkart* der Leser nicht minder gewichtig und zahlreich" sind (S. 647). Die antithetische Entfaltung der paulinischen Heilslehre in Kap. 1–11 lasse sich nur gegenüber judaistischen Vorurteilen verständlich machen, und in 7,1–6 läge ein ausdrückliches Zeugnis für die Tatsache vor, daß die römischen Heidenchristen „aus der Schule des Gesetzes, also des Judenthums, zum Evangelium gekommen waren" (S. 648) – ein tatsächlich unbestreitbarer Sachverhalt, der sich glänzend erklärt, wenn die Heidenchristen Roms getaufte ehemalige Proselyten sind. Sofern sie ihre jüdischen Neigungen, von denen sie einst bestimmt wurden, sich beschneiden zu lassen, noch nicht ganz aufgegeben hatten, ist das Bemühen des Paulus, sie durch seinen Brief in die volle Freiheit seines heidenchristlichen Evangeliums zu führen, überaus verständlich.

Kann man aber die vermutete Zusammensetzung der Christenheit Roms geschichtlich verständlich machen? Beyschlag behauptet es. Heidenchristliche Einflüsse, etwa vom paulinischen Missionsgebiet, seien noch gar nicht bis Rom gedrungen. Vielmehr sei unbestreitbar, „daß die Wallfahrten römischer Juden und Proselyten auf die Feste in Jerusalem die einfachste und naturgemäßeste Erklärung abgeben für das frühe Dasein einer judaistisch gerichteten Christengemeinde in Rom" (S. 651). In Jerusalem seien römische Festpilger bekehrt worden, und zwar zu der dort herrschenden milden Richtung des Judenchristentums. So sei in der Tat Petrus – in Jerusalem, nicht in Rom – der Urheber der römischen Christengemeinde gewesen.

Daß „diese eigenthümliche Entstehung der römischen Gemeinde jedenfalls keinerlei geschichtliche Schwierigkeit wider sich, vielmehr jede historische Wahrscheinlichkeit für sich hat" (S. 651), wird man indessen beim besten Willen nicht sagen können.

Unbegreiflich wäre, wenn in Jerusalem nur römische Proselyten, nicht aber auch römische Juden bekehrt worden wären. Unmöglich ist die Annahme, daß Rom nur von dem weit entfernten und zahlenmäßig schwachen Jerusalemer Christentum beeinflußt wurde, nicht aber von dem verbreiteten hellenistischen Christentum Kleinasiens und Griechenlands. Undenkbar ist, daß Paulus trotz der Abmachung von Gal 2,1 ff. und des Grundsatzes von Röm 15,20 eine solche aus *ehemaligen* Heiden sich zusammensetzende und von

---

161. Ähnlich Völter (1905), S. 189; Bousset (1926), S. 81.

Petrus gegründete rein judenchristliche Gemeinde zu sich hätte hinüber- ziehen wollen. Unvorstellbar ist, daß die ‚Starken‘ in Rom, die sich auch von der synagogalen Speisegesetzgebung gänzlich lösten, ihre geistig-geistlichen Anstöße ausgerechnet in Jerusalem empfangen haben (14,1–15,6). Unwahr- scheinlich ist, daß Paulus auf die besondere, singuläre Zusammensetzung der Gemeinde nicht ausdrücklich eingeht, sondern die Proselyten trotz ihrer Beschneidung schlechthin als Heiden ansieht.

Obschon Beyschlags Vorschlag exegetisch überzeugt[162], scheitert er histo- risch. Er hat darum mit Recht nicht viel Zustimmung gefunden[163], wenn man auch den methodischen Vorzug dieser Lösung des historischen Pro- blems des Römerbriefes im allgemeinen anerkennt[164] und gelegentlich – un- beschadet einer andersartigen Gesamtanschauung – auf die Proselyten zu- rückgreift[165], um die Ausführungen des Paulus in Röm 1–11 verständlich zu machen – dies letztere eine Inkonsequenz, solange man sich der historischen Problematik des Lösungsversuchs von Beyschlag nicht stellt.

Ähnliche Lösungen

Dem methodischen Erfordernis, den in Rom bekämpften ‚Judaismus‘ bei den heidenchristlichen Lesern selbst zu suchen, entspricht auch die Auf- fassung von Grau[166], der zufolge die *Heiden*christen Roms auf der Stufe der Urapostel stehengeblieben sind und die jüdischen Lebensordnungen noch beibehalten haben.

---

162. Zustimmend äußerten sich Schultz, a.a.O. S. 105; Schürer (1876), S. 769; vgl. Kneucker, a.a.O. S. 23 ff., der sich die römische Christenheit aus reinen Heidenchristen und aus Proselytenchristen zusammengesetzt denkt.

163. Zur Kritik vgl. schon Grafe, a.a.O. S. 55 f.

164. Grafe, a.a.O. S. 55 schreibt mit Recht: „Es ist nicht zu leugnen, daß die von Beyschlag gegebene Lösung Manches für sich hat, was wohl bisher weniger, als es sein sollte, an- erkannt worden ist."

165. v. Hofmann, a.a.O. S. 623; Weizsäcker (1902), S. 419 f.; Lipsius, a.a.O. S. 77; Althaus, a.a.O. S. 1: „. . . zur Zeit des Briefes bestand die Gemeinde überwiegend aus Heidenchristen (1,6; 11,13 ff.), die wohl fast durchweg Proselyten gewesen waren"; Suhl, a.a.O. S. 127: „Da Paulus sich im ganzen Brief ausdrücklich an Heidenchristen wendet, zugleich aber eine selbstverständliche Gesetzeskenntnis voraussetzt, dürfte der Brief an eine heidenchristliche Gemeinde gerichtet sein, die sich aus ehemaligen Angehörigen der Synagoge, vielleicht gar Proselyten rekrutierte, die sich jetzt als Christen vom Judentum zu emanzipieren be- gannen."

166. A.a.O. S. 102 ff. 107 ff.; Grau bemüht freilich diese These nur zur Erklärung von Röm 14,1–15,13.

Ähnlich lautet die Auskunft von Fritz Barth[167], nach dessen Meinung zuerst „unbekannte Christen" in Rom „von Jesus geredet" hatten, „und zwar in der einfachsten Form, indem sie seine Messiaswürde bezeugten und sich zum Beweis derselben auf das Alte Testament beriefen, dessen Weissagungen in Jesus erfüllt seien".

Eine Urzelle palästinischer Judenchristen müßte sich demnach in frühester Zeit als ein Heidenchristentum nach Rom verpflanzt und dort im Stillen ein Leben geführt haben, das – im Zentrum der antiken Welt – von allen weiteren Entwicklungen der Christenheit unberührt blieb.

In verwandter Richtung verläuft auch die Auskunft von Wilhelm Michaelis[168], nach dessen Meinung man davon ausgehen müsse, „daß die römischen Heidenchristen nur in der Art, wie sie auch anderwärts vor und neben der paulinischen Heidenmission in Gültigkeit war und blieb, hatten Christen werden können, d. h. nur so, daß sie vor ihrer Taufe der Beschneidung sich unterzogen und auf das Gesetz sich verpflichteten".

Ähnlich hält Gaugler[169] es für wahrscheinlich, „daß das römische Christentum, auch das der Heidenchristen, ursprünglich ein judenchristliches Gepräge getragen" hat, und Wikenhauser[170] rechnet dementsprechend damit, es sei nicht gänzlich auszuschließen, „daß in der frühesten Zeit in nichtpaulinischen Gemeinden Heiden vor der Taufe sich beschneiden ließen und sich auf das Gesetz verpflichteten".

Aber darf man davon ausgehen, daß ausgerechnet der westliche Vortrupp der Christenheit sich aus archaischen judaistischen Heidenchristen zusammensetzt, während das stark nach Westen drängende gesetzesfreie Christentum, das sich von Antiochien bis Korinth lebhaft ausbreitet, Rom bisher noch nicht berührt hat? Man darf es um so weniger, als es ein solches judaistisches *Heiden*christentum selbst im Osten nie gegeben hat[171]. Zudem läßt Paulus an keiner Stelle des Römerbriefes durchblicken, daß die römischen Christen keine echten Heiden, sondern beschnittene ehemalige Heiden waren; das Problem der Beschneidung spielt im Römerbrief überhaupt keine Rolle.

Eine dem historischen Rätsel des Römerbriefes sich stellende, jedoch gleichfalls ganz ungeschichtliche Sicht des Heidenchristentums liegt auch hinter der Vermutung Hermann von Sodens[172], die römischen Heidenchristen

---

167. A.a.O. S. 61 f. Vgl. auch Lohmeyer, a.a.O., der die Askese der Schwachen in Kap. 14 f. für ebionitisch hält und daraus folgert, Rom sei von Galiläa aus missioniert worden. Aber auch wenn jene Voraussetzung stimmen sollte (siehe dazu Kapitel B), ist dieser Schluß willkürlich. Gesetzlich lebende Judenchristen gab es auch in der Diaspora; vgl. Gal 2, 11 ff.

168. A.a.O. S. 158.

169. A.a.O. I S. 4.

170. A.a.O. S. 292; vgl. Wikenhauser-Schmid, a.a.O. S. 457 f.

171. Vgl. meine Anm. 157 genannte Untersuchung.

172. A.a.O. S. 46. Ähnlich schon Julius Köstlin, a.a.O. S. 75 f.

hätten *nach* ihrer Bekehrung besorgt gefragt: „... haben nicht doch die Juden, als die älteren, recht? Führt nicht billigerweise unser Schritt, den Christus anzuerkennen, zu dem weiteren, das Gesetz anzunehmen?" Indessen läßt sich selbst im Osten nirgendwo eine derartige Tendenz des Heidenchristentums nachweisen. Und der Römerbrief warnt an keiner Stelle die Heidenchristen vor *Abfall* ins Judentum.

Alle derartigen historischen Schwierigkeiten umgeht Trocmé elegant durch die bereits genannte These, Paulus übermittle den römischen Christen mit 1,16–15,14 ein Dokument, das er immer dann gebraucht habe, wenn es galt, eine junge heidenchristliche Gemeinde aus dem Verband der Synagoge zu lösen. Zweifellos beobachtet Trocmé damit trefflich den sachlichen Inhalt von Röm 1–11: Indem er die Gleichheit von Juden und Heiden angesichts der Heilspredigt nachweist, rechtfertigt Paulus faktisch die Tatsache, daß die Christengemeinden sich unabhängig von den Synagogen konstituieren. Auch sieht Trocmé richtig, daß die römische Gemeinde keinen wesentlich anderen Charakter getragen haben kann als die Christenheit des Ostens (1,8.11f.; 15,14). Aber schwerlich läßt sich die Aufstellung exegetisch halten, der Römerbrief stelle ein Art Memorandum dar, das nicht für die römische Gemeinde aufgezeichnet, sondern ihr nur mitgeteilt wurde. Und vor allem ist es historisch unzutreffend, daß sich die paulinischen Gemeinden zunächst im Synagogenverband konstituierten. Das wagt nicht einmal die Apostelgeschichte zu behaupten, die vielmehr – historisch zweifellos zutreffend – feststellt, daß die Synagoge Paulus von Anfang an heftig befehdete. Weder im Römerbrief noch in einem der anderen Schreiben des Paulus gibt es für die gegenteilige These die geringsten Anzeichen, und Trocmé muß darum auch zu der abenteuerlichen Hilfshypothese greifen, Paulus habe innerhalb seiner Missionspredigt in der Synagoge zwar eine Christologie vorgetragen, den dogmatischen Inhalt des ‚Römerbriefmemorandums' – also die Soteriologie, die Botschaft von der Gerechtigkeit aus Glauben für Juden und Heiden, die Kunde vom Ende des Gesetzes – jedoch für jenen kritischen Moment aufgespart, an dem die Synagoge der Gemeinde ihre Unterstützung versagte. Aber Paulus konnte doch nicht unter Verzicht auf sein Evangelium missionieren! Und die Synagoge konnte sich nicht fortgesetzt von Paulus *vorläufig* düpieren lassen! Und aus welchem Grund sollte Paulus die Heiden zuerst in die Synagoge ziehen, wenn er das Dokument schon bereitliegen hatte, mit dem er sie später wieder aus der Synagoge herausführen wollte?

Ließe sich erklären, wie es infolge besonderer Umstände in *Rom* zu einer in Verbindung mit der Synagoge sich konstituierenden heidenchristlichen Gemeinschaft hat kommen können, so könnte man allerdings auf die Dokumentenhypothese verzichten – Trocmé nennt das Dokument selbst „resté oral peut-être" (S.150) – und im Römerbrief tatsächlich den in diesem Fall außergewöhnlichen Versuch sehen, die römische Christenheit in Gestalt einer heidenchristlichen Gemeinde außerhalb der Synagoge zu konstituieren. Damit kämen der heidenchristliche Charakter der Gemeinde und der antisynagogale Inhalt des Briefes gleicherweise zur Geltung. Indessen geht Trocmé gerade nicht von den besonderen Verhältnissen der römischen Gemeinde aus.

Übrigens ist auch die These von Trocmé nicht völlig neu. Schon Ewald[173] hatte den Vorschlag gemacht, den Römerbrief aus der Absicht des Paulus zu verstehen, die Gemeinde in Rom von der Synagoge zu lösen. „Die unvereinbarkeit des Christenthums mit dem Judäerthume zu zeigen ist daher der einzige große gedanke und zweck dieses sendschreibens" (S. 318). Diese ansprechende Vermutung hat indessen nicht viel Aufmerksamkeit gefunden, weil Ewald sie mit der Ansicht koppelte, Paulus habe den bevorstehenden Kampf zwischen den Juden und dem römischen Reich vorausgesehen. Indem er die Gemeinde aus der Umklammerung durch die Synagoge löste, hoffte er zu erreichen, daß die Christen nicht in den drohenden Untergang des Judentums hineingezogen würden. Dieser praktische Zweck des Briefes sei zwar nicht ausgesprochen, trete aber in Kap. 13 an den Tag – eine zweifellos originelle Deutung, die jedoch die Proportionen auf den Kopf stellt und 13, 1–7 viel zuviel Gewicht beilegt. „Man muß in der Tat alles Augenmaß für die tatsächlichen Verhältnisse verloren haben, um das glaublich zu finden."[174]

Immerhin wird man zugeben müssen, daß alle zuletzt genannten Forscher von Eichhorn über Beyschlag bis Barth und Michaelis, von Ewald bis Trocmé methodisch den einzig richtigen Weg gehen, den Doppelcharakter des Römerbriefes aus dem besonderen Charakter der *einen* angeredeten Leserschaft verständlich zu machen. Daß dieser Weg, konsequent begangen, zu einer annehmbaren Lösung des historischen Problems des Römerbriefes führt, wird sich zeigen, wenn wir nun die Frage nach der Beschaffenheit der römischen Gemeinde thematisch zu klären versuchen.

10. Der ‚Charakter‘ der Christenheit in Rom

Einen Gemeindegründer kennen wir nicht. Zweifellos hat Paulus eine Gemeinde in Rom nicht gegründet. Auch einer seiner Mitarbeiter scheidet aus[175]: er wäre im Römerbrief nicht unerwähnt geblieben, und bei einer

173. A.a.O. S. 317 f. 415 f.
174. Richter, a.a.O. S. 9.
175. Kneucker, a.a.O. S. 14 ff. hat ausführlich zu begründen versucht, daß Titus die Gemeinde gegründet habe. Nach Meinung von Philippi, a.a.O. S. XII, sollen „Schüler des Apostels

im Sinne und Auftrage des Paulus gegründeten Gemeinde hätte dieser seine Einflußnahme nicht in der Form vorbereiten müssen, die er in 1,8–15 wählt.

Genausowenig ist Petrus der Gemeindegründer, der freilich schon früh als solcher angesehen wurde und der von der römischen Gemeindetradition selbst auch als erster Bischof Roms in Anspruch genommen wird[176]. In eine von Petrus oder von seinen Mitarbeitern gegründete Gemeinde einzugreifen, wäre Paulus sowohl durch die Vereinbarung des sogenannten Apostelkonzils (Gal 2,7ff.) als auch durch seinen eigenen, den Römern gegenüber ausgesprochenen Grundsatz verboten gewesen, nicht auf fremdem Grund zu bauen (Röm 15,20f.)[177]. Außerdem kann natürlich das Heidenchristentum in Rom schwerlich auf die judenchristliche Mission zurückgeführt werden.

Ein Gründer der römischen Gemeinde darf vermutlich überhaupt nicht erfragt werden[178]. Rom war eine Millionenstadt, Mittelpunkt des römischen Weltreiches. Sobald sich im Osten dieses Reiches die christliche Bewegung ausbreitete, kamen bei dem lebhaften Verkehr zwischen Ost und West auch Christen nach Rom. Je mehr die Mission nach Westen fortschritt, um so größer wurde ihre Zahl. Daß einzelne der römischen Christen mit bewußter missionarischer Absicht nach Rom aufgebrochen waren, braucht man nicht auszuschließen; Anzeichen dafür gibt es nicht. Die Mehrzahl wird durch ihren Beruf oder ihr ungewolltes Schicksal dorthin getrieben worden sein. „Das Christentum Roms ist nicht eine wohlüberlegte und wohlgeordnete Pflanzung; es ist wild gewachsen, ausgesamt, indem der Wind vom Osten allerlei Samen dorthin trug."[179] Die allgemeine missionarische Aktivität der frühen Christenheit ließ die verschiedenen Hausgemeinden dann möglicherweise auch aus eingesessenen Römern Verstärkung erhalten.

Daß unter den zugezogenen Christen auch solche waren, die aus paulinischen Gemeinden kamen, kann unmöglich geleugnet werden; war doch das paulinische Missionsgebiet der Hauptstadt schon sehr nahe gerückt. Antiochien und Korinth, die Hauptwirkungsstätten des Apostels Paulus,

---

Paulus" die Gemeinde gesammelt haben. Dagegen wendet sich mit Recht Weizsäcker (1902) S. 405 f.

176. Iren. III 1,1; 3,2; Euseb. KG II 14,6. Noch Belser, a.a.O. S. 509 nennt diese Tradition „eine durchaus zuverlässige"; vgl. Schaefer, a.a.O. S. 6 ff.

177. Vgl. schon de Wette (1848), S. 271.

178. So ist mit Recht heute die allgemeine Auffassung. Vgl. z. B. de Wette (1848), S. 270; Philippi, a.a.O. S. XII f.; Hilgenfeld, a.a.O. S. 302; Bleek-Mangold, a.a.O. S. 536 f.; Zahn (1906), S. 304 f.; v. Dobschütz (1912), S. 395 f.; Feine-Behm, a.a.O. S. 160 f.; Friedrich a.a.O. Sp. 1137; Wikenhauser-Schmid, a.a.O. S. 450 f.

179. v. Dobschütz (1912), S. 396.

waren zugleich die größten Städte des Reiches nach Rom[180].

Nun berichtet Sueton in seiner bekannten Notiz, der Kaiser habe die Juden *„impulsore Chresto assidue tumultuantes"* aus der Stadt Rom vertrieben (Claudius 25). Man nimmt heute allgemein an[181], Chrestus sei = Christus und vermutet, zur Zeit des Claudius sei es um der christlichen Lehre willen in Rom zu Auseinandersetzungen in bzw. mit der Synagoge gekommen.

Claudius regierte von 41–54. Als Paulus etwa im Jahre 49 nach Korinth kommt, trifft er dort ein jüdisches Ehepaar, Aquila und Priscilla, das jüngst ($προσφάτως$) durch das Edikt des Claudius aus Rom vertrieben worden war (Apg. 18,1–3) – eine zuverlässige Notiz. Also dürfte es spätestens 48/49, noch vor Beginn der europäischen Mission des Paulus, in Rom einen aktiven Kreis von Christen gegeben haben, deren Einstellung zur Synagoge für diese selbst problematisch war.

Damit stimmt überein, daß nach den Worten des Paulus der Glaube der Römer einige Jahre später bereits weltbekannt ist (1,8) und der Apostel schon seit längerem und verschiedentlich den Vorsatz gefaßt hatte, nach Rom zu fahren, um die dortigen Christen zu besuchen, deren er in seinen Gebeten unablässig gedenkt (1,9ff.). Auch scheinen Aquila und Priscilla bereits Christen gewesen zu sein, als Paulus nach Korinth kommt; denn von Bekehrung und Taufe der beiden erfahren wir nichts.

Gab es aber bereits Christen in Rom, bevor Paulus europäischen Boden betrat, so müssen diese Christen, soweit sie nicht in Rom bekehrt wurden, aus dem ‚nahen' Osten stammen, wo Jerusalem das Zentrum des Judenchristentums und Antiochien das des Heidenchristentums war. Dem Judenchristentum Palästinas kann man keinen bedeutsamen Einfluß auf die frühe römische Christenheit zusprechen; denn dann wäre unerklärlich, wieso Paulus die Gemeinde insgesamt als heidenchristlich anreden kann[182].

Jerusalemer Ursprünge der römischen Gemeinde haben die vorkritischen Kommentare freilich gerne angenommen, auch abgesehen von der traditionellen Ansicht, die in Petrus den Gemeindegründer sah. „Auf dem ersten Pfingstfeste zu Jerusalem waren nach Apg 2,10 auch $ἐπιδημοῦντες\ Ῥωμαῖοι$, *advenae Romani*, zugegen, welche das erste apostolische, kirchengründende Zeugenwort des Petrus mit anhörten. Möglich, daß auch unter diesen zur Festfeier in der jüdischen Metropole versammelten römischen Juden oder Proselyten einige zu den drei Tausenden gehörten, welche an jenem Tage hinzugethan wurden, die dann, nach Rom zurückgekehrt, die ersten Keime

180. Vgl. Sanday-Headlam, a.a.O. S. XXVff.
181. Hilgenfeld, a.a.O. S. 303f. (ältere Lit.); Willibald Beyschlag, a.a.O. S. 652; Lipsius, a.a.O. S. 77; Zahn (1906), S. 309; Friedrich, a.a.O. Sp. 1137; Wiefel, a.a.O. S. 76ff.
182. Richtig Weizsäcker (1902), S. 421; Lietzmann (1933), S. 27; ders.: Geschichte der alten Kirche, 1932, I S. 109. 133f. 209f.; Godet (1892/93) S. 46ff.

des Evangeliums dort hinüber trugen und in den abendländischen Boden verpflanzten"[183] – eine zuzeiten ganz verbreitete Ansicht, wenn man nicht gar behauptete, die ersten Spuren des neuen Glaubens seien bereits während des Erdenlebens Jesu in der Welthauptstadt sichtbar geworden[184].

Wer – mit Baur – die Christen Roms als Judenchristen beschrieb, mußte solche unkritischen Schilderungen aufgreifen und die Entstehung der römischen Gemeinde mit Hilfe kritischer Erwägungen auf palästinischen Einfluß zurückführen. So setzt sich mit Baurs historischer Analyse des Römerbriefes die nunmehr kritische Ansicht durch, die römische Gemeinde sei von Palästina aus gegründet worden[185]. Diese Ansicht wird auch dort gelegentlich festgehalten, wo man mit einer gemischten Zusammensetzung der römischen Gemeinde rechnet[186], und sonderbarerweise vereinzelt auch von Forschern vertreten, die den heidenchristlichen Charakter der Christengemeinde Roms nicht in Zweifel ziehen[187]. Dann kann man sich freilich mit der Auskunft helfen, die von römischen Jerusalempilgern oder von Jerusalemer Judenchristen gegründete christliche Gemeinde in Rom sei infolge des Edikts des Claudius vertrieben worden; nur ihre heidenchristlichen bzw. ,gottesfürchtigen' Anhänger blieben in der Stadt zurück[188].

Theoretisch läßt sich natürlich denken, daß es eine frühe Judenchristenheit in Rom gab, die auf Jerusalemer Einflüsse zurückging und die mit dem Edikt des Claudius ihr Ende in der Hauptstadt fand. Sollte es so gewesen sein, so können doch die Heidenchristen Roms, an die Paulus sein Schreiben richtet, schwerlich aus dieser judenchristlichen Gemeinde hervorgegangen sein; denn die Jerusalemer Richtung des Judentums trieb keine Mission unter unbeschnittenen Heiden. Erst recht konnte nicht in wenigen Jahren eine so solide heidenchristliche Gruppe in Rom aus einem Jerusalemer Judenchristentum erwachsen, wie sie der Römerbrief voraussetzt. Schließlich wäre es widersinnig, wollte man starke palästinisch-christliche Einflüsse in Rom ansetzen, zugleich aber syrisch-antiochenische verneinen, obschon das hellenistische Antiochien, die nach Rom größte Stadt des Reiches, sehr viel mehr Verbindung zur Hauptstadt hatte als das kleine, abgelegene, kulturell fremde Jerusalem, und obgleich die Zahl und die missionarische Aktivität der antiochenischen Christenheit unbestreitbar die der jerusalemischen Christen um

183. Philippi, a.a.O. S. XI; vgl. Tholuck, a.a.O. S. 1 f.
184. Z. B. Rückert, a.a.O. S. 656 f. (Lit.). Auch diese Ansicht kann sich auf eine alte Tradition berufen: Ps Cl Rec 1, 7 f.; Hom 1, 7 f.
185. Hilgenfeld, a.a.O. S. 303; Zahn (1906), S. 305; (1910) S. 15.
186. Bleek-Mangold, a.a.O. S. 536 f.; Lipsius, a.a.O. S. 77; Michel, a.a.O. S. 8; Lohmeyer a. a. O. S. 1 f.
187. v. Dobschütz (1912), S. 396.
188. v. Dobschütz (1912), S. 396; Kinoshita, a.a.O. S. 259 f.

ein Vielfaches übertraf. Unter diesen Umständen Antiochien auszuschalten und das römische Heidenchristentum auf Jerusalem zurückzuführen, wäre durch nichts zu rechtfertigen. Man wird vielmehr annehmen müssen, daß die ältere kritische Ansicht im Recht ist [189] und die römische Heidenchristenheit von Anfang an und ursprünglich in enger Beziehung zu jenen Gemeinden des Ostens stand, durch die auch Paulus Christ geworden war und mit denen er gemeinsam mehr als 15 Jahre lang missioniert hatte (Gal 1,15–2,1).

So erklärt sich zwanglos der heidenchristliche Charakter der römischen Christenheit; denn daß auch die syrischen und kilikischen Christen durchweg aus dem Heidentum stammten, zeigt Gal 2,1–10 mit genügender Deutlichkeit. Die Schar der Christen Roms besaß also eine ähnliche nationale und soziale Struktur und glaubensmäßige Ausrichtung wie das Heidenchristentum des Ostens, eine Tatsache, der Paulus selbst in 1,8.12; 6,17; 15,24.29 Ausdruck gibt, wie immer man diese Stellen im einzelnen verstehen mag. Dann sind allerdings auch bis zur Abfassung des Römerbriefes in mehr oder weniger großem Maße Christen nach Rom gezogen, die direkt oder indirekt von der spezifisch paulinischen Mission gewonnen wurden. Trotz aller Fragwürdigkeiten seiner exegetischen Einzelbegründungen [190] wird man jedenfalls Rengstorf in seinem Urteil grundsätzlich Recht geben können, „daß das, was wir heute als spezifisch paulinisch zu definieren geneigt sind, zum großen Teil auch zur Grundsubstanz des frühesten römischen Christentums gehört" [191].

Eine Uniformität der römischen Christenheit darf man gerade deshalb allerdings nicht annehmen; denn auch das Heidenchristentum des Ostens war nicht uniform. Diese Einsicht entspricht dem häufig beobachteten Phänomen [192], daß Paulus die römischen Christen nicht als ἐκκλησία, sondern als κλητοὶ ἅγιοι anredet (1,7). In 1Kor 1,2 findet sich κλητοὶ ἅγιοι neben ἐκκλησία (vgl. Phil 1,1). Dieser Ausdruck erinnert an den hebräischen term. techn. für die israelische Kultversammlung מִקְרָא קֹדֶשׁ, der von der LXX mit κλητὴ ἁγία (Ex 12,16; Lev 23,2–37; Num 28,25) oder mit ἐπίκλητος ἁγία (Num 28,18.26; 29,1.7.12) wiedergegeben wird. Beachtet man die Bedeutung, die ἅγιος als Selbstbezeichnung der Frommen in besonderen Kreisen des Juden-

---

189. Vgl. schon Eichhorn, a.a.O. S. 207 f., der allerdings zu weit geht, wenn er schließt, „daß die Römer dem Paulinischen Lehrbegriff zugethan waren" (S. 208); ähnlich Kneucker, a.a.O. S. 13; Godet (1892/93), S. 54; Philippi, a.a.O. I S. XII f.

190. Siehe dazu Bornkamm (1971), S. 127.

191. A.a.O. S. 463. Vgl. auch Beck, a.a.O. I S. 2 f.; Godet (1892/93), S. 49 ff.

192. Bleek, a.a.O. S. 412; Wieseler, a.a.O. S. 590; Holsten (1885), S. 204; Grafe, a.a.O. S. 48 f.; Godet (1894), S. 229 f.; v. Dobschütz (1902), S. 91; (1912), S. 398; Sanday-Headlam, a.a.O. S. XXV ff.; Feine-Behm, a.a.O. S. 164; Michel, a.a.O. S. 10; Judge-Thomas, a.a.O. S. 81 ff.; Klein, a.a.O. S. 142 f.; Bartsch (1968), S. 282 f.; (1971), S. 83 f.

tums und des Urchristentums besaß[193], und die große Rolle, die κλῆσις, κλητός usw. sachlich und terminologisch in der frühchristlichen Literatur spielt[194], so liegt die Vermutung nahe, daß wir es bei κλητοὶ ἅγιοι mit einer festen Formel zu tun haben, die durch den Begriff ἐκκλησία abgelöst wurde[195].

Die Wahl des Begriffs ἐκκλησία als Selbstbezeichnung der christlichen *Gemeinden* läßt sich am besten verstehen, wenn ἐκκλησία als Gegenbegriff zu συναγωγή gewählt wurde und wenn die bei dieser Wahl obwaltende entscheidende Differenz zwischen συναγωγή und ἐκκλησία in dem Verzicht der ἐκκλησία auf das Gesetz bestand. Diesen Sachverhalt hat Schrage mit überzeugenden Gründen dargetan[196].

Erst der *prinzipielle* Verzicht auf das Gesetz machte aber die Loslösung der ,Gläubigen' von der Synagoge und die Konstituierung einer unabhängigen Gemeinde überhaupt erforderlich; denn gottesfürchtige Heiden konnten bei weitgehendem faktischen Verzicht auf das Gesetz durchaus innerhalb der Synagoge leben. Bei dieser Verselbständigung wählte das gesetzesfreie Heidenchristentum den Begriff ἐκκλησία. Dieser Terminus bezeichnet also von seinem Ursprung her die außerhalb der Synagoge stehende, gesetzesfrei lebende, selbständig organisierte Christengemeinschaft.

κλητοὶ ἅγιοι dürfte dann eine ältere Selbstbezeichnung der Christen sein und den Bruch mit der Synagoge bzw. eine selbständige Organisation der christlichen Gemeinde noch nicht notwendig voraussetzen[197]. Die κλητοὶ ἅγιοι bilden noch keine eigene Gemeinde und galten ursprünglich als eine synagogale Sondergruppe.

Eine dementsprechende Situation scheint demzufolge nach der Ansicht des Paulus auch für Rom gegeben zu sein[198], und man braucht nicht zu zweifeln,

193. Stellen und Literatur bei Lietzmann (1933), S. 121f.; Kümmel: Kirchenbegriff und Geschichtsbewußtsein in der Urgemeinde und bei Jesus, 1943, S. 16ff.
194. Vgl. Karl Ludwig Schmidt, ThWNT III 488–539.
195. Vgl. Kuss (1963), S. 11.
196. ,Ekklesia' und ,Synagoge', ZThK 60, 1963, S. 178ff.; vgl. Cerfaux, a.a.O. S. 170.
197. Daß Paulus auch in Phil 1,1f. und in Kol 1,1f. keine ἐκκλησία anredet, sondern ἅγιοι ἐν Χριστῷ Ἰησοῦ bzw. ἅγιοι καὶ πιστοὶ ἀδελφοί spricht nicht gegen diese Erklärung. Denn es besteht kein Anlaß zu der Behauptung, Paulus müsse eine ἐκκλησία auch immer als solche angesprochen haben. In Phil 1,1 werden Episkopen und Diakone, also Funktionäre der ἐκκλησία, ausdrücklich neben den ,Heiligen' genannt; vgl. Klein, a.a.O. S. 142. Und in Kolossä – ich setze die Authentizität von Kol 1,1f. voraus – könnte überdies dieselbe Situation wie in Rom gegeben sein: Einzelne (zugezogene?) Christen leben in der Stadt; mit der Existenz einer Gemeinde im eigentlichen Sinne rechnet Paulus noch nicht.
198. „La curieuse combinaison qu'on constate en Romains entre l'absence du mot *ekklesia* (sauf au chap. XVI) et une orientation de toute la pensée vers l'ecclésiologie suggère que Paul s'y adresse, non à une Eglise solidement établie, mais à des chrétiens encore hésitants à l'égard de toute vie communautaire active ..." (Trocmé, a.a.O. S. 152).

daß der Apostel über die römische Situation in dieser Hinsicht zuverlässig genug informiert war. Daß es in Rom zur Zeit des Römerbriefes noch keine ἐκκλησία gab, lag freilich nicht daran, daß die römischen Christen aus der *dortigen* Synagoge kamen und den Bruch mit ihrem alten Versammlungsort noch nicht vollzogen hatten; denn wir sahen, daß die römische Christenheit nicht aus der Synagoge Roms, sondern aus den christlichen Kreisen des Ostens stammte. Dadurch aber spiegelte sie in ihrer Gesamtheit die Mannigfaltigkeit des östlichen Heidenchristentums wider, und diese Mannigfaltigkeit ließ es nicht leicht zu einer geschlossenen durchorganisierten ἐκκλησία kommen. Insonderheit dürften einzelne der christlichen Häuser oder Personen aus einer ἐκκλησία des Ostens stammen, andere aber den Bruch mit der Synagoge noch nicht definitiv vollzogen haben. Diese und andere Unterschiede hatten verständlicherweise in Rom die Bildung *einer* den paulinischen Vorstellungen entsprechenden Gemeinde bisher offensichtlich verhindert, zumal noch keine der bedeutenden missionarischen Persönlichkeiten bis in die Hauptstadt des Reiches gekommen war. Bei den von Paulus angeredeten κλητοὶ ἅγιοι handelte es sich um einzelne Christen bzw. einzelne Hausgemeinden aus unterschiedlichen christlichen Gruppen, deren Zusammenwachsen in eine organisierte Gemeinschaft durch eine vermutlich relativ starke Fluktuation und die primäre Bindung an die östlichen Muttergemeinden zusätzlich erschwert wurde; denn viele der römischen Christen waren zweifellos nur zeitweilig oder vorübergehend in Rom zu Hause.

11. Die ‚Gottesfürchtigen‘ in den Christengemeinden

Um den rätselhaften Doppelcharakter des Römerbriefes verstehen zu können, muß dem zuletzt über den ‚Charakter‘ der römischen Christen Gesagten nun sogleich als entscheidende Einsicht hinzugefügt werden, daß die Glieder jener Gemeinden des Ostens, aus denen sich die römische Christenheit primär und in bunter Vielfalt zusammensetzte, zum größten Teil Heiden waren, die bereits als sogenannte ‚Gottesfürchtige‘ in einer mehr oder weniger engen Verbindung zur Synagoge gestanden haben. Die Geschichte auch und gerade der paulinischen Mission und der Inhalt der paulinischen Briefe lassen sich nicht voll verstehen, wenn man diese Tatsache nicht in Rechnung stellt, und trifft sie noch für die paulinische Missionsarbeit zu, so erst recht für die Heidenmission vor und neben Paulus.

Die jüdische Propaganda

Das Judentum der neutestamentlichen Zeit hat, soviel wir wissen, keine direkte, planmäßige und organisierte Mission getrieben. Das ließ schon sein religiöses Selbstbewußtsein nicht zu. Die Juden erwarteten nicht die Bekehrung der Welt, sondern die Erlösung des Volkes Israel. Diese eschatologische Erwartung war an keiner Stelle mit der Hoffnung auf eine vorangehende Heidenbekehrung verbunden; vielmehr galt im allgemeinen die Niederwerfung der heidnischen Völker als die Voraussetzung für das erwartete Heil des Volkes Israel. Die Herbeiführung der Völker in das erneuerte Jerusalem wurde als Gottes Werk erwartet, mit dem er die Erlösung Israel krönen werde, nicht aber als Ergebnis einer jüdischen Mission.

Es gab jedoch eine ausgedehnte jüdische Propaganda[199]. Zur Zeit des Paulus

199. Vgl. zum Folgenden, insbesondere zum Problem der Gottesfürchtigen, die folgende Literatur:

2 Chron 5,6 LXX; Ps 115,11; 118,3; 135,20; Mt 23,15; Apg 10,2.22; 13,16.26.(43).50; 16,14; 17,4,17; 18,7; vgl. Lk 7,1–10; rabb. Stellen bei Billerbeck I 102 ff. 924 ff.; II 715 ff.; Josephus Ant. 14,7²; 18,3⁵; 20,2³ ff.; Bell. 2,463; 7,45; c. Ap. 2,10.39; Philo, Vit. Mos. 2,17 ff.; Tacitus hist. 5,2–5; Horaz Sat. I 4,142 f.; 9,68 ff. Juvenal Sat. 3,14; 6,101–104. 156 ff. 542 ff.; 14,96–104; Valerius Maximus I 3,2; Arrian, Epictet II 9,19–21; Ovid, Ars amat. I 75.415; Sueton, Vita Tib. 32; Persius Flaccus Aulus, Sat. 5,179–184; Seneca bei Augustin, De civitate Dei VI 11; Dio Cassius bei Johannes Antioch. Fragm. 79 § 4b.

Reinach: Textes d'auteurs grecs et romains relatifs au Judaisme, 1895; Bertholet: Die Stellung der Israeliten und der Juden zu den Fremden, 1896; Friedländer: Das Judentum in der vorchristlichen griechischen Welt, 1897; Schürer: Die Juden im bosporanischen Reiche und die Genossenschaften der Sebomenoi Theon hypsiston ebendaselbst, SAB 1897, S. 200–225; Holtzmann: Die Apostelgeschichte, 3. Aufl. 1901, S. 13 ff.; Axenfeld: Die jüdische Propaganda als Vorläuferin der urchristlichen Mission (Missionswissenschaftliche Studien für G. Warneck) 1904, S. 1–80; v. Dobschütz, Art. ‚Proselyten' in: RE 16, 1905, S. 112–123; Sieffert: Die Heidenbekehrung im AT und Judentum, 1908 S. 23 ff.; Schürer: Geschichte des jüdischen Volkes im Zeitalter Jesu, 4. Aufl., 1909, III S. 150–188 (Lit.); Bertholet: Biblische Theologie des Alten Testaments, 1911, II S. 285–288; Lake: Proselytes and Godfearers, in: Beginnings . . . V S. 74–96; Juster: Le Juifs dans l'Empire Romain, I, 1914; Bousset-Gressmann: Die Religion des Judentums, 1926, S. 80 ff.; v. Harnack: Mission und Ausbreitung des Christentums, I, 4. Aufl., 1924; Meinertz: Jesus und die Heidenmission, 1925; Leipoldt: Die urchristliche Taufe im Lichte der Religionsgeschichte, 1928; Rosen-Bertram: Juden und Phönizier, 1929; Gressmann: Jüdische Mission in der Wendezeit des Christentums, ZMR 1924, S. 169–183; Kittel: Die historischen Voraussetzungen der jüdischen Rassemischung, 1939; Bamberger: Proselyting in the Talmudic Period, 1939; Braude: Jewish Proselyting in the First Five Centuries of the Common Era, 1940; Hopfner: Die Judenfrage bei Griechen und Römern, 1943; Kuhn in: ThWNT VI S. 727 ff. (Lit.); Klausner: Von Jesus zu Paulus, 1950, S. 46–62 (Lit.); Menoud: L'église naissante et le Judaisme, EThR 27, 1952, S. 1–52; Jeremias: Jesu Verheißung für die Völker, 1956, S. 9–15; Foerster: Neutestamentliche Zeitgeschichte, II, 1956; Schoeps: Paulus, 1959, S. 232 ff.; Dalbert: Die Theologie der hellenistisch-jüdischen Missionsliteratur, 1954; Lerle: Proselytenwerbung und Urchristentum, 1960, S. 13 ff. (Lit.); Simon: Verus Israel, Études sur les relations entre Chrétiens et Juifs dans l'Empire Romain, 1964; Georgi: Die Gegner des Paulus im 2. Korintherbrief, 1964, S. 83 ff.; Leipoldt-Grundmann: Umwelt

lebte ein großer Teil des jüdischen Volkes im ganzen römischen Reich zerstreut. Man hat die Zahl der zerstreuten Juden auf vier bis sieben Millionen geschätzt [200]. Soweit sie nicht bereits seit dem Exil in der östlichen Diaspora wohnten, verstreuten sich die Juden infolge der Überbevölkerung Palästinas und im Anschluß an die Kriege, durch die viele Juden zu Sklaven gemacht wurden, zunehmend unter die Völker des römischen Weltreichs. Ihr Glaube ließ keine Kinderbeschränkung zu, so daß sie sich in der Diaspora relativ stark vermehrten [201].

Die Juden hielten an den überkommenen Sitten und Gebräuchen im allgemeinen auch in der Fremde fest. Damit stellten sie sich weitgehend außerhalb der jeweiligen völkischen Gemeinschaft. Die Sitte der Beschneidung galt den Nichtjuden durchweg als anstößig. Die Speisegesetze behinderten den geselligen Verkehr zwischen Juden und Nichtjuden. Die Einhaltung des Sabbatgebotes ließ die Juden auffallen, zumal sie am Geschäfts- und Gewerbeleben lebhaft beteiligt waren. Die Mißachtung des heidnischen Kultes, der auf das engste mit den lokalen und überlokalen politischen Institutionen und Ereignissen verbunden war, isolierte die Juden von ihrer Umgebung. Öffentliche Ämter waren ihnen deshalb ebenso verschlossen wie der Soldatenstand. Die national bestimmte eschatologische Erwartung machte die Juden politisch verdächtig. Kurzum: die Situation der Juden in der Diaspora war nicht leicht und keineswegs ungefährdet.

Aus diesem Grunde waren die Juden daran interessiert, Verständnis für ihre Besonderheiten zu finden, letztlich also für ihren Gottesglauben und ihr Gesetz. Aus solchem Interesse erwuchs ihre religiöse Propaganda, die klugerweise weniger auf bloße Apologetik als vielmehr auf Werbung ausgerichtet war.

Die jüdischen Gottesfürchtigen

Diese Propaganda war erfolgreich. Das beweist einmal die nicht geringe Zahl der Proselyten, also jener Heiden, welche die Beschneidung auf sich nahmen und damit dem jüdischen Volk eingegliedert wurden – eine schwere und folgenreiche Entscheidung, die den Bruch mit der Gesellschaft überhaupt und oft auch mit der eigenen Familie einschloß. Der Widerstand der

des Urchristentums, II, 1967; Wiefel, a.a.O. S. 83 ff. (Lit.). Kuhn und Stegemann, Art. ‚Proselyten‘, in: Pauly-Wissowa, Suppl. IX (1962), S. 1248 ff.; Gülzow, Soziale Gegebenheiten der altkirchlichen Mission, in: Kirchengeschichte als Missionsgeschichte, Bd. 1, hg. von Frohnes und Knorr, 1974, S. 189 ff.; Romaniuk, Die ‚Gottesfürchtigen‘ im Neuen Testament, in: Ägyptus 44, 1964, S. 66–91; Billerbeck II, S. 715–723.

200. Vgl. Foerster: Neutestamentliche Zeitgeschichte II, 1956, S. 232 ff.; Schoeps: Paulus, 1959, S. 234 f.; Georgi: Die Gegner des Paulus im 2. Korintherbrief, 1964, S. 84.

201. Tacitus Hist. 5, 5.

öffentlichen Meinung gegen solche Übertritte zum Judentum war deshalb groß. Tacitus wirft beispielsweise denen, welche die jüdische Lebensweise annehmen, vor, sie würden unterwiesen, *„contemnere Deos, exuere patriam, parentes liberos fratres vilia habere"* [202].

Die Zahl dieser Proselyten ist freilich oft zu hoch angesetzt worden [203]. Die zahlenmäßige Stärke des Judentums in der Diaspora darf nicht vor allem mit dem Übertritt von Heiden erklärt werden [204]. Die tiefgreifenden sozialen Konsequenzen verhinderten einen massenhaften Proselytismus.

Sehr viel größer als die Zahl der Proselyten war deshalb die Zahl der sogenannten ‚Gottesfürchtigen' der σεβόμενοι τὸν θεόν oder φοβούμενοι τὸν θεόν. Diese Gottesfürchtigen verehrten den Gott der Juden, hielten auch einzelne Gesetze, vorab die sittlichen Gebote, feierten den Sabbat, zahlten die Tempelsteuer, traten aber nicht aus dem gewohnten Lebenskreis heraus. Daß es allgemeingültige feste Regeln für das Verhalten der Gottesfürchtigen gab, die mehr waren als Empfehlungen, darf man bezweifeln. Möglicherweise geht das sogenannte Aposteldekret auf eine jüdische Empfehlung für Gottesfürchtige zurück, um deren Zusammenleben mit den Juden zu ermöglichen [205]. Auch verdienen in diesem Zusammenhang die sogenannten noachischen Gebote Interesse, welche die rabbinische Tradition aus den biblischen Anordnungen an Noah herausdestilliert hat, meist sieben an der Zahl. Diese noachischen Gebote waren nach rabbinischer Meinung für alle Menschen verbindlich; sie hängen ursprünglich möglicherweise mit der Notwendigkeit zusammen, Bestimmungen für die gottesfürchtigen Heiden zu formulieren, die diesen ermöglichten, am synagogalen Leben teilzunehmen [206].

Der Kreis der Gottesfürchtigen war schwerlich fest umrissen [207]. Er umfaßte jene, die lediglich mit dem jüdischen Glauben sympathisierten, wie jene, die bereits mehr oder weniger gesetzlich lebten und nur den Schritt zur Beschneidung scheuten, der sie aus ihrer sozialen Umwelt herausnehmen und dem jüdischen Ghettodasein eingliedern würde.

---

202. Ebd.
203. Vgl. dazu Kuhn in ThWNT VI S. 731; Foerster: Neutestamentliche Zeitgeschichte II, 1956, S. 234.
204. Gegen Schoeps, Paulus, 1959, S. 234; Georgi: Die Gegner des Paulus im 2. Korintherbrief, 1964, S. 86, der die schlechterdings unbegründbare These vertritt, „daß die Vergrößerung der jüdischen Glaubensgemeinschaft durch Bekehrungen von Heiden um ein Mehrfaches größer war als das natürliche Wachstum der jüdischen Bevölkerung". Richtig z.B. Kuhn/Stegemann (siehe Anm. 199), Sp. 1259 f.; Gülzow (siehe ebd.), S. 194 ff.
205. Siehe meine Untersuchung ‚Paulus und Jakobus', 1963, S. 81 ff.
206. Vgl. Schoeps, Paulus, 1959, S. 207.
207. Foerster: Neutestamentliche Zeitgeschichte, II, 1956, S. 233.

Die Anziehungskraft des Judentums beruhte auf verschiedenen Faktoren. Bestimmend dürfte der monotheistische Schöpfungsglaube gewesen sein, der einer religiösen Zeittendenz entgegenkam. Dazu kam der rein geistige Gottesbegriff, der sich überzeugend gegen die heidnische Mythologie setzte. Auch das mosaische Sittengesetz, auf dessen ehrwürdiges Alter die Juden gerne hinwiesen, lockte viele in die Synagoge, die sich gegen den Verfall der Sitten in hellenistischer Zeit stemmten. Dazu befinden wir uns in einer Zeit, die überhaupt reges Interesse an orientalischer Geistigkeit und Frömmigkeit zeigte: *ex oriente lux.*

Die Beurteilung der Gottesfürchtigen durch die Juden war nicht einheitlich. In den rabbinischen Schriften werden sie kaum erwähnt. Die von den Forschern für diesen Sachverhalt angegebenen Gründe lauten unterschiedlich. Billerbeck[208] meint, als Erscheinung der Diaspora seien die Gottesfürchtigen den Rabbinen Palästinas kaum begegnet. Wichtiger ist wohl, daß die Gottesfürchtigen den Rabbinen früh suspekt wurden, weil sie sich bald in ihrer Mehrzahl den christlichen Gemeinden anschlossen (siehe unten). Vor allem aber dürfte die gesetzliche Verengung des Judentums nach der Zerstörung des Tempels im Jahre 70 dazu geführt haben, daß die Wertschätzung der unbeschnittenen und nicht streng gesetzlich lebenden gottesfürchtigen Heiden erlahmte. Für die strengen Rabbinen, die später selbst die eigentlichen Proselyten oft recht kritisch beurteilten[209], konnten die Gottesfürchtigen nur als Heiden gelten[210].

Das war vor der jüdischen Katastrophe nicht in gleichem Maße der Fall gewesen. Eine Überlieferung[211] berichtet, der Kaiser Antoninus Pius habe einen Leuchter für eine Synagoge gestiftet; denn er sei ein Gottesfürchtiger gewesen. Auf seine Frage, ob er als solcher am Heilsmahl in der zukünftigen Welt werde teilnehmen dürfen, habe ihm der befragte Rabbi mit ‚Ja' geantwortet. Von Rabbi Meir wird mehrfach die Bemerkung überliefert, auch ein Nichtjude, der die Tora beobachtet, würde Lohn empfangen, nämlich durch das Tun der Gebote[212]. „Es gibt unter den Völkern Gerechte, die Anteil haben an der zukünftigen Welt."[213] Rabbi Jehoschua behauptete, ein Getaufter habe nach allgemeiner, das heißt nach der alten Ansicht als Proselyt zu gelten, auch wenn er nicht beschnitten wurde[214]. In den Sibyllinischen

208. II, S. 716.
209. Siehe Kuhn in: ThWNT VI S. 737 f.
210. Vgl. Kuhn in: ThWNT VI S. 733, 12 ff.; 741, 31 ff.; Foerster: Neutestamentliche Zeitgeschichte, II, 1956, S. 234; Kuhn / Stegmann (siehe Anm. 199), Sp. 1264 f.
211. pMeg. 3, 74ª, 25; vgl. Billerbeck II S. 720.
212. BQ 38ª; San 58b u. ö.; siehe Billerbeck I S. 362 f.; III, S. 79.
213. TSanh. 13, 2; bSanh. 105ª; vgl. Billerbeck I S. 361.
214. Jeb. 46ª Bar; vgl. Billerbeck I S. 106; Schoeps, Paulus, 1959, S. 246.

Orakeln wird den Heiden empfohlen, sich zu Gott zu bekehren und die Proselytentaufe zu übernehmen; die Beschneidung wird nicht gefordert[215]. Josephus berichtet, daß der König Izates von Adiabene, der zum Judentum übertritt, anfangs auf Rat seines Lehrers, des Kaufmanns Ananias, die Beschneidung unterläßt. Ananias sagte, „daß er auch ohne die Beschneidung fähig sei, Gott zu verehren, sofern er nur die Gebräuche der Juden beachte; das sei wichtiger als die Beschneidung". Später holt Izates die Beschneidung allerdings auf Rat eines gesetzesstrengen galiläischen Lehrers nach[216].

Philo[217] wendet sich gegen Leute, die mit solchem Eifer der allegorischen Deutung des Gesetzes nachgehen, daß sie dessen Wortsinn darüber vernachlässigen. Ihnen gegenüber stellt er fest, man müsse diese gesetzlichen Ordnungen *auch* wörtlich befolgen, zumal man damit den Vorwürfen der offenbar orthodoxen Gegner entgegentreten könne.

Dreimal begegnet bei Paulus in verschiedener Variation der Grundsatz: ‚Die Beschneidung ist nichts und die Vorhaut ist nichts, sondern die Erfüllung der Gebote Gottes' (1Kor 7,19; Gal 5,6; 6,15; vgl. Röm 2,26). Offensichtlich stammt dieser liberale Grundsatz aus der hellenistischen Synagoge[218].

Man sieht aus diesen Beispielen, daß in früher Zeit die Synagoge den Gottesfürchtigen relativ großzügig Anteil am Heil Israels versprach, und die in Anm. 199 aufgeführten Stellen aus der jüdischen, heidnischen und christlichen Literatur lassen an dem Erfolg der entsprechenden Propagandatätigkeit der Synagoge keinen Zweifel zu. Darüber besteht in der heutigen Forschung Einmütigkeit, und ebenso übereinstimmend stellen die Forscher fest, daß in der Zeit vor der Zerstörung Jerusalems die Zahl der gottesfürchtigen Heiden bei weitem größer war als die Schar der Proselyten.

Die Bekehrung der Gottesfürchtigen

Aus dem Kreis dieser Gottesfürchtigen aber setzten sich die frühen heidenchristlichen Gemeinden vor allem zusammen. Um die Richtigkeit dieser Feststellung zu erkennen, bedenke man zunächst, daß die Anfänge der Heidenmission in der Synagoge selbst lagen und in der Tatsache gründeten, daß die christliche Mission, je mehr sie auf den vom Judentum längst gebahnten Wegen in den hellenistischen Raum vorstieß, *in* der Synagoge auf

---

215. 4,162 ff.; vgl. Billerbeck I S. 106.
216. Jos. Ant. XX 2,4.
217. de migr. Abr. 89 ff.
218. Nach einem Scholion zu Gal 6,15 (siehe HNT z. St.) soll er sich auch in einem Mose-Apokryphon gefunden haben. Vgl. auch Dalbert, Die Theologie der hellenistisch-jüdischen Missionsliteratur, 1954, S. 16. 65.

eine wachsende Zahl von Heiden traf. Andere als gottesfürchtige Heiden standen also zunächst gar nicht im Blickfeld der christlichen Mission. Das Verhalten der judenchristlichen Mission gegenüber diesen heidnischen Mitgliedern der Synagoge wird in Überlieferungen wie Mk 7,24–30; Mt 8,5–13 par; Lk 17,11–19; Apg 10,1–11,18 reflektiert.

Diese Gottesfürchtigen bildeten aber aus naheliegenden Gründen noch lange Zeit das bevorzugte Missionsobjekt auch der speziellen Heidenmission.

Daß die Gottesfürchtigen jene Bevölkerungsschicht im römischen Reich darstellten, die von der antiochenischen Mission vor und neben Paulus und von der Missionsarbeit des Paulus selbst am leichtesten erreicht werden konnte, liegt am Tage; denn die Gottesfürchtigen hatten sich bereits von den Götzen abgewandt, ‚um dem lebendigen und wahrhaftigen Gott zu dienen' (1Thess 1,9f.), dem Schöpfer des Himmels und der Erden, dem Gott aller Götter. Sie waren mit der jüdischen Sittlichkeit vertraut, kannten die eschatologische Erwartung des Judentums, fanden sich im Alten Testament zurecht; auch die Gestalt des Messias dürfte ihnen im allgemeinen bekannt gewesen sein. Nur wagten sie es nicht, aus ihrer sozialen Umwelt und ihrer Nation auszutreten und Juden zu werden.

Die Botschaft, welche die heidenchristlichen Missionare verkündigten, war diesen gottesfürchtigen Heiden aus den Vorhöfen der Synagoge nicht weniger verständlich als geborenen Juden. Sie bot ihnen das Heil an, um dessentwillen sie sich vornehmlich der Synagoge angeschlossen hatten. Aber ihnen wurde dies Heil nun in seiner christlichen Gestalt zuteil, ohne daß die Gottesfürchtigen den Übertritt zur jüdischen Volksgemeinschaft auch nur erwägen mußten. Sie erhielten das eschatologische Heil ohne Beschneidung, *als Heiden*. Sie wurden ausdrücklich aufgefordert, in dem ‚Stand' zu bleiben, in dem sie berufen wurden (1Kor 7,17ff.): als Unbeschnittene sollten sie unbeschnitten bleiben. Das Zeremonialgesetz hatte für sie keine Gültigkeit; ‚in Christus' war es für sie abgetan. Mit anderen Worten: Sie brauchten ihre ‚heidnische' Lebenswelt nicht aufzugeben, und doch wurde ihnen alles geschenkt, was sie vom Judentum erwartet hatten.

Daß die Mission bei Heiden auf die Gottesfürchtigen zuging und daß die Gottesfürchtigen auf die heidenchristliche Predigt ‚gewartet' hatten, führte zu einer ebenso notwendigen wie notwendigerweise erfolgreichen Begegnung beider. Was der heidenchristlichen Mission die Synagogen verschloß, die Bestreitung des jüdischen Heilsvorrangs, führte die Gottesfürchtigen fast zwangsläufig aus der Synagoge in die Ekklesia. Angesichts dieser Situation waren die heidenchristlichen Gemeinden in ihren Anfängen verständlicherweise Gemeinden aus Gottesfürchtigen, deren Mission unter den heidnischen Mitbürgern dann freilich verhältnismäßig schnell erfolgreicher wurde als sie zur Zeit ihrer Zugehörigkeit zur Synagoge war; denn Heidenchrist zu werden war für den Heiden sehr viel leichter als sich auf den Weg zum

Judentum zu machen.

Die nicht sehr zahlreichen Proselyten werden dagegen im allgemeinen nicht leicht die Entscheidung für das Judentum haben rückgängig machen können. Nikolaus (Apg 6,5) ist meines Wissens der einzige Christ aus den Proselyten, der uns durch das frühchristliche Schrifttum als solcher bekannt gemacht wird; seine Entscheidung war auffällig. Eher noch als von den Proselyten dürften die frühen heidenchristlichen Gemeinden Zulauf aus Kreisen der hellenistischen *Juden* gefunden haben, die innerhalb der Christengemeinden das religiöse Erbe der Väter *und* die hellenistische Lebensweise beibehalten konnten. Timotheus, der Mitarbeiter des Paulus, ist ein bezeichnendes Beispiel dieser entwurzelten Menschengruppe, die in der christlichen Gemeinde eine neue Heimat fand (vgl. Apg 16,1). Heidenchristlich lebende Juden sind uns darum nicht selten bezeugt[219].

Daß die jüdische Propaganda der christlichen Mission vorgearbeitet hat und daß insbesondere die Gottesfürchtigen für die christliche Predigt aufgeschlossen waren, hat die kritische Forschung nicht selten festgestellt[220].

Man muß freilich weitergehen und die These wagen, daß die frühen heidenchristlichen Gemeinden sich überhaupt im wesentlichen aus ehemaligen Gottesfürchtigen zusammensetzten, zu denen nur einzelne Proselyten und abgefallene Juden stießen, und daß erst in langsam wachsendem Maße vorwiegend in nachapostolischer Zeit solche Heiden zur Gemeinde fanden, die zuvor noch in keiner Verbindung zur Synagoge gestanden hatten.

Über die bereits angestellten Erwägungen hinaus nenne ich die folgenden Gründe, die jene These zwingend fordern.

a) Paulus redet die Glieder seiner Gemeinden unterschiedslos als Christen aus den Heiden an. Der Erfolg der paulinischen Mission im ganzen und im einzelnen wäre unerklärlich, wenn er Heiden gepredigt hätte, die er allererst auf die jüdischen Grundlagen der von ihm verkündeten Heilsbotschaft hätte führen müssen[221].

---

219. Siehe meine Untersuchung ‚Paulus und Jakobus', 1963, S. 44 f. Das eigentliche Judenchristentum war dagegen, wie Gal 2,7ff. zeigt, selbständig organisiert; vgl. ebd. S. 29 ff.

220. Schürer (1878), Sp. 359; (1884), S. 333 f.; Harnack: Marcion, 2. Aufl., 1924, S. 22; Bousset-Gressmann: Die Religion des Judentums, 1926, S. 80; Krüger: Handbuch der Kirchengeschichte, I, § 3, 12; Klausner: Von Jesus zu Paulus, 1950, S. 61 f.; Foerster: Neutestamentliche Zeitgeschichte, II, S. 257 f.; Schoeps: Paulus, 1959, S. 239; Lerle: Proselytenwerbung und Urchristentum, 1960, S. 132 f.; Kuhn, in: ThWNT VI S. 744; Kuhn/Stegemann (siehe Anm. 199), Sp. 1281 f.; vor allem Gülzow: „Die Ausbreitung des Christentums geschah zunächst auf Kosten des Judentums" (siehe Anm. 199), S. 194.

221. Den Grund für den relativ schnellen Übertritt zahlreicher Gottesfürchtiger zum Christentum hat bereits Eichhorn, a.a.O. S. 214 f., richtig beobachtet: „. . . wie willkommen mußte ihnen die neue Secte des Judenthums seyn, welche sie jenes beschwerlichen Rituals überhob,

b) Der Erfolg der paulinischen Mission an einzelnen Orten, an denen Paulus wie z. B. in Thessalonich, Beröa und Athen nach der Darstellung der Apostelgeschichte nur wenige Tage oder Wochen, jedenfalls aber sehr kurze Zeit weilte, wäre unvorstellbar, wenn er nicht auf dem von der Synagoge längst gelegten Grund hätte weiter bauen können. Denn der Apostel läßt nach dieser kurzen Tätigkeit nicht nur einzelne Christen, sondern zumeist lebendige, missionarisch aktive Gemeinden zurück. Das wäre selbst nach einigen Wochen intensiver Schulung, geschweige denn nach einigen Wochen Missionspredigt bei reinen Heiden, die bis dahin noch keinerlei Verhältnis zur jüdischen Religion hatten, unvorstellbar.

In diesem Sinne schreibt Bousset[222] mit Recht: „... wo wir Genaueres von seinen (sc. des Paulus) Missionserfolgen hören, gewahren wir oft, daß er seine ersten Erfolge gerade in diesen Kreisen (sc. der Gottesfürchtigen) hatte. Man kann die Bedeutung der Mission des Judentums nicht hoch genug veranschlagen. Sie hat *dem Christentum wacker vorgearbeitet,* und die rätselhaften Erfolge der paulinischen Mission in *einem* Menschenalter begreift man nur, wenn man sich vergegenwärtigt, wie sehr das Judentum hier den Boden gelockert und vorbereitet hatte."

c) Einerseits redet Paulus die Glieder seiner Gemeinden stets als Heidenchristen an, andererseits setzt er bei ihnen im allgemeinen eine selbstverständliche und gründliche Kenntnis des Alten Testaments, seiner Gestalten und seiner Begriffswelt[223] sowie ein Verständnis für den ausgeführten Schriftbeweis voraus. Die letztere Tatsache hat gelegentlich dazu geführt, mit einer großen Anzahl Judenchristen in den paulinischen Gemeinden zu rechnen – ein widersinniger Schluß, da Paulus nicht stets Heidenchristen anreden und mit Judenchristen argumentieren kann. Auch die andere Auskunft, daß Paulus seine Gemeinden entsprechend intensiv in das Alte Testament eingeführt habe[224], versagt nicht nur beim Römerbrief, dessen Empfänger Paulus im einzelnen überhaupt nicht kennt, bei denen allen er aber in besonders starkem Maße voraussetzt, daß sie wie die Mitglieder der Synagoge im Umgang mit dem Alten Testament bewandert sind. Aber auch abgesehen vom Römerbrief und abgesehen ferner von der Frage, ob Paulus seinen heidenchristlichen Hörern gegenüber überhaupt ein vordringliches

---

ein offenbahr veraltetes Gesetz wegwarf, und an seine Stelle Lehren setzte, welche der Aufklärung jener Zeit mehr Genüge thaten."

222. Bousset-Gressmann: Die Religion des Judentums, 1926, S. 80.
223. Siehe z. B. Delling: Wort Gottes und Verkündigung im Neuen Testament, 1971, S. 31: „Es ist in der Tat höchst erstaunlich, mit welcher scheinbaren Selbstverständlichkeit etwa Paulus voraussetzt, daß wichtige vom Alten Testament herkommende Vokabeln (mögen sie auch im Urchristentum weithin umgeprägt und mit neuem Inhalt gefüllt sein) den heidenchristlichen Lesern bzw. Hörern bekannt und verständlich sind."
224. Vgl. ebd. S. 41.

Interesse daran haben konnte, im Umgang mit dem Alten Testament zu unterweisen, hätte er höchstens in den wenigen Zentren seiner Missionstätigkeit, etwa in Korinth und Ephesus, die dazu erforderliche Zeit gefunden. Der beobachtete Tatbestand erklärt sich nur, wenn Paulus eine intensive Erfahrung im Umgang mit dem Alten Testament sowohl in methodischer wie in inhaltlicher Hinsicht bei seinen heidnischen Hörern voraussetzen konnte.

d) Es ist immerfort zu Zusammenstößen zwischen Paulus und der Synagoge gekommen. Davon berichtet die Apostelgeschichte in einer aufs ganze gesehen glaubwürdigen und tendenzlosen Weise; denn ihre Tendenz geht bekanntlich dahin, die *Einheit* von Judentum und Christentum herauszustellen. Durch Paulus erfahren wir von demselben Sachverhalt z. B. 2Kor 11,23ff; Gal 5,11. Röm 1–11 sowie Gal 3–4 reflektieren in wesentlichen Teilen die polemischen Diskussionen zwischen Paulus und der Synagoge um die Geltung des Gesetzes. Hätte Paulus mit seiner Mission den Bereich der Synagoge gar nicht tangiert, wären diese ständigen Zusammenstöße unverständlich; gegen eine christliche ‚Straßenmission' hätte die Synagoge nicht zu protestieren brauchen. Andererseits hat der Heidenmissionar Paulus entgegen der Darstellung der Apostelgeschichte zweifellos keine Judenmission getrieben[225]. Die Streitigkeiten zwischen dem Apostel und der Synagoge müssen sich also im wesentlichen daran entzündet haben, daß Paulus der Synagoge die gottesfürchtigen Heiden ‚ausspannte', was diese sich verständlicherweise nicht gefallen ließ.

e) Das klassische Musterbeispiel für die Heidenbekehrung, das offensichtlich ein Paradigma für Predigt und Missionsinstruktion darstellte, ist die Bekehrung eines Gottesfürchtigen, nämlich des Hauptmanns Cornelius (Apg 10,1–11,18). Die eine Parallele dazu, die Geschichte vom Hauptmann zu Kapernaum, wurde von Lukas ausdrücklich als die Bekehrung eines von den jüdischen Oberen empfohlenen unbestrittenen Gottesfürchtigen gestaltet, womit Lukas – ausgesprochen tendenziös freilich – eine Erfahrung der hellenistischen Missionstätigkeit wiedergibt (Lk 7,1–10). Die andere Parallele, die Bekehrung des kanaanäischen Weibes, setzt in der Matthäusfassung (Mt 15, 21–28) zumindest eine Kenntnis der jüdischen Messianologie durch die heidnische Frau voraus (V. 22). Heidenbekehrung wurde also anfangs ganz allgemein als Bekehrung von Gottesfürchtigen in den Blick genommen.

f) In der Apostelgeschichte wird verschiedentlich ausdrücklich berichtet, Paulus habe mit seiner Predigt vor allem bei den Gottesfürchtigen Erfolg gehabt: 14,1; 17,4; 17,12; 18,7f. Diese wiederholte Feststellung läßt sich aus keiner lukanischen Tendenz erklären. Im Gegenteil. Sie setzt die Tatsache voraus, daß die Juden selbst das Evangelium nicht annahmen, und diese

---

225. Siehe meine Untersuchung ‚Paulus und Jakobus', 1963, S. 46ff.

Tatsache macht Lukas Schwierigkeiten, weil er bemüht ist, das Christentum als das wahre Judentum darzustellen. Die wiederholte Nachricht, Paulus habe seine Gemeinden vornehmlich aus Gottesfürchtigen gesammelt, dürfte also den tatsächlichen geschichtlichen Verhältnissen entsprechen, gleichgültig, ob Lukas sie mit seinen Quellen übernommen oder ob er sie aus eigenem Wissen der Darstellung beigefügt hat.

g) In Apg 16,11 ff., einem Stück des Wir-Berichtes, wird in durchaus zuverlässiger Weise über den Beginn der Missionstätigkeit in Philippi berichtet.

Nachdem Paulus mit seinen Begleitern Philippi erreicht hatte, wartet man den Sabbat ab. Am Sabbattag sucht die Gruppe der Missionare die Gebetsstätte auf, die sie außerhalb der Stadt am Fluß vermutet und dort auch findet: οὗ ἐνομίζομεν προσευχὴν εἶναι. Sie treffen eine Gruppe von Frauen an. Eine von ihnen, Lydia, eine aus Thyatira stammende Gottesfürchtige, nimmt die reisenden Evangelisten in ihr Haus auf und läßt sich taufen.

Die Gebetsstätte ist nicht die Synagoge, die Lukas stets συναγωγή nennt. Sonst wäre auch unverständlich, daß sich am Sabbat nur Frauen zum Gebet einfanden. Schließlich brauchte Paulus eine Synagoge nicht an dem angegebenen Ort zu *vermuten*; jeder Einwohner Philippis hätte sie ihm zeigen können. Wir haben es also mit einer Gebetsstätte vor allem der Gottesfürchtigen zu tun, und die Missionspraxis des Paulus ist völlig klar: nach Ankunft in einer neuen Stadt, in der er zu missionieren gedenkt, sucht er Kontakt mit den Gottesfürchtigen zu bekommen.

Dabei ist denkbar, daß Philippi eine Judenschaft und folglich eine Synagoge gar nicht besaß. Die Stadt war erst von Augustus als römische Kolonie gegründet worden. Die kleine Schar der Gottesfürchtigen wäre dann, wie wir von der Lydia ausdrücklich erfahren, aus geschäftlichen oder anderen Gründen zugezogen aus Städten, in denen es eine Synagoge gab. Aber das würde nichts daran ändern, daß Paulus die Gottesfürchtigen für die geeignete Schar hält, sein – in Philippi bekanntlich besonders erfolgreiches – Missionswerk zu beginnen. Sollte er darum an anderen Orten tatsächlich zuerst die Synagoge besucht haben, wie Lukas es behauptet (Apg 17,1 f.; die Angabe dürfte allerdings auf lukanischer Tendenz beruhen), so mit der Absicht, Kontakt zu den Gottesfürchtigen aufzunehmen; denn die Judenmission konnte und durfte nicht sein Amt sein [226].

Beachtung verdient in diesem Zusammenhang auch der Bericht der Apostelgeschichte über den Beginn der paulinischen Missionstätigkeit in Korinth. Paulus findet Arbeit und Unterkunft bei dem anscheinend bereits christlichen Ehepaar Aquila und Priscilla; Apg 18,4 zufolge besucht er am Sabbat die Synagoge – eine tendenziöse Bemerkung des Lukas. Als Silas und Timo-

226. Ebd. S. 29 ff., bes. S. 48 f.; Weizsäcker (1902), S. 239 f.

theus bei ihm eintreffen, widmet er sich ganz der Missionspredigt (V. 5a).
V. 5b und V. 6 berichten in typisch lukanischer Manier, wie Paulus von
den Juden zu den Heiden getrieben wird, nämlich in das Haus eines Gottesfürchtigen mit Namen Titius Justus, das in der Nähe der Synagoge lag (V.7).
Dort wird auch der ἀρχισυνάγωγος Crispus bekehrt, ein mit Ordnungsauf-
gaben betrauter Vertrauensmann der Synagoge, den sein heidnischer Name
vielleicht als Proselyten ausweist.

Daß Lukas für seinen Bericht in Apg 18,1 ff. auf zuverlässige Nachrichten
zurückgreifen kann, ist unbestritten. Seine Quelle zu rekonstruieren dürfte
freilich nur vermutungsweise möglich sein[227]. So mag es offenbleiben, ob
Paulus tatsächlich zuerst in der Synagoge gepredigt hat, wie Lukas tendenziös
behauptet. Sein Ziel war jedenfalls nicht die Synagoge selbst – Paulus versteht sich dezidiert als Heidenmissionar –, sondern die Nähe der Synagoge,
das heißt die Schar der gottesfürchtigen Heiden, die sich zur Synagoge
hielten.

Einer von ihnen, Titius Justus, stellte Paulus sein Haus zur Verfügung[228].
Paulus wählte es als Predigtort statt der Wohnung von Aquila und Priscilla
vermutlich deshalb, weil es in der Nachbarschaft der Synagoge lag (V.7):
hier führte der Weg der Gottesfürchtigen vorbei. Aber er wählte das Privat-
haus, nicht die Synagoge; denn er predigte den Heiden.

Ähnlich scheint die Situation in Ephesus gewesen zu sein, wo Paulus nach
der lukanischen Darstellung allerdings zuerst sogar drei Monate lang in der
Synagoge gepredigt haben soll und dann, als einige Juden öffentlich den
christlichen Glauben lästerten, die Gemeinde aus dem Synagogenverband
löste und zwei Jahre lang täglich im Lehrsaal des Tyrannos lehrte. Auch
wenn man diese schematische Darstellung anschaulich auflöst – natürlich
hat Paulus nicht zwei Jahre lang täglich am gleichen Ort gepredigt –, bleiben
noch viele Fragen: „... warum kommt es eigentlich jetzt zum Bruch mit
den Juden, warum haben sie nicht gelästert während der Zeit, wo Apollos
dort in der Synagoge predigte und Aquila und Priscilla ihr angehörten,
warum auch nicht in den drei ersten Monaten der paulinischen Verkündigung? ... Oder eine andere Frage. Paulus sondert die Jünger ab – hat die
christliche Gemeinde dort ... nicht schon vorher ihre Sonderversammlungen
gehabt ...? Oder noch eine Frage: hat Paulus nach einem Wirken von drei

---

227. Vgl. Haenchen: Die Apostelgeschichte, MeyerK III[13], 1961, S. 473 ff. Wenn man V. 4.5b–6
und in V. 7 das μεταβὰς ἐκεῖθεν ausscheidet, erhält man einen guten Zusammenhang, der
die Quelle des Lukas widerspiegelt oder wiedergibt. Die Einschübe enthalten typisch luka-
nische Theologumena.

228. Damit ist nicht gemeint, daß Paulus sein Quartier wechselt, sondern daß er im Hause des
Titius Justus eine geeignete Predigtstätte findet. Dieser klare Tatbestand wird durch die von
Lukas vorgenommene Erweiterung der Vorlage zwar verdunkelt, aber nicht ausgelöscht.

Monaten die Gemeinde (die er nicht gegründet hatte!) so souverän be-
herrscht, daß er ihre Trennung von der Synagoge verfügen konnte?"[229] –
lauter Fragen, die sofort ihre Antwort finden, wenn man sieht, daß wir die
Nachricht von der dreimonatlichen Predigt in der Synagoge nicht einer
dem Lukas vorliegenden historischen Notiz verdanken, sondern seiner bekannten Tendenz, Paulus als den treuen Juden darzustellen. In Ephesus, wo
bereits vor der Ankunft des Paulus reges christliches Leben herrschte, bestand für den Heidenapostel zu einer Synagogenpredigt nicht der geringste
Anlaß, ja, zweifellos auch gar keine Möglichkeit mehr; denn Paulus und
seine gegen die Synagoge gerichtete Heidenpredigt können der Synagoge
nicht unbekannt geblieben sein.

Paulus dürfte von Anfang an ‚im Vorhof' der Synagoge gepredigt haben,
und es spricht vieles dafür, daß die ‚Schule des Tyrannos' eine Versammlungsstätte von Gottesfürchtigen gewesen ist[230].

h) Wir sagten bereits, daß die rabbinischen Schriften die Gottesfürchtigen
kaum erwähnen. Schon um die Mitte des 3. Jahrhunderts stand den rabbinischen Autoritäten nicht mehr sicher fest, was unter den ‚Gottesfürchtigen' zu verstehen sei[231]. Die zur Zeit des Paulus überaus zahlreichen
Gottesfürchtigen hatten also schon bald keinen Platz mehr im Judentum.
Zu den Gründen für diesen Tatbestand, die bereits genannt wurden, gehört
jener, daß die Gottesfürchtigen aus verständlichen Gründen von der christlichen Gemeinde absorbiert wurden.

i) Wir erfahren gelegentlich, daß bestimmte synagogale Gebräuche in den
paulinischen Gemeinden beibehalten wurden, ohne daß sie dort theologisch
gerechtfertigt werden konnten. Man vergleiche z. B. die Enthaltung von
Götzenopferfleisch (1Kor 8,1–13; 9,19–22; 10,23–11,1), den jüdischen Fest-
kalender (1Kor 5,7f.; 16,8), die Kopfbedeckung der Frauen während des
Gottesdienstes (1Kor 11,16), das Schweigen der Frau in den Gemeinde-
versammlungen (1Kor 14,33b–38). Es ist auch an das Verbot zu erinnern,
vor heidnischen Gerichten zu prozessieren (1Kor 6,1ff.), obschon die Kirche
im Unterschied zur Synagoge keine eigene Jurisdiktion besaß[232].

Paulus ist über die meisten der genannten synagogalen Bräuche theologisch
längst hinweggeschritten; er kann diese Sitten in seinen heidenchristlichen
Gemeinden also unmöglich selbst eingeführt haben. Dann aber weist der
Tatbestand, daß derartige Gewohnheiten der Synagoge in den heidenchristlichen Gemeinden des Paulus allgemein und ohne normalerweise überhaupt

229. Haenchen: Die Apostelgeschichte, MeyerK III[13], 1961, S. 495.

230. Vgl. Billerbeck II, S. 751.

231. Billerbeck II, S. 717.

232. Vgl. Kümmel: Heilsgeschehen und Geschichte, 1965, S. 324; Dinkler in: ZThK 49, 1952,
     S. 176.

diskutiert zu werden üblich waren, darauf hin, wie sehr die paulinischen Gemeinden als heidenchristliche zugleich in der Kontinuität mit der Synagoge standen[233]. Wenn Paulus in 1Kor 11,16 feststellen kann, daß αἱ ἐκκλησίαι τοῦ θεοῦ die Kopfbedeckung der Frauen während des Gottesdienstes als selbstverständliche Übung kennen, obschon er selbst diese Übung in keiner einsichtigen Weise begründen kann, so müssen ‚die Gemeinden Gottes‘ diesen Brauch aus der Synagoge beibehalten haben[234]. Mit anderen Worten: die heidenchristlichen ἐκκλησίαι setzten sich aus ehemaligen Gottesfürchtigen zusammen. Vgl. auch Gal 5,1!

j) Paulus entfaltet in seinen Briefen so gut wie nie den Schöpfungsgedanken, den Monotheismus, die normative Geltung des Alten Testaments, die Apokalyptik usw. als solche. Das Jüdische im Christentum setzt er also voraus. Ein Problem in seinen heidenchristlichen(!) Gemeinden bildet dagegen die Abrogation des Gesetzes. Diese Erscheinung läßt sich weder mit Hinweis auf die Missionspredigt erklären, die schwerlich gerade ihre jüdischen Elemente im Unterschied zu den christlichen abschließend vorgetragen hat, noch mit Verweis auf die besonderen geschichtlichen Anlässe der verschiedenen Briefe. Sie setzt vielmehr voraus, daß Paulus das christliche Kerygma auf die feste Basis eines überzeugten Judentums seiner heidnischen Hörer aufpfropfte. Die Glieder seiner Gemeinden müssen also im wesentlichen Gottesfürchtige gewesen sein.

Kurzum: *Die frühe antiochenische und paulinische Mission warb vor allem unter den Gottesfürchtigen[235]. Juden und Proselyten und anfangs auch ‚reine‘ Heiden gehörten den heidenchristlichen Gemeinden nur vereinzelt an[236].*

233. Aus der Benutzung des jüdischen Kalenders auch bei Heidenchristen schließt Harnack mit Recht: „Von hier aus bestätigt sich der einst von Renan ausgesprochene Satz, daß es im apostolischen Zeitalter nur wenige Heidenchristen gegeben haben wird, die nicht, bevor sie Christen wurden, mit dem Judentum in Berührung gekommen waren" (Die Apostelgeschichte, Beiträge zur Einleitung in das NT, III, 1908, S. 34).

234. Vgl. meine Untersuchung ‚Die Gnosis in Korinth‘, 3. Aufl., 1969, S. 225 ff.

235. Läßt sich dies noch bei Paulus nachweisen, so gilt es erst recht für die Mission vor und neben Paulus.

236. Vgl. Weizsäcker (1902), S. 423; Klausner: Von Jesus zu Paulus, 1950, S. 61 f. Wie schnell und wie weit sich die christlichen Gemeinden aus ehemaligen Gottesfürchtigen durch die Taufe von Heiden, die bisher noch keinen engen Kontakt zur Synagoge hatten, mehrten und umgestalteten, läßt sich nicht sicher ausmachen. Vereinzelt geschah dies anscheinend relativ früh. Wir wissen z. B., daß die Gemeinde in Thessalonich besonders aktiv missionierte (1 Thess 1,7 f.). In 1 Thess 1,9 nun stellt Paulus fest, daß die Christen in Thessalonich sich durch oder infolge seiner Predigt von den Götzen abwandten, um dem wahren und lebendigen Gott zu dienen. Die Gemeinde bestand also zur Zeit des Briefes vor allem aus

12. Die „gottesfürchtigen" Christen in Rom

Nun kehren wir unmittelbar zum Römerbrief zurück.

Wir erinnern uns, daß die heidenchristliche römische Gemeinde im wesentlichen die gleiche Struktur und denselben ‚Charakter' aufgewiesen haben muß wie die heidenchristlichen Gemeinden des Ostens. Auch die Christenheit Roms setzte sich folglich vor allem aus ehemaligen Gottesfürchtigen zusammen, das heißt aus Heiden, die bereits einen mehr oder weniger engen Anschluß an die Synagoge gefunden hatten und deshalb in stärkerem oder schwächerem Maße im Judentum beheimatet waren.

Der Doppelcharakter des Römerbriefes wird von daher zunächst *grundsätzlich* verständlich. Die Gemeinde setzt sich aus ehemaligen Heiden zusammen, so daß Paulus ihre Glieder als Christen aus den Heiden ausdrücklich anreden kann. Zugleich aber sind diese Heiden in einem gewissen Maße vom Judentum beeinflußt, mit jüdischen Problemen befaßt, durch jüdische Ansichten gebunden, so daß prinzipiell begreiflich wird, wenn Paulus mit ihnen Fragen diskutiert, für die man jüdische Gesprächspartner voraussetzt.

Dann stellt sich die entscheidende Frage, aus welchem konkreten Anlaß Paulus diesen Christen in Rom *diesen* seinen Brief schreibt, mit dessen historischer Problematik wir uns beschäftigen.

Worum es in Kp. 1–11 des Römerbriefes geht, ist uns bekannt (siehe S. 14 ff.):

Heiden, die durch die christliche Predigt allererst definitiv zu dem Gott des Alten Testaments bekehrt worden waren. Dem entspricht es, daß die Thessalonicherbriefe die einzigen echten Paulusbriefe sind, in denen direkte alttestamentliche Zitate fehlen. Das ist kaum zufällig, sondern Ausdruck der Tatsache, daß Paulus bei vielen der Leser keine erhebliche Kenntnis des Alten Testaments voraussetzen konnte.

Man wird daraus freilich nicht schließen können, daß Paulus in Thessalonich keine Gottesfürchtigen fand bzw. bekehrte. Wie vorsichtig auch immer man den Bericht Apg 17, 1 ff. über den ersten Aufenthalt des Paulus in Thessalonich und seine Predigt lesen mag: daß seine erste Gemeinde sich wesentlich aus gottesfürchtigen Griechen zusammensetzte, so daß es deswegen zum Streit mit der Synagoge kam, wird man ihm entnehmen müssen. Anders wäre auch bei dem kurzen Aufenthalt in Thessalonich – Apg 17, 2 spricht von drei Sabbaten – die Gründung einer so lebendigen Gemeinde gar nicht denkbar. Vielleicht hat Paulus in Thessalonich vor allem solche Heiden bekehrt, die sich noch nicht fest der Synagoge angeschlossen und den Bruch mit ihren alten Göttern vollzogen hatten; der Ärger der Synagoge wäre besonders gut verständlich, wenn Paulus die durch die Bemühungen der Synagoge gereifte Ernte in die eigenen Scheunen eingebracht hätte. Jedenfalls aber dürfte die Gemeinde zu Thessalonich schnell in die Heidenwelt hineingewachsen sein, wie Paulus in 1 Thess 1, 7 f. für die Zeit der dritten Missionsreise bezeugt; siehe meine Untersuchung ‚Paulus und die Gnostiker', 1965, S. 89 ff. Eine so frühe und starke Öffnung zu ‚reinen' Heiden ist indessen im allgemeinen nicht zu beobachten; sie fällt im wesentlichen in die nachapostolische Zeit.

Paulus bestreitet jeglichen Vorzug des Judentums angesichts der Glaubensgerechtigkeit. Der Weg zum eschatologischen Heil in Christus ist für ihn
in keiner Weise mehr der Weg zum empirischen Judentum. Es ist der Weg
zum Gott der Juden, der aber durch Christus nicht weniger der Gott der
Heiden ist. Paulus warnt zwar in Kap. 9–11 davor, diesen Sachverhalt dahingehend mißzuverstehen, daß die Heiden nun *an die Stelle* der Juden getreten seien – die faktische Verwerfung der Juden könnte zu diesem Irrtum
verleiten –, aber diese Warnung vor heidenchristlicher Überheblichkeit und
die Verteidigung des Apostels gegen den Vorwurf, er leugne die Erwählung
seines Volkes überhaupt zugunsten der einseitigen Erwählung der Heiden,
sind nur die Kehrseite der eindringlichen Behauptung, daß es keinen Vorzug
des empirischen Israel mehr gibt. Angesichts der Gerechtigkeit aus Glauben
stehen Juden und Heiden („alle') gleich da.

Ohne Frage ist die radikale Universalität des Heils, die Paulus in Röm 1–11
thematisch vertritt, sein besonderes persönliches Anliegen, die Spitze *seines*
Evangeliums gewesen. Er hatte das Christentum verfolgt, weil es den Vorzug
Israels bestritt. Seine Bekehrung war eine Bekehrung zu dem von ihm
verfolgten gesetzesfreien Christentum gewesen, seine Berufung eine Berufung zur gesetzesfreien Heidenmission in dem Sinn, den er in Röm 1–11
darlegt.

Paulus hat deshalb auch entgegen den Berichten der Apostelgeschichte nie
versucht, seine gesetzesfreien Gemeinden innerhalb des Synagogenverbandes
zu begründen. Selbst wenn er dies gewollt hätte, mußte er sich über die
Aussichtslosigkeit seines Unterfangens von vornherein im klaren gewesen
sein [237]. Aber er hat es auch nicht gewollt, wie gerade der Römerbrief zeigt.
Denn die Synagoge konnte gar nicht der Ort der alle nationalen Beschrän-
kungen sprengenden eschatologischen Heilsgemeinde sein. Das Bestreben,
eine ἐκκλησία *neben* der συναγωγή zu begründen, gehört deshalb aller-
orten zu den fundamentalen Zielen der paulinischen Missionsarbeit. Hinter
solcher Zielsetzung steckt natürlich nicht ein geschichtlicher Weitblick und
die Einsicht, daß eine mächtig werdende Christenheit sich früher oder später
doch von der Synagoge werde lösen müssen; denn Paulus rechnete nicht
mit der ἐκκλησία als mit einer bleibenden geschichtlichen Größe. Vielmehr
ging es Paulus darum, seinen universalen theologischen Ansatz konsequent
durchzuführen: Wer die δικαιοσύνη als die für *alle* Menschen bereitete Gerechtigkeit Gottes aus Gnaden durch Glauben verkündigte, konnte auch in

---

237. Als ob die Synagoge den ehemaligen Verfolger, der in ihrem Auftrag die Christen bekämpft
hatte, irgendwo in ihrer Mitte als Verkünder der von ihr und einst von ihm verfolgten Botschaft, die das Ende der Synagoge bedeutete, hätte auftreten lassen! Die Annahme aber,
Paulus habe in jeder Synagoge als Unbekannter arbeiten können und sei erst nach Wochen
oder Monaten jeweils neu entlarvt worden, ist ganz ungeschichtlich gedacht.

der weitsinnigsten Synagoge nicht einen geeigneten Ort für seine Gemeinde suchen; denn *jede* Synagoge war eine nationaljüdische Versammlungsstätte. Um seines Evangeliums willen hat Paulus deshalb konsequenterweise grundsätzlich mit der Synagoge gebrochen.

Er hat zwar nicht als erster diesen Bruch vollzogen, sondern tritt das Erbe jener Gemeinden an, die er einst im Dienste der Synagoge verfolgte, *weil* sie das Ende des Gesetzes verkündigten[238]. Aber man darf daraus nicht schließen, daß alle Heidenchristen auf diesem freien Standpunkt in gleicher Radikalität und Bestimmtheit standen. Barnabas zum Beispiel, engster Mitarbeiter des Paulus bis zu seiner Reise nach Europa, würde Paulus in Antiochien schwerlich so sehr enttäuscht haben (Gal 2, 11 ff.), wenn er bereits jene Freiheit des Standpunktes jenseits aller Bindung an die Synagoge gewonnen hatte, die Paulus im Römerbrief vertritt. Falls das sogenannte Aposteldekret jemals eine Funktion in christlichen Gemeinden gehabt hat[239], weist es gleichfalls darauf hin, daß mancherorts Bindungen an das Judentum konserviert oder neu eingegangen wurden, die in der Heilspredigt, wie Paulus sie verstand, nicht begründet waren.

Wenn man nicht auf dem radikalen Standpunkt des paulinischen Universalismus stand, lag es ja auch durchaus nahe, den Glauben an Jesus als den Christus und seine baldige Ankunft zum Gericht, selbst den Glauben an die alle eigene menschliche Gerechtigkeit zerstörende Gnade Gottes *in* der Synagoge zu pflegen und die gewohnte Umgebung einschließlich ihrer Riten nicht sogleich preiszugeben. Die Taufe auf den Namen Jesu konnte leicht zu den synagogalen Waschungen hinzutreten. Unzweifelhaft lebten weite Kreise der frühen Christenheit als eine der vielen jüdischen Sekten im Verband der Synagoge[240], wie denn ja auch sonst der Weg zu einer Sekte schneller vollzogen wird als der Austritt aus der Kirche[241].

238. Siehe Schrage: ,Ekklesia' und ,Synagoge', ZThK 60, 1963, S. 196 ff.; meine Untersuchung: ,Paulus und Jakobus', 1963, S. 20 ff.

239. Siehe ebd. S. 81 ff.

240. Vgl. Hummel: Die Auseinandersetzung zwischen Kirche und Judentum im Matthäusevangelium, 1963, S. 28 ff.

241. Hier liegt auch der Grund für die Erkenntnis, daß man zwischen hellenistischem Heidenchristentum und hellenistischem Judenchristentum nicht so streng scheiden darf, wie es im Gefolge der religionsgeschichtlichen Schule üblich wurde. Ein großer Teil der Heidenchristen war synagogalem Denken und Leben fast ebenso sehr verbunden gewesen wie die hellenistischen Judenchristen. Und die Mission des hellenistischen Judenchristentums hat die Gottesfürchtigen natürlich nicht ausgespart. Im Gegenteil: Die Anfänge der Heidenbekehrung liegen *in* der Synagoge; sobald das Judenchristentum in den hellenistischen Raum vordrang – und dies geschah *innerhalb* der Synagoge im Rahmen einer ,Sektenmission' –, stieß es auf die ,heidnischen' Gottesfürchtigen, die ein bevorzugtes Werbeziel auch der hellenistischen Judenchristen darstellten. War bereits die palästinische Christen-

Dazu ist beachtenswert, daß es auch für Gottesfürchtige, die sich der Synagoge unter sozialen Opfern angeschlossen hatten, nicht *nur* leicht war, sich auf den paulinischen Standpunkt zu stellen. Gewiß, ihnen blieb so die Zumutung erspart, um des Heils willen ihre Nationalität zu wechseln. Sie fanden das Heil, das ihnen im Judentum angeboten wurde, nun im eigenen Volksverband. Tatsächlich aber hatten sie sich unter dem Eindruck der jüdischen Argumente bereits mehr oder weniger intensiv einer jüdischen bzw. judaisierenden Existenz zugewandt und den Anspruch des Judentums grundsätzlich anerkannt, daß das eschatologische Heil mit der Zugehörigkeit zu einer bestimmten Nation verbunden war[242]. Solche Anerkennung war in keinem Fall einfach gewesen, auch wenn man längst nicht alle Konsequenzen aus ihr gezogen hatte und auch die Synagoge, wie wir sahen, den ihr zugewandten Gottesfürchtigen weit entgegenkommen und das zukünftige Heil auch ohne Vollzug der Beschneidung zusagen konnte. Je schwerer der Weg zum Judentum war, um so ernsthafter war er auch, und je ernsthafter er war, um so schwerer war der Weg zurück. Paulus hat diesen Tatbestand offensichtlich respektiert, wenn er in seinen Gemeinden die für Gottesfürchtige verbindlichen gesetzlichen Gepflogenheiten der Synagoge nicht im Prinzip abänderte. Aber daß Gott unterschiedslos der Gott aller ist, die ihn im Glauben anrufen, diese Erkenntnis, die der Apostel in Röm 1–11 entwickelt, ist in seinen Gemeinden nicht zweifelhaft gewesen. Paulus braucht sie in den Briefen an die von ihm gegründeten Gemeinden nicht zu entfalten; er kann von ihr ausgehen, auch wo die Gemeinde sich von ihr abgewandt zu haben scheint (Gal 1,6ff.).

Indessen war dies Verständnis vom Wesen christlicher Existenz und von der Wirklichkeit christlicher Gemeinschaft aus der Sicht eines ehemaligen Pharisäers gewonnen, also in Antithese zu einem nicht weniger profilierten jüdischen Sonderstandpunkt. Es war zur Zeit des Paulus keineswegs für das Heidenchristentum überhaupt kennzeichnend, das in anderen Teilen den synagogalen Bereich, der die gottesfürchtigen Heiden mit umfaßte, nicht verließ.

So steht es naturgemäß auch in Rom, wo Paulus keine Gemeinde gegründet

---

heit nicht gesetzes*streng* gewesen, so ging das hellenistische Judenchristentum nach Ausweis der synoptischen Tradition (Lk7,1–10; Mt15,21–28; vgl. Apg10,1–11,18) sehr bald dazu über, die Taufe nicht von der vorhergehenden Beschneidung abhängig zu machen – ein Verhalten, das durchaus *innerhalb* von weitherzigen synagogalen Tendenzen möglich war. Erst das konsequent gesetzesfreie Heidenchristentum, wie wir es durch Paulus kennen, markiert einen deutlichen Bruch mit dem Christentum der Synagoge, einen Bruch, der zwar bereits vor Paulus erfolgte, der auch den Abmachungen des sogenannten Apostelkonzils zugrunde liegt, der aber keineswegs die gesamte christliche Bewegung erfaßte.

242. Vgl. Tacitus hist. 5,5.

hat und wo anscheinend überhaupt noch keine ἐκκλησία neben der Synagoge bestand, sondern nur einzelne Christen und christliche Häuser lebten. Unter diesen römischen Christen gab es folglich nicht wenige, die ihren Kontakt mit der Synagoge noch nicht preisgegeben hatten und, wie Röm 14,1–15,6 zeigt, auch nicht beabsichtigten, jede Beziehung zur synagogalen Lebensweise abzubrechen (siehe unten S. 95–107); das entspricht der Herkunft der römischen Heidenchristen aus den Gemeinden des Ostens, die keineswegs alle ἐκκλησίαι im paulinischen Sinne darstellten[243].

Sieht man die Zusammensetzung der römischen Gemeinde in dieser Weise in engem Zusammenhang mit dem Heidenchristentum des Ostens an, so wird man nicht umhin können, in Röm 7,1ff mit Willibald Beyschlag[244] und anderen[245] ein ausdrückliches Zeugnis für die Tatsache zu finden, daß die heidenchristlichen Leser des Römerbriefes „aus der Schule des Gesetzes, also des Judenthums, zum Evangelium gekommen waren. Wenn Paulus 7,1 parenthetisch bemerkt: γινώσκουσι γὰρ νόμον λαλῶ, so heißt das bekanntlich nicht: ,ich rede zu Denen unter euch, die das Gesetz kennen' – das würde τοῖς γινώσκουσι γὰρ νόμον λαλῶ erfordern –, sondern ,ich rede ja zu Leuten, die das Gesetz kennen', setzt also die Kenntniß des (mosaischen) Gesetzes bei den Lesern insgemein voraus. Doch könnte diese Stelle für sich genommen noch abgewiesen werden ... mit der Bemerkung, daß ja auch dem Heidenchristen eben als Christen das mosaische Gesetz nicht habe unbekannt bleiben können. Nicht so die in demselben Zusammenhang folgenden V. 4–6: ὥστε, ἀδελφοί μου, καὶ ὑμεῖς ἐθανατώθητε τῷ νόμῳ διὰ τοῦ σώματος τοῦ Χριστοῦ, εἰς τὸ γενέσθαι ὑμᾶς ἑτέρῳ, τῷ ἐκ νεκρῶν ἐγερθέντι, ἵνα καρπο-

---

243. Diese Einsicht stimmt auch mit dem natürlichsten Verständnis der bereits erwähnten Streitigkeiten überein, die unter Claudius zur Vertreibung der Juden aus Rom führten. Hätte es sich um rein innerjüdische, innersynagogale Streitigkeiten gehandelt, wäre die Reaktion des Kaisers weit weniger verständlich, als wenn es um Konflikte ging, die von den Juden wegen der gottesfürchtigen Heiden inszeniert wurden und die damit den Bereich der Synagoge und ihrer Jurisdiktion verließen. Es dürfte sich also um Streitfälle gehandelt haben, die im wesentlichen denen entsprachen, die nach dem Bericht der Apostelgeschichte Juden vor den öffentlichen Behörden gegen Paulus anzettelten (13,50; 14,2ff.; 14,19f.; 17,5ff.; 17,13; 18,12ff.; 19,9; 20,3; 21,27–28,31) und die in Rom für die Juden unangenehmer ausgingen als zumeist auf dem paulinischen Missionsgebiet. Indem die (?) Juden aus Rom ausgewiesen wurden, waren die streitenden Parteien getrennt; denn natürlich wurde die organisatorisch bzw. soziologisch gar nicht faßbare Gruppe der heidnischen Gottesfürchtigen nicht mit aus Rom verbannt. Außerdem wurde auf diese Weise die jüdische Werbung unter den Heiden gestoppt. So wird die Maßnahme des Claudius als eine sinnvolle verständlich, während die Vertreibung von untereinander verzankten Juden den Streit nur auf andere Orte verlagert hätte.
244. Willibald Beyschlag, a.a.O. S. 648.
245. Vgl. z. B. Lipsius, a.a.O. S. 242.

φορήσωμεν τῷ θεῷ. ὅτε γὰρ ἦμεν ἐν τῇ σαρκί, τὰ παθήματα τῶν ἁμαρτιῶν τὰ διὰ τοῦ νόμου, ἐνηργεῖτο ἐν τοῖς μέλεσιν ἡμῶν εἰς τὸ καρποφορῆσαι τῷ θανάτῳ· νυνὶ δὲ κατηργήθημεν ἀπὸ τοῦ νόμου, ἀποθανόντες ἐν ᾧ κατειχόμεθα, ὥστε δουλεύειν ἡμᾶς ἐν καινότητι πνεύματος καὶ οὐ παλαιότητι γράμματος.In dieser von den Auslegern beider Seiten auffallend wenig be-achteten Stelle[246] sagt uns also der Apostel mit wiederholten unwider-sprechlichen Worten, daß seine Leser unter'm Gesetz, und zwar, wie der Ausdruck παλαιότητι γράμματος außer Zweifel setzt, unter dem mosaischen Gesetz gestanden, *ehe* sie zu Christo gekommen." Diese Argumentation dünkt mich unwiderlegbar zu sein. Auch 8,15 ist übrigens am besten ver-ständlich, wenn Paulus (πάλιν!) zu solchen spricht, die einst unter dem mosaischen Gesetz standen[247]. Vgl. Gal 5,1.

Gehörten zur römischen Christenheit aber vor allem ehemalige Gottes-fürchtige, so kann an dem Zweck des Römerbriefes kein Zweifel bestehen: Paulus will die Christenheit Roms als eine ἐκκλησία konstituieren und damit für sein Evangelium gewinnen. Oder umgekehrt, aber mit demselben Sinn: Paulus möchte die Christen in Rom ganz für sein gesetzesfreies Verständnis des Evangeliums gewinnen und muß sie darum neben der Synagoge in einer ἐκκλησία vereinen[248]. Noch bevor Paulus nach Rom kommen konnte, hatten sich dort Heidenchristen angesiedelt, deren Glaubens- und Kirchenverständ-nis nicht in allem dem paulinischen Evangelium entsprach. Paulus kann als Missionar der Heidenwelt nicht darauf verzichten, in der Welthauptstadt Rom eine Gemeinde zu haben, die sein Evangelium ausbreitet. Darum legt er, als sein Kommen sich weiter verzögert, den römischen Christen *sein* Evangelium vor, um zu verhindern, daß sich eine anders ausgerichtete Ge-meinde in Rom konstituiert und Paulus dann wegen seines Prinzips, nicht auf fremdem Grund zu bauen (15,20; siehe unten S. 172 ff.), in Rom nicht mehr missionieren kann.

Diese Zweckbestimmung des Römerbriefes stellt keine Vermutung dar; denn Paulus spricht, wie wir sahen, in 1,8–17 deutlich aus, daß er in Rom missio-nieren will, und er gibt zugleich den Inhalt der Botschaft, die er den *Christen* in Rom – vorerst brieflich – vortragen möchte, deutlich an: es ist die Bot-schaft von der *Glaubens*gerechtigkeit, *die als solche alle jüdischen Vorrechte aufhebt*. Das Rätsel, daß diese spezifische Botschaft an *Heiden*christen aus-gerichtet wird, löst sich, wenn man die für Paulus und für die Empfänger

246. Dies Urteil hat noch heute Gültigkeit; vgl. z. B. Michel, a.a.O. z. St. und S. 9.
247. Für die genannte Zusammensetzung der römischen Gemeinde spricht übrigens auch, daß der 1 Clem uns eine römische Gemeinde erkennen läßt, die ohne Frage heidenchristlich und doch zugleich auf das stärkste durch Traditionen der hellenistischen Synagoge bestimmt ist. Vgl. Karlmann Beyschlag (1965) S. 21 f.; (1966) S. 340 ff.
248. Vgl. Klein, a.a.O. S. 142.

des Briefes selbstverständliche und darum nie besonders ausgesprochene Einsicht gewinnt, daß die römischen Heidenchristen wie die Heidenchristen in apostolischer Zeit überhaupt zum größten Teil ehemalige Gottesfürchtige sind, für die in vielen Fällen die Taufe nicht den generellen Bruch mit der Synagoge bedeutete.

Trocmé war also der Lösung des historischen Rätsels des Römerbriefes sehr nahe gekommen, als er behauptete, dem Römerbrief liege ein Dokument zugrunde, das Paulus immer dann verwendet habe, wenn er eine Gemeinde aus der Synagoge herausführen wollte. Ein solches Dokument kann es nicht gegeben haben, weil Paulus seine Gemeinden von vornherein außerhalb der Synagoge gründete. Nur in Rom stand Paulus vor der Notwendigkeit, Christen nachträglich in einer ἐκκλησία zu sammeln. Zu diesem Zweck *verfaßt* er ein Dokument, eben den Römerbrief, das genau den von Trocmé bestimmten Zweck verfolgt.

Nun wird auch voll verständlich, daß die paulinische Argumentation im Römerbrief durchweg auf die Diskussion mit *jüdischen* Gesprächspartnern abgestellt ist, eine Tatsache, die vor allem jenen Forschern große Schwierigkeiten bereitete, die in der Nachfolge Baurs den Brief an Juden*christen* adressiert sein ließen.

Auf den Gesprächscharakter von Kap. 1–11 als solchen hat man oft aufmerksam gemacht[249]. Paulus bemüht sich ständig, Einwände gegen seine Feststellungen zu nennen, um diese dann selbst zu widerlegen; vgl. z. B. 3,1.3. 5.8; 4,1; 6,1.15; 7,7.13; 9,1.14.19.30 u. ö.

Nirgendwo wird dabei deutlich, daß er speziell judenchristliche Gesprächspartner vor Augen hat. Er befindet sich ganz offensichtlich im Gespräch mit Juden, so gewiß alle von ihm aufgegriffenen und widerlegten Einwände und Vorwürfe auch von schroffen judenchristlichen Positionen aus vorgebracht werden konnten. Aber die Tatsache, daß an keiner Stelle ein spezifisch judenchristlicher Einwurf begegnet, zeigt hinreichend, daß Paulus sich mit jüdischen Argumenten auseinandersetzt[250]. Freilich handelt es sich dabei nicht um Argumente, die aus „seiner eigenen Vergangenheit, seinem pharisäischen Bewußtsein, seinem rabbinisch geschulten Kopf stammen", wie Behm[251]

---

249. Gaugler, a.a.O. I S. 342; Dahl, a.a.O. S. 37 ff.; Jeremias, a.a.O. S. 146 ff.; Dupont (1955), S. 365 ff.; Michel, a.a.O. S. 21; Jülicher (1908), S. 218.

250. Eichhorn, a.a.O. S. 206 f.; Olshausen, a.a.O. S. 43 ff.; de Wette (1847), S. 2; Beck, a.a.O. I S. 5 ff.; v. Soden, a.a.O. S. 41; Völter (1905), S. 217 ff.; Kühl, a.a.O. S. 20 f. 32; Jülicher (1908), S. 218 f.; Feine (1903), S. 80 ff.; (1930) S. 144 f.; Feine-Behm, a.a.O. S. 165; Johannes Weiß (1917), S. 275 f.; Ropes, a.a.O. passim; Jülicher-Fascher, a.a.O. S. 111 ff.; Althaus, a.a.O. S. 2; Michel, a.a.O. S. 2. 9; Jeremias, a.a.O. S. 146 ff.; Hans Wilhelm Schmidt, a.a.O. S. 3.

251. Feine-Behm, a.a.O. S. 168.

meinte. Vielmehr bedarf es keiner Frage, daß der Christ und Apostel das in Röm 1–11 abgehandelte Problem nicht selten mit Juden, Proselyten und vor allem Gottesfürchtigen intensiv diskutiert hat. Deren zum Teil bös- willige Vorwürfe und Einwände gegen das aktuelle Verständnis des jüdischen Erbes – vgl. besonders 3,8; 6,1.15 – sind ihm völlig geläufig. Auch wenn wir den Römerbrief als Spiegel dieser Diskussionen nicht besäßen, stünde außer Zweifel, daß Paulus ständig von Juden angesprochen und angegriffen wurde, wenn er den gottesfürchtigen Mitgliedern der Synagoge das volle Heil außerhalb der Synagoge anbot. Die Apostelgeschichte spricht insofern mit vollem Recht von den ständigen Repressalien der Synagoge gegen den Juden Paulus. Dessen Diskussionen mit der Synagoge wurden *vor* den Gottesfürchtigen und oft gewiß auch *mit* judaisierenden Gottesfürchtigen geführt. Die Argumente, die Paulus in Röm 1–11 für das gesetzesfreie Christentum und gegen den Heilsvorrang der Synagoge entfaltet, gehörten darum ohne Frage zum grundlegenden Argumentationsbestand in allen seinen Gemeinden und ermöglichten diesen, ihre Selbständigkeit gegenüber der Synagoge zu behaupten und die Gottesfürchtigen auf ihre Seite zu ziehen[252].

Aus dem allen erhellt deutlich der Anlaß für den bestimmten Inhalt des Briefes, mit dem Paulus bei den römischen Heidenchristen Einfluß gewinnen möchte. Er weiß, daß die jüdischen Argumente, die einst die Gottesfürchtigen in die Synagoge führten, bei manchen von diesen nach ihrer Taufe wach blieben und wohl auch von den Juden wachgehalten wurden, welche die Gottesfürchtigen nicht ganz verlieren wollten. Darum führt er den Nachweis, daß der rechte christliche Glaube nur gelebt werden kann, wenn jeder in seinem natürlichen Stand verbleibt, der Heide also nicht zuerst Jude wird; denn angesichts der Gottesgerechtigkeit aus Glauben gibt es zwischen Juden und Heiden keinen Unterschied mehr.

Dabei darf man kaum fragen, ob Paulus mit seinem Brief stärker auf die der Synagoge noch eng verbundenen Christen abzielt oder ob er mehr den freieren unter den römischen Christen Argumente gegen die Synagoge und ihre christlichen Anhänger in die Hand geben will. Sein Schreiben nimmt faktisch beide Funktionen wahr, und mit beiden Funktionen strebt Paulus dasselbe Ziel an.

Man darf allerdings nicht bezweifeln, daß angesichts des zusammengewür- felten Charakters der römischen Gemeinde auch ehemalige Glieder pauli-

---

252. Man darf in diesem Zusammenhang nicht übersehen, daß auch die Argumente, die Paulus in Gal 3 f. gegen die Heilsnotwendigkeit von Beschneidung und Gesetz anführt, insgesamt geläufige, z. T. mit dem Römerbrief identische Topoi aus seiner Diskussion mit den Juden und ihrem Anhang wiedergeben; von spezifisch judenchristlichen Gesprächspartnern ist in diesen Traditionen ebensowenig wie in Röm 1–11 zu spüren.

nischer oder verwandter Gemeinden in Rom Fuß gefaßt hatten. Von solchen Christen dürfte Paulus über die römische Situation informiert worden sein, ihnen wird er – vielleicht mit einem Begleitschreiben oder durch einen entsprechend instruierten Boten – seinen Brief an *alle* Heidenchristen Roms zugestellt haben. Mit gutem Grund hütet sich Paulus, persönliche Bindungen, die nicht ganz gefehlt haben werden, in seinem Schreiben herauszustellen[253]: er will nicht eine römische Gruppe unterstützen, sondern die Christen Roms insgesamt für sein Verständnis des Evangeliums gewinnen.

Weder er noch seine römischen Gewährsleute dürften gewußt haben, wie groß die Zahl der in der Millionenstadt verstreut lebenden Christen war und wie viele von ihnen sich noch der Synagoge verbunden wußten.

13. Exkurs: Römer 1,16

Die bekannte Bemerkung οὐ γὰρ ἐπαισχύνομαι τὸ εὐαγγέλιον τοῦ Χριστοῦ in 1,16 ist geeignet, die dargebotene Sicht der historischen Probleme des Römerbriefes zu bestätigen. Formal dient dieser Satz dazu, vom ersten Teil des Proömiums, in dem Paulus sagt, *daß* er das Evangelium in Rom predigen will (1,8–15), zum zweiten Teil, der inhaltlichen Bestimmung dieses Evangeliums (1,16b–17), überzuleiten. Was meint aber das οὐ γὰρ ἐπαισχύνομαι sachlich? „Warum ... spricht der Apostel überhaupt vom Sichschämen? Das mußte er doch nur tun, wenn ihm bekannt war ... es gebe Grund, sich zu schämen."[254]

Man darf die Prägnanz dieses Ausdrucks deshalb nicht mit der Auskunft verwischen, Paulus habe genausogut formulieren können: ὁμολογῶ τὸ εὐαγγέλιον[255]. Dann liefe entweder das ἐπαισχύνομαι auf das Empfinden des modernen Menschen hinaus, der seine religiösen Gefühle überhaupt oder speziell seinen christlichen Glauben gerne verschweigt und sein Innerstes nicht offenbart. Solche Empfindungen aber waren dem antiken Menschen im allgemeinen fremd. Oder man versteht ‚Bekennen' im objektiven Sinn und kann dann z.B. wie Klein (a.a.O. S.141) Paulus versichern lassen, er wolle das angeblich in Rom noch fehlende *apostolische* Bekenntnis bringen. Damit wird aber die Prägnanz der negativen Formulierung verwischt.

Häufig findet sich eine Erklärung, die Lietzmann in die Worte zusammenfaßt: „... das uns zunächst befremdende οὐκ ἐπαισχύνομαι wird durch V.14 verständlich. Paulus schämt sich nicht, vor den Ἕλληνες und σοφοί zu pre-

253. Zu Kap. 16 siehe unten S. 125 ff.
254. Kuss (1963), S. 20.
255. So Stuhlmacher: Gerechtigkeit Gottes bei Paulus, 1965, S. 78.

digen, was ihnen als μωρία erscheinen muß; siehe 1Kor 1,22–23."[256] Aber dann muß der entscheidende Gesichtspunkt – μωρία – erst aus den Korintherbriefen eingetragen werden, wozu die römischen Christen, für die Paulus schreibt, um so weniger in der Lage waren, als den meisten von ihnen die paulinische Theologie überhaupt nicht näher vertraut war. Wie sollten sie also auf den Gedanken kommen können, Grund zur Scheu bestehe nur angesichts der in V.14 genannten Ἕλληνες und σοφοί, nicht aber in Gegenwart der zugleich erwähnten βάρβαροι und ἀνόητοι??

Andere Forscher sehen den Apostel in V.16 im Begriff, einen Vorwurf zurückzuweisen, der in Rom gegen ihn erhoben wurde, etwa den Vorwurf, er habe Angst, in Rom zu predigen[257]. Aber wir sahen bereits, daß derartige Vorwürfe im Proömium nicht aufgegriffen sein können; siehe S.54.

Von der beschriebenen Situation des Römerbriefes aus wird dagegen das οὐ γὰρ ἐπαισχύνομαι unmittelbar verständlich. Wir müssen bedenken, daß Paulus in V.16f. als Inhalt seines Schreibens jene Aspekte seiner Verkündigung angibt, die ihn ständig in die Auseinandersetzungen mit der Synagoge verwickelten und, wie der römische Leser sofort begreifen mußte, auch in Rom verwickeln werden. οὐ γὰρ ἐπαισχύνομαι heißt demzufolge: Ich scheue mich nicht, dies Evangelium auch in Rom zu predigen; ich habe keine Angst vor dem unausbleiblichen Konflikt mit der römischen Synagoge und vor den öffentlichen Folgen dieses Konflikts; ich fürchte mich nicht vor der Auseinandersetzung, die meine Predigt auch in Rom mit sich bringen wird. Die brennende Aktualität dieser Feststellung war Paulus wie den römischen Adressaten ohne weiteres deutlich; das Edikt des Claudius, wahrscheinlich auf Grund eines verwandten Konflikts erlassen, war noch in aller Erinnerung.

Eine relativ nahe Parallele zu unserem Wort bietet demnach Mk 8,38 par: ‚Wer sich meiner und meiner Worte schämt in diesem ehebrecherischen und sündigen Geschlecht, den wird auch der Menschensohn beschämen ...‘ Das ‚sich Jesu schämen‘ bezieht sich an dieser Stelle gleichfalls nicht auf die innere Bekenntnisscheu, sondern auf die Angst des schutzlosen Sektierers, des Gliedes der ‚kleinen Herde‘, vor der offiziell etablierten und mit Machtmitteln versehenen Synagoge[258].

256. (1933), S. 30; vgl. de Wette (1847), S. 15; Bernhard Weiß (1886), S. 70; Kühl, a.a.O. S. 34f.; Althaus, a.a.O. z. St.; Kuss (1963), S. 20.

257. Michel, a.a.O. S. 51; Kuss (1963), S. 32; Noack, a.a.O. S. 162.

258. Man darf ferner 2Tim 1,8 vergleichen: μὴ οὖν ἐπαισχυνθῇς τὸ μαρτύριον τοῦ κυρίου ἡμῶν μηδὲ ἐμὲ τὸν δέσμιον αὐτοῦ, wo die Furcht vor Maßnahmen der staatlichen Behörden im Blick steht. Darin spiegelt sich die geschichtliche Entwicklung von Paulus zu der Zeit der Deuteropaulinen wider: anstelle der Synagoge hat der Staat, bei Paulus noch im allgemeinen eine Schutzmacht der Christen, die Rolle des Bedrückers übernommen.

1,16 verbindet die Ausführungen über die (immer noch verhinderten) römischen Reisepläne des Apostels mit der Themenangabe des Briefes. Paulus ist sich also bewußt, daß die Thematik von Röm 1–11, ob sie nun mündlich oder – vorläufig – schriftlich in Rom laut wird, dort Unruhe auslösen muß. Er scheut diese Unruhe nicht, weil er sonst auf *das* Evangelium verzichten müßte, das ‚eine Kraft Gottes zur Rettung für *jeden* ist, sofern er nur glaubt, für den Juden zuerst und ebenso für den Heiden' (1,16).

14. Ausblick

Die Kap. 1–11 des Römerbriefes enthalten keine Darlegung des von Paulus gepredigten Evangeliums überhaupt, sondern sie proklamieren ausführlich die genuin paulinische These, daß dies Evangelium Juden und Heiden ohne Unterschied gilt; in dieser Erkenntnis liegt das Wahrheitsmoment aller Thesen, die Paulus im Römerbrief *sein* Evangelium entfalten sehen.

Soweit es Paulus angesichts von jüdischen Widerständen und Gegenaktionen geraten erscheint, die römischen Christen schon vor seiner Reise in die Hauptstadt in seinem Sinne zu beeinflussen, läßt sich das prophylaktische Motiv aus der historischen Erklärung des Römerbriefes nicht ausscheiden.

Da Paulus im Römerbrief seine in der Diskussion mit der Synagoge seit langem ausgebildeten Argumente vorträgt, haben alle jene Erklärungen seines Schreibens ein gewisses Recht, die Paulus auf ein Memorandum, ein Rundschreiben, ein Testament o. ä. zurückgreifen sehen.

Daß Paulus mit den römischen Heidenchristen wie mit Juden diskutiert, bestätigt in gewissem Maße die Theorie Willibald Beyschlags und verwandte Thesen, daß die römischen Christen Proselyten oder judaistische Heidenchristen waren.

Die Notwendigkeit, genau das zu schreiben, was wir im Römerbrief lesen, ergibt sich aus dem besonderen Charakter der römischen Gemeinde und der Absicht, die Paulus im Blick auf diese Gemeinde hat, so daß der Römerbrief – darin behält Baur unbedingt recht – wie alle Schreiben des Apostels nur aus seiner konkreten historischen Situation zu verstehen und verständlich zu machen ist.

Mit allem Gesagten ist nicht definitiv die Frage geklärt, welcher *akute* Anlaß Paulus zu einer bestimmten Zeit und an einem bestimmten Ort zur Feder greifen läßt. Muß dieser akute Anlaß im Lichte von 1,8 ff. gesehen werden: Paulus ist an seinem persönlichen Erscheinen in Rom bisher noch verhindert? Oder soll er umgekehrt von 15,14 ff. aus gesucht werden: Paulus steht im Begriff, über Jerusalem nach Rom zu fahren?

Die Spannung zwischen Kap. 1 und Kap. 15, die den Forschern früher mit gutem Grund viel zu schaffen gemacht hat, wird heute leider kaum noch beobachtet oder beachtet. Erst wenn die in dieser Spannung und anderwärts liegenden literarischen Probleme des Römerbriefes hinreichend bedacht worden sind, läßt sich die Frage nach dem *akuten* Anlaß des Römerbriefes sinnvoll stellen [259].

Für die *Auslegung* des Römerbriefes ergibt sich nach allem Gesagten allerdings schon jetzt, daß die historische Situation, aus der die Ausführungen des Apostels zu deuten sind, nicht primär in einem innerkirchlichen Dialog gesucht werden darf, sondern, so gewiß der Römerbrief an Christen adressiert ist, von dem Gespräch zwischen Paulus und der Synagoge bestimmt wird. Nur auf diesem geschichtlichen Hintergrund lassen sich die Aussagen des Paulus in seinem Schreiben nach Rom angemessen verstehen. Die verbreitete Empfindung, der Römerbrief zeige eine andere ‚Struktur' als die sonstigen Paulusbriefe, trifft insofern zu. Nur steht es nicht so, als entfalte Paulus im Römerbrief sein Evangelium dogmatisch-grundsätzlich, in den anderen Briefen kerygmatisch-aktuell. Zwar wird in weiten Partien von Röm 1–11 eine grundlegende Diskussion geführt, aber auch in den anderen Briefen des Apostels fehlen fundamentale theologische Abschnitte keineswegs. Die beobachtete Differenz gründet letztlich in den verschiedenen Gesprächspartnern: wendet sich Paulus sonst durchweg an die christliche Gemeinde, so in den entscheidenden Partien des Römerbriefes faktisch an die Synagoge.

Jeder Versuch, den Römerbrief zu interpretieren, muß scheitern, der diesen Sachverhalt nicht berücksichtigt.

259. Siehe unten S. 180 ff.

Kapitel B: Die Starken und die Schwachen in Rom
14,1–15,6

Wie paßt der Abschnitt 14,1–15,6 zu dem bisher gewonnenen Bild von der historischen Situation des Römerbriefes?

15,7–13

Nicht selten wird aus 15,8 ff. geschlossen, Paulus ermahne in 14,1–15,13 eine asketische Gruppe von Judenchristen und die anderen, vorwiegend heidenchristlichen Gemeindeglieder zur Eintracht[1] oder der Gegensatz von Starken und Schwachen in Rom sei überhaupt der Gegensatz von geborenen Juden und Heiden in der angeredeten Gemeinde[2]. Paulus wolle also in 15,7 sagen: Wie Christus euch beide, Juden und Heiden, die ihr euch als Schwache und Starke in Rom gegenübersteht, aufgenommen hat, so sollt auch ihr einander anerkennen. Wäre dies Verständnis richtig[3], so müßten wir entweder die Meinung revidieren, daß die angeredeten römischen Christen insgesamt Heidenchristen sind, oder wir müßten 14,1–15,13 dem Römerbrief absprechen.

Aber dies Verständnis ist, achtet man auf den Zusammenhang, offensichtlich falsch. Im vorliegenden Text sind Juden und Heiden in 15,8 f. als ein *Beispiel* gebraucht, das die Thematik von Kap. 1–11 dem Verfasser in die Hand gab. *Wie* Christus die Beschnittenen und die Unbeschnittenen, sie jeweils in ihrem Stand belassend, annahm, *so* sollen in der Gemeinde Starke und Schwache miteinander leben und sich gegenseitig gelten lassen[4]. Oder – wenn man

---

1. Vgl. z. B. Lipsius, a.a.O. S. 186. 192.
2. Hilgenfeld, a.a.O. S. 320; Pfleiderer (1882), S. 489 f.; Bernhard Weiß (1886), S. 637; Riggenbach (1893), S. 675 f.; Feine (1903), S. 57 f.; Clemen (1904) II, S. 237; Jülicher (1908), S. 312; Kühl, a.a.O. S. 463 ff.; Lütgert, a.a.O. S. 91; Sickenberger, (1939), S. 123; Marxsen (1963), S. 90; Bartsch (1965), S. 204; (1971), S. 85 f.; Schumacher, a.a.O. S. 36.
3. Dagegen ausdrücklich z. B. Lutterbeck, a.a.O. S. 98; Schultz, a.a.O. S. 118 f.; Spitta (1893) S. 21; Pfleiderer (1902), S. 151; Appel, a.a.O. S. 41; Lietzmann (1933), S. 118 f.; Suhl, a.a.O. S. 122 f.; vgl. Käsemann, a.a.O. S. 368 f.; Karris, a.a.O. S. 157 ff., 173.
4. „Christus, das führt Paulus aus, hat einen noch viel tiefer gehenden Gegensatz, als den zwischen Starken und Schwachen, nämlich den Gegensatz zwischen Juden und Heiden, dadurch überwunden, daß er Gläubige beiderlei Art zu sich, d. h. in die Einheit der christlichen bzw. der römischen Gemeinde aufgenommen hat" (Mangold, 1884, S. 96). Nur in diesem Sinne läßt sich sagen, „daß sich im 15. Kapitel der Gegensatz zwischen Glaubensstarken und Glaubensschwachen ganz ungezwungen zu dem Gegensatz zwischen Heiden-

das Schwergewicht auf 15,9–12 legt –: Wie ihr heidenchristlichen Leser des Briefes von Gott in Christus angenommen seid, obschon die Verheißungen zuerst den Juden galten, so sollt auch ihr als Schwache die Starken und als Starke die Schwachen in der Gemeinde gelten lassen.

Dies Beispiel sagt als solches nichts über den Charakter des Gegensatzes zwischen den Starken und den Schwachen in Rom aus, so daß es erst recht nicht angeht, mit den meisten der in Anm. 2 genannten Forscher ihre Deutung von 14,1–15,13 der historischen Situation des Römerbriefes überhaupt zugrunde zu legen und auch die Kap. 1–11 unter der Voraussetzung zu erklären, daß die von Paulus als heidenchristlich angeredete Gemeinde in Wahrheit aus Heidenchristen und Judenchristen bestand[5]. Freilich: liest man 15,7–13 *für sich*, geht es in diesen Versen zweifellos um das Problem des Verhältnisses von Juden(christen) und Heiden(christen), ohne daß von Starken und Schwachen überhaupt die Rede ist[6]. Der Abschnitt 15,7–13 zeigt also ein doppeltes Gesicht. Da er überdies nach einem relativen Abschluß (15,6) neu einsetzt und die Starken und Schwachen direkt nicht erwähnt, lassen wir ihn vorläufig unberücksichtigt und beschränken unsere Untersuchung auf 14,1–15,6. Dabei gehen wir auf Grund unserer bisherigen Einsichten davon aus, daß wir es bei den Starken *und* bei den Schwachen mit den im Römerbrief durchgehend angeredeten Heidenchristen zu tun haben.

Das Problem von 14,1–15,6

Der Abschnitt 14,1–15,6 ist durchsichtig aufgebaut[7].

14,1 enthält das Thema: Die Starken werden angeredet, die im Glauben Schwachen anzunehmen.

14,2 nennt die Ursache der Glaubensdifferenz von Starken und Schwachen: die einen essen alles, die Schwachen dagegen leben vegetarisch.

14,3–12 enthalten die grundlegende Erörterung des Problems: beide Einstellungen sind im Glauben möglich; keiner soll deshalb den anders Glaubenden richten und verachten; Gott allein steht das Urteil über die Gewissen zu.

14,13–15,6(7) greift auf 14,1 zurück und redet speziell die Starken an: sie sollen Rücksicht auf die Schwachen nehmen und sie nicht verführen, gegen

christen und Judenchristen erweitert" (Schumacher, a.a.O. S. 36). Vgl. ferner Völter (1905), S. 228; Rauer, a.a.O. S. 87. 102 f.; Lietzmann (1933), S. 118; Klein, a.a.O. S. 136 f.; Käsemann, a.a.O. S. 368 f. Karris, a.a.O. S. 173.

5. Siehe dazu S. 48 f.

6. Der intendierte Vergleich wird nicht ausgesprochen. Vgl. Spitta (1893) S. 21 f.; Jeremias: Jesu Verheißung für die Völker, 1956, S. 31.

7. Vgl. Nababan, a.a.O. S. 5 f.

die Einsicht ihres (schwachen) Glaubens zu handeln.

Worum geht es in dem angesprochenen Streit?
Deutlich ist, daß die Schwachen Gemüse bevorzugen, während die Starken alles essen. Bei ‚alles' hat man, wie 14,21 zeigt, vornehmlich an Fleisch und Wein zu denken. Dazu erwähnt Paulus in 14,5, daß anscheinend ein Teil der Gemeinde, ohne Frage die ‚Schwachen', bestimmte Tage vor den anderen auszeichnen, während die Starken alle Tage gleich halten.
Man kann allerdings nicht sicher sagen[8], ob Paulus gehört hat, daß die Schwachen in Rom kein Fleisch essen *und* keinen Wein trinken *und* bestimmte Tage heiligen. Paulus spricht zunächst (14,2) nur vom *Essen*, nicht vom Trinken oder Feiern. Vielleicht ist also dieses Verhalten der Schwachen derart typisch für Paulus, daß er denselben Leuten ohne weiteres auch die Enthaltung von Wein und das Halten bestimmter Festtage zuschreibt. Oder er hält es für denkbar und möglich, daß die Schwachen auch auf Weingenuß verzichten und bestimmte Festtage noch halten, weshalb er solches Verhalten beispielhaft in seine Gedankenführung einbezieht, ohne darüber urteilen zu wollen, was alles das Verhalten der Schwachen in Rom konkret auszeichnete[9].
Zum anderen muß offen bleiben, ob die Schwachen einem grundsätzlichen Vegetarismus huldigen[10] oder ob sie nur bei bestimmten Gelegenheiten oder zu bestimmten Zeiten auf den Genuß von Fleisch und Wein verzichteten bzw. ob sie bestimmtes Fleisch und bestimmten Wein ablehnten. Die sehr allgemein gehaltene Argumentation des Paulus läßt die verschiedenen Möglichkeiten des Verständnisses zu, und angesichts der Tatsache, daß die Empfänger des Briefes die Situation genau und besser als Paulus kannten, brauchte Paulus nicht eindeutiger zu sprechen – falls seine Kenntnis der Lage in Rom ihn dazu überhaupt befähigt hätte. 14,2 macht den Eindruck, als ließe Paulus die genannten Möglichkeiten bewußt offen: ὃς μὲν πιστεύει φαγεῖν πάντα, ὁ δὲ ἀσθενῶν λάχανα ἐσθίει. Eine Interpretation der Situation in Rom und des Verhaltens der römischen Christen, welche die ‚Offenheit' der paulinischen Argumentation einbezieht und ein im einzelnen variables Verhalten der ‚Schwachen' in Rom für möglich hält, verdient darum in jedem Fall den Vorzug vor einer ‚engen' Bestimmung der römischen ‚Askese'.

8. Vgl. Riggenbach (1893), S. 651; Feine (1903), S. 40 ff.; Zahn (1906), S. 266 f.; Lütgert (1913), S. 90; Rauer, a.a.O. S. 97 ff.; Michel, a.a.O. S. 335.
9. Extrem unwahrscheinlich und aus dem Text nicht zu erhärten ist allerdings die Vermutung von Friedrich (a.a.O. Sp. 1138), in Rom habe es zwei getrennte Gruppen von Schwachen gegeben, die asketischen ‚Vegetarier' und die ‚Tagebeobachter'; ähnlich bereits Völter (1890), S. 42; Rauer, a.a.O. S. 180 ff. Dagegen z.B. Zahn (1910), S. 573; Riggenbach (1893), S. 653.
10. So z.B. Rauer, a.a.O. S. 96.

Erklärungsmöglichkeiten

Wie läßt sich das Verhalten der Schwachen erklären?

1. Vegetarismus ist vor allem für die Pythagoräer bezeugt, die das ‚Beseelte‘ nicht essen (ἀποχὴ ἐμψύχων) und sich, freilich nur vereinzelt, auch des Weins enthielten, sowie in ihrer Nachfolge von einigen Stoikern, besonders von C. Musonius Rufus[11].

2. Zeitweilige kultische Enthaltung von Fleisch und Wein begegnet öfter in den Zauberpapyri und wird auch von Apulejus bezeugt (Met 11,28: *inanimis contentus cibis*)[12].

3. Philos Therapeuten bescheiden sich mit Wasser, Brot und Salz[13]. Ebenso bezeugt der Talmud die generelle Enthaltung von Fleisch und Wein in bestimmten jüdischen Kreisen, die damit ihre Trauer über die Zerstörung Jerusalems kundtun[14]. Die Essener kann man in diesem Zusammenhang kaum mit Recht anführen, wie das zu unserem Problem ertraglose Qumranschrifttum bestätigt[15].

4. Judenchristen der späteren Zeit (Ebioniten) enthielten sich ebenfalls des beseelten Fleisches und des Weines, feierten natürlich auch den Sabbat[16].

5. Die Enkratiten enthielten sich der Ehe und des Fleischgenusses, der auch von anderen gnostischen Richtungen verworfen wird[17].

11. Vgl. z. B. Philostrat; Vita Apollonii I, 1. 8; Diog. Laert. 8,13.38; Seneca ep. 108; Porphyrius; Vita Pyth. § 7; Sextus Emp., Adv.math. 9,127; Juvenal, Sat. 15,173; Origenes c. Cels. 5,41; Epiphan. Haer. 1,1; 3,2.8. Riggenbach (1893), S. 655 ff.; Rohde, Psyche, II², S. 125. 133, Anm. 1. 164, Anm. 1; v. Dobschütz (1902), S. 274 ff.; Zeller: Die Philosophie der Griechen, III 2, 4. Aufl., 1903, S. 93 f. 106 f. 161 f. Feine (1903), S. 47 ff.; Rauer, a.a.O. S. 139 f. 148 ff.; Lietzmann (1933), S. 114 f.; Michel, a.a.O. S. 334; Haussleiter: Der Vegetarismus in der Antike, 1935, S. 97 ff.

12. Haussleiter (siehe Anm. 11), S. 18 ff.; Hopfner: Griechisch-ägyptischer Offenbarungszauber. Seine Methoden, II, 1924, § 851.

13. Philo, de vita contempl. 37; vgl. de provid. 2,111 = Euseb. Praepar. ev. VIII 14,70; Lucius (1879) S. 38 f.; Haussleiter (siehe Anm. 11) S. 39 ff. (Lit.).

14. TSota 15,11–15 (322) = Billerbeck III S. 307 f.; Rauer, a.a.O. S. 141 f.

15. Vgl. Lucius (1879) S. 38 f.; (1881), S. 55 ff.; Spitta (1901), S. 33; Zahn (1906), S. 266 f.; Bousset-Gressmann, a.a.O. S. 465; Haussleiter (siehe Anm. 11) S. 35 ff. (Lit.).

16. Didasc. 121,25–27. 122 f.; Const. Ap. VI 10,3; Ps. Cl. Hom. 7,4; 8,15 ff.; 8,19; 12,6; Hegesipp bei Euseb. KG II 23,5; Clem. Al. Paid. II 1,16; III 4,26; Hier. de vir. ill. 2; in Jes 5,22 (Migne PL 24,87); Epiph. Haer. 30,13.4; 15.3; 18.1; 18.9; 21.1; 22.4.
Riggenbach (1893), S. 661 ff.; Baur, Paulus, 2. Aufl., 1866, S. 380 ff.; Rauer, a.a.O. S. 158 ff.; Seeberg, a.a.O. S. 38 ff.; Schoeps, a.a.O. S. 188 ff.; Lohmeyer, a.a.O. S. 1 f.

17. Iren. I 24,2; I 28; Euseb. KG IV 29; da es sich bei den Enkratiten Tatians um eine gnostisch-asketische Strömung handelt, darf man auch Kol 2,16 ff.; 1Tim 4,3; Tit 1,14 f. (vgl. auch Hebr 13,9) hier einbeziehen. Vgl. Rauer, a.a.O. S. 160 ff.; 164 ff. Vgl. ferner Corp, Herm., Ascl. 42 Ende; NHC VI (Oratio) S. 65,3–7.

6. *Zeitweilige* Enthaltsamkeit von Fleisch oder (und) Wein forderten das Judentum wie die Kirche z. B. an bestimmten Fasttagen [18].
Was ist mit den besonderen Tagen (14,5 f.) gemeint? Man verweist auf Fasttage [19], auf den Sabbat und die gewöhnlichen jüdischen Festtage [20], auf den Beginn der Sonntagsfeier [21] und auf ‚dämonische' Tage [22].
Die Erklärungsmöglichkeiten für das Verhalten der ‚Schwachen' sind also vielfältig.

Heidnische Einflüsse, seien es solche grundsätzlichen Vegetarismus oder solche vorübergehender Enthaltsamkeit, sind auszuschließen. Zumindest rechnet Paulus nicht mit solchen Einflüssen; denn sonst hätte er das Verhalten der ‚Schwachen' nicht grundsätzlich als eine Haltung des Glaubens – wenn auch eines schwachen Glaubens – billigen können. Auch hätte er dann schwerlich die Frage der kultischen Reinheit in seine Argumentation einbezogen (14,14), die sich für die Pythagoräer und Stoiker nicht stellte. Heidnische Vegetarier, die auch Weingenuß mieden, sind überdies in jener frühen Zeit nicht sicher nachgewiesen. Das Beobachten bestimmter Tage ist bei heidnischen Vegetariern nicht bezeugt.
Wenn dennoch derartige Einflüsse von Forschern in Rechnung gestellt wurden [23], so meist von solchen, die eine heidenchristliche Gemeinde in Rom voraussetzten und meinten, aus diesem Grunde heidnische Einflüsse annehmen zu müssen. Indessen standen die römischen Heidenchristen, wie wir sahen, längst unter dem Einfluß der Synagoge.

18. Lev 10,9; Hes 44,21; Dan 10,3; 4 Es 9,24.26; 12,51; Test. XII Ruben 1,10; Juda 15,4; vgl. 16,3; Taan 4,7; Baba bathra 60b; Billerbeck IV, S. 77 ff.; v. Dobschütz (1902), S. 275; Zahn: Der Brief des Paulus an die Römer, 3. Aufl., 1925, S. 571, Anm. 4; Haussleiter (siehe Anm. 11), S. 35 ff.
19. Jülicher (1908), S. 312; Rauer, a.a.O. S. 180 ff.; Appel, a.a.O. S. 41; Kühl, a.a.O. S. 450.
20. de Wette (1847), S. 178; Riggenbach (1893), S. 653 f.; Hilgenfeld, a.a.O. S. 319; Zahn (1910), S. 574; Lütgert, a.a.O. S. 90.
21. Schlatter, a.a.O. S. 371; den Sabbat zugunsten des Herrentages aufzugeben, ist jedoch schwerlich als ein Zeichen von Schwäche zu werten, zumal Paulus in 1 Kor 16,2 diesen Tag in seinen Gemeinden als hervorgehoben voraussetzt (vgl. Apg 20,7).
22. Rabbinische Stellen dazu bei Billerbeck III 308 f. Die Einhaltung solcher Tage untersagt Paulus in Gal 4,10 (vgl. Kol 2,16) ausdrücklich. Schwerlich kann er sie dann an unserer Stelle, an der er die ‚Tage' zu Adiaphora erklärt, im Blick haben.
23. Eichhorn, a.a.O. S. 221 ff.; Völter (1890), S. 42; Spitta (1901) S. 32 ff., der um dieser Erklärung willen zudem 14,5.6a ausscheidet (S. 41); v. Dobschütz (1902), S. 92 ff.; Grau, a.a.O. S. 109; Haupt (1895), S. 386 f.
Dagegen Bernhard Weiß (1886), S. 609 f.; Riggenbach (1893), S. 655 ff.; Feine (1903), S. 47 ff.; Lütgert, a.a.O. S. 90 ff.; Feine-Behm, a.a.O. S. 164.

Einflüsse jüdisch-asketischen Denkens und damit gegebenenfalls Beziehungen zum späteren dualistischen Enkratismus haben vor allem jene Forscher angenommen, welche die römische Gemeinde für mehr oder weniger judenchristlich hielten[24]. Daß man sich dabei nicht auf 15,7–13 berufen darf, als seien die Schwachen Judenchristen, die Starken Heidenchristen, stellten wir bereits fest. Aber auch davon abgesehen bleibt zu erwägen, ob nicht derartige jüdische Einflüsse unter den römischen Heidenchristen, an die Paulus schreibt, virulent waren.

Bei dieser Lösung aber sind die besonderen Tage schlecht unterzubringen, die zu beobachten Paulus den Schwachen in Rom unterstellt; denn Fasttage können es bei prinzipieller Enthaltsamkeit nicht gut sein, und die Berücksichtigung besonderer Festtage sind für die enkratitischen und verwandte Vegetarier nicht bezeugt. Außerdem wäre bei solchen Einflüssen nicht verständlich, wieso Paulus über die Frage ‚rein' und ‚unrein' reflektiert (14,14); denn für kein jüdisches oder judenchristliches Denken waren Fleisch und Wein überhaupt etwas unreines. Beides konnte nur von Fall zu Fall verunreinigt werden. Grundsätzliche jüdische Askese ließ sich nicht mit der allgemeinen Unreinheit von Fleisch und Wein begründen.

Tendenzen einer dualistisch begründeten, enkratitisch-gnostischen Askese hat es allerdings im zeitgenössischen Judentum zweifellos gegeben, und grundsätzliche Bedenken, solche Tendenzen auch in Rom anzunehmen, darf man nicht geltend machen. Es gibt jedoch keine Anzeichen dafür, daß ein dementsprechend begründeter Verzicht auf Fleisch bereits in paulinischer Zeit irgendwo in christlichen Gemeinden Eingang gefunden hatte. Angesichts der Tatsache, daß die römischen Christen in ihrer Zusammensetzung das Christentum zwischen Antiochien und Korinth überhaupt widerspiegelten, darf man darum kaum mit einem spürbaren dualistisch-asketischen Einfluß auf die römische Christenheit rechnen.

Wer die Lösung dennoch in dieser Richtung sucht, weil er die Schwachen für Judenchristen hält, müßte 14,1–15,6 dann eigentlich dem Römerbrief absprechen; denn die römischen Christen sind zweifellos Heidenchristen[25].

Oder soll man daran denken, daß die ‚Schwachen' noch die jüdischen Fasttage beobachteten und an diesen Tagen auf Fleisch- und Weingenuß verzich-

24. Baur (1845), S. 384 ff.; Ritschl (1857), S. 232 f.; Hilgenfeld, a.a.O. S. 318 f.; Hausrath (1875), S. 393, der es überdies für „selbstverständlich" hält, daß die ‚Schwachen' in Rom sich auch der Ehe enthielten; Schultz, a.a.O. S. 120 ff.; Mangold (1884), S. 240 ff.; Bernhard Weiß (1886), S. 609 ff.; Lipsius, a.a.O. S. 186; Feine (1903), S. 56 f.; Schrenk, a.a.O. S. 85; 105 f.; Bornkamm (1971), S. 122. Dagegen z. B. Riggenbach (1893), S. 661 ff.
25. Unter anderem aus diesem Grunde versetzt Schultz, a.a.O. S. 120 ff., 14,1–15,6 in das von ihm rekonstruierte Schreiben nach Ephesus (siehe S. 152). Vgl. ferner Rauer, a.a.O. S. 165 ff.

teten[26] oder daß sie sich „als Ausdruck ihrer fortwährenden Bußstimmung" des Fleisches und des Weins enthielten[27]? Aber auch das kann schwerlich die Meinung des Paulus über die von ihm angesprochenen Verhaltensweisen sein; denn er diskutiert in 14,14.20 das Problem von ‚rein' und ‚unrein', das bei gewöhnlichem Fasten gar nicht zur Diskussion stand. Und nirgendwo deutet Paulus an, daß er 14,2 und 14,5 derart verbunden sehen möchte, daß die Enthaltung von Fleisch an den in 14,5 genannten Tagen erfolgte. Das ‚Halten der Tage' und das ‚Nicht essen' sind parallele, sich ergänzende und entsprechende Verhaltensweisen (14,6), nicht aber verschiedene Beschreibungen desselben Verhaltens. Auch gibt es für ein ständiges Bußfasten von Heidenchristen keinerlei sonstige Belege.

Bartsch zufolge[28] „erlaubt es die historische Situation in Rom z.Z. des Römerbriefes, in den Schwachen Judenchristen zu sehen, die nach dem Judenedikt des Claudius keine Möglichkeit mehr hatten, kultisch reines Fleisch zu essen und darum auf jeden Fleischgenuß verzichteten und ebenso aus Furcht vor Libationswein auch auf den Weingenuß". Diese Auskunft mag der Lösung nahe kommen, aber wer sich auf das Edikt des Claudius beruft, darf nicht zur gleichen Zeit mit *Juden*(christen) in Rom rechnen; und tatsächlich redet Paulus auch die römischen Christen insgesamt als Heiden(christen) an.

Die Lösung

Voll erklärlich wird die in 14,1–15,6 vorausgesetzte Situation, wenn man annimmt, daß die angeredete Christenheit im wesentlichen aus ehemaligen Gottesfürchtigen bestand.

Im Blick auf solche Gottesfürchtige – er spricht von Proselyten „im weitern Sinn" – hatte schon Weizsäcker[29] das Problem von Röm 14,1–15,13 zu erklären versucht. Einige von diesen hätten die Speisegesetze der Synagoge derart übertrieben, daß sie den Fleisch- und Weingenuß ganz aufgaben, um so das natürliche Leben zu heiligen. Nun, zu *solcher* Übertreibung boten die jüdischen Speisegesetze selbst keinerlei Anlaß, und daß es ausgerechnet bei christlichen Gottesfürchtigen zu solchen Übertreibungen gekommen sei, ist recht unwahrscheinlich[30].

Immerhin war Weizsäcker auf keinem ganz falschen Weg. Die Gottesfürchtigen haben sich während der Zeit ihrer Zugehörigkeit zur Synagoge des

26. So gelegentlich die Väterexegese; siehe Zahn (1910), S. 570.
27. Völter (1905), S. 175.
28. (1967), S. 33.
29. (1902), S. 419 f.
30. Vgl. Rauer, a.a.O. S. 137.

Unreinen enthalten und die jüdischen Feiertage beachtet, wenn auch sicherlich nicht alle σεβόμενοι in gleichem Maße. Die Bestimmungen des sogenannten Aposteldekrets geben über Gebote, die für das Zusammenleben von
Juden und Gottesfürchtigen erforderlich waren, deutliche Auskunft: Enthaltung von Götzenopferfleisch, von Blut, von ungeschächtetem Fleisch (Er-
sticktem) und von verbotenen Verwandtenehen[31]; dazu wird man die Enthaltung von Schweinefleisch, von Libationswein und anderes rechnen
müssen.

Wer diese Regeln streng beachtete, konnte leicht zu vollständiger Enthaltung
von Fleisch und Wein geführt werden, falls er nicht bei einem jüdischen
Schlachter oder Händler einkaufen konnte, der die kultische Unversehrtheit
seiner Ware garantierte. An heidnischen Tischen mußte er indessen grundsätzliche Abstinenz von Fleisch und Wein üben und nur ‚Gemüse' essen
(14,2).

Dan 1,3–16 spiegelt diese Situation gut wider. Die in den babylonischen
Hofdienst aufgenommenen jüdischen Knaben verzichten auf die von der
königlichen Tafel gelieferte Kost und auf den königlichen Wein, um sich
nicht zu verunreinigen, und leben von Pflanzenkost und Wasser. Sie übten
also in der heidnischen Umwelt genauso wie die ‚Schwachen' in Rom grundsätzliche Abstinenz von Fleischspeisen und vom Wein, um der Gefahr zu
entgehen, Unreines zu sich zu nehmen. In den Zusätzen zum Buch Esther
(3,28) heißt es dementsprechend: „Auch hat deine Magd nicht mit am
Tische Hamans gegessen ... noch habe ich vom Trankopferwein getrun-
ken."

Josephus berichtet[32] von einigen jüdischen Priestern, die zur Zeit Neros als
Gefangene nach Rom gebracht wurden und „auch im Unglück die Ehrfurcht
gegen Gott nicht außer Acht ließen und sich von Feigen und Nüssen er-
nährten". Die Unmöglichkeit, die gewöhnliche Nahrung in kultisch reiner
Form zu bekommen, führte diese Priester also zu grundsätzlichem Verzicht
auf Fleischnahrung.

In 2Makk 5,27 heißt es von Judas Makkabäus, er sei, nachdem Antiochus
Jerusalem erobert hatte, mit einigen Freunden in die Wüste gezogen. „Er
führte mit den Seinigen ein Leben nach Art der wilden Tiere im Gebirge
und nährte sich beständig von Kräutern, um sich nicht gleich andern be-
flecken zu müssen."

Mit guten Gründen nimmt Schoeps[33] an, daß der ebionitische Verzicht auf

---

31. Apg 15,29; 21,25; vgl. Apk 2,14.20; vgl. Billerbeck II, S.722; III, S.36ff.; meine Untersuchung ‚Paulus und Jakobus', 1963, S.81ff.
32. Vita 3; vgl. 13.
33. A.a.O. S.188ff.

das Essen von Fleisch in ähnlicher Weise auf einen hyperpharisäischen Rigorismus zurückzuführen sei.

Auf Grund solcher Nachrichten aus dem zeitgenössischen Judentum urteilt Billerbeck[34] mit Recht, daß es sich bei den ‚Schwachen' in Rom um Christen handelte, „die, um nicht unwissentlich Götzenopferfleisch oder heidnischen Libationswein zu trinken, prinzipiell auf all u. jeden Fleisch- und Weingenuß verzichteten"[35].

Paulus hat, wie wir sahen (siehe S. 81 f.), die aus der Synagoge stammenden Bräuche, obschon er selbst als ‚Starker' prinzipiell von ihnen frei war, nicht bewußt abgeschafft; denn sonst hätte es in Korinth nicht noch zu einer Diskussion über das Essen von Götzenopferfleisch kommen können. Auch in dieser Hinsicht hatte er den Grundsatz gelten lassen, daß jeder in dem Stande bleiben möge, in dem er berufen wurde (1 Kor 7,18 ff.). Andererseits läßt er nie einen Zweifel daran, daß die synagogalen Reinheitsgesetze durch Christus prinzipiell überwunden sind (Röm 14,14.20; 1 Kor 8,4 ff.).

Diese ‚liberale' Einstellung des Apostels entspricht nicht nur seiner theologischen Einsicht; sie entspricht auch dem faktischen Verhalten in den verschiedenen heidenchristlichen Gemeinden. Es gab in den Gemeinden des Ostens Heidenchristen, die sich – wie Paulus – von den gesetzlichen Gepflogenheiten der Synagoge grundsätzlich losgesagt hatten und ‚heidnisch' lebten (ὃς μὲν πιστεύει φαγεῖν πάντα Röm 14,2). Andere blieben auch nach ihrer Taufe aus Gewohnheit oder aus Gewissensgründen weiterhin den Gepflogenheiten verbunden, die sie als Gottesfürchtige angenommen hatten, zumal jene, die von einer judenchristlichen Mission erreicht worden waren und ihre Neigung zur Synagoge nicht aufgaben.

In der römischen Christenheit fanden sich, wie wir sahen, Christen aus den unterschiedlichen Gemeinden des Ostens zusammen. Deshalb gab es unter ihnen *von vornherein* ‚Starke' und ‚Schwache'.

Daß es zwischen den ‚Schwachen', welche die Speisegesetze und die Fest- oder Fasttage, besonders den Sabbat, weiterhin beachteten, und den Freien, die sich wie Paulus davon dispensiert wußten, zu Diskussionen und gegenseitigen Vorwürfen kommen konnte, ist nicht verwunderlich. Aus dieser Situation wird Röm 14,1–15,6 voll verständlich[36]. Wie weit dabei die Ent-

---

34. III, S. 307. Kurzschlüssig ist angesichts der angeführten Stellen das apodiktische Urteil von Käsemann, a.a.O. S. 352: „Provenienz aus jüdischer Orthodoxie ist ausgeschlossen. Generelle Enthaltsamkeit von Fleisch und Wein gab es dort nicht."

35. So auch de Wette (1847), S. 178 f.; Tholuck, a.a.O. S. 701 (mit Hinweis auf ältere Ausleger von Augustin bis Erasmus); Rückert, a.a.O. S. 592 f.; Riggenbach (1893), S. 670 ff.; Feine (1903), S. 55 f.; Schlatter, a.a.O. S. 367 f.; Schoeps, a.a.O. S. 190 ff.; Michel, a.a.O. S. 334; Bartsch (1967), S. 33; Suhl, a.a.O. S. 127 f.; Wilckens, a.a.O. S. 121.

36. Vgl. Neander, a.a.O. S. 358 f.: „. . . die Enthaltung vom Genusse des Opferfleisches. Darauf

haltsamkeit der ‚Schwachen' ging, läßt sich den Worten des Paulus allerdings nicht entnehmen. Daß sie überhaupt kein Fleisch aßen und den Wein grundsätzlich verschmähten, muß man nicht annehmen. Auch mögen es die einen so, die anderen anders gehalten haben. Jedenfalls aber enthielten sie sich an den Tischen der Heiden und der ‚starken' Heidenchristen von Fleisch und Wein, um mögliche Verunreinigung zu vermeiden. Für den häuslichen Gebrauch mögen sie beim jüdischen Händler koschere Ware eingekauft haben[37].

Bei diesem Verständnis des historischen Hintergrundes von 14,1–15,6 haben wir in 1Kor 8,1–11,1 eine enge Parallele zu der Auseinandersetzung zwischen den Starken und den Schwachen in Rom[38]. In Korinth war es bei den von Paulus bekehrten Christen selbstverständliche Sitte gewesen, den heidnischen Kult und die heidnischen Kultmahlzeiten zu meiden. Enthusiastische Eindringlinge vermutlich genuin gnostischer Observanz demonstrieren in der Gemeinde ihre Überlegenheit über alles Dämonisch-Heidnische, indem sie bedenkenlos an den Götzenopfermahlzeiten teilnehmen. Das verbietet Paulus in einem frühen Brief nach Korinth (1Kor 9,24–10,22).
Offenbar stimmt die Mehrheit der Gemeinde diesem für das öffentliche Bekenntnis der Christen unerläßlichen Grundsatz zu, bittet den Apostel jedoch um Auskunft, ob man das Götzenopferfleisch, das überall auf dem Fleischmarkt und an den Tischen der heidnischen Gastgeber angeboten wurde, essen dürfe. In dieser Frage standen sich auch in Korinth die Starken und die Schwachen, die sich von ihrem Stand als ‚Gottesfürchtige' noch nicht völlig lösen konnten, gegenüber. Paulus argumentiert den Korinthern gegenüber genauso wie in Röm 14,1–15,6: Man darf essen, aber die Starken

allein paßt alles in diesem Abschnitt. Nun erhält es auch einen auf die Verhältnisse der Zeit wirklich anwendbaren Sinn, wenn von Solchen die Rede ist, welche in gewissen Fällen sich lieber des Fleisches ganz enthielten, bloß Gemüse aßen, um nur nicht, ohne es zu wissen, in die Gefahr zu kommen, etwas Unreines und Verunreinigendes, von Opferthieren genommenes Fleisch zu genießen ... Nun erklärt sich auch, wie Paulus sagen konnte: man sollte lieber im Notfalle gar kein Fleisch essen und gar keinen Wein trinken, als das Gewissen der Schwachen beunruhigen. Man muß nur *daran* denken, daß die Heiden neben den Opfern auch Libationen verrichteten, daß dieselben Bedenken, welche in Beziehung auf das zu den Opfern bestimmte Fleisch auch in Beziehung auf den zu den Libationen bestimmten Wein stattfinden mußten."

37. Vgl. zu dieser Problematik Riggenbach (1893), S. 673. Dem Argument Barretts (a.a.O. S. 256), daß auch die ‚Schwachen' sich bei jüdischen Metzgern kultisch reines Fleisch für den Hausgebrauch kaufen konnten, hält Krieger (a.a.O. S. 148) wenig überzeugend entgegen, Christen seien bei jüdischen Kaufleuten kaum willkommene Kunden gewesen.
38. Neander, a.a.O. S. 359 f.; Lucht, a.a.O. S. 164; Riggenbach (1893), S. 668 ff.; Rauer, a.a.O. passim, bes. S. 122 ff.; Schlatter, a.a.O. S. 364. 367 f.; Karris, a.a.O. S. 163 ff.

sollen auf dies Recht dann verzichten, wenn sie die Schwachen verführen, mit schlechtem Gewissen das Götzenopferfleisch zu essen, oder wenn sie vor den Heiden damit den Eindruck erwecken, es mit ihrem Glauben nicht ernst zu meinen (8,1–13; 9,19–22; 10,23–11,1).

„Beide Male haben wir zwei Parteien, welche Paulus Schwache und Starke nennt. In beiden Fällen handelt es sich um die Stellung zu Speisen, die von den einen als rein, von den andern als unrein angesehen werden. In beiden Fällen sieht Paulus die Beurteilung der Speise als eine unreine für das Zeichen eines schwachen Gewissens an, während er selbst zu den Starken gehört, und zwar dadurch, daß er nichts in sich selbst als unrein ansieht, sondern alles, weil es von Gott geschaffen ist, als rein. In beiden Fällen aber stellt er sich, trotzdem er persönlich zu den Starken gehört, auf die Seite der Schwachen und schützt sie gegen die hochmütige Verachtung, mit welcher die Starken auf sie herabsehen. Beide Male warnt er die Starken vor einem rücksichtslosen Gebrauch ihrer Freiheit. Er sieht darin eine Lieblosigkeit und fürchtet davon eine Verführung der Schwachen zu einer Freiheit, die sie innerlich nicht haben. In beiden Fällen sieht er darin nicht nur eine eingebildete, sondern eine wirkliche Gefährdung ihres Heils, und in der Rücksichtslosigkeit der Starken eine Zerstörung des Werkes Christi. In beiden Fällen verlangt er nicht nur, daß man die Schwachen in ihrer Abstinenz nicht stören dürfe, sondern er fordert sogar, daß die Starken um der Schwachen willen auf jeden Genuß, dem sich die Schwachen versagen, auch müßten verzichten können, und zwar muß hervorgehoben werden, daß er 1Kor 8,13 ebenso wie Röm 14,21 sich selbst bereit erklärt, vollständig auf jeden Fleischgenuß zu verzichten, um nur die Brüder nicht zu verführen."[39]

Man hat demgegenüber allerdings darauf verwiesen, daß Paulus im Ersten Korintherbrief nicht den Wein und die besonderen Tage, im Römerbrief nicht speziell das Götzenopferfleisch erwähnt, und hat gemeint, auf Grund dieser richtigen Beobachtung die genannte Parallele überhaupt in Frage stellen zu können[40].

Mit Unrecht[41]! Daß Paulus im Ersten Korintherbrief das Götzenopferfleisch als Sonderfall unreiner Speise ausdrücklich nennt, liegt an der Anfrage der Korinther, die περὶ τῶν εἰδωλοθύτων erging. Im Römerbrief dagegen spricht Paulus nicht speziell vom εἰδωλόθυτον, weil keineswegs nur den Götzen geopfertes, sondern z. B. auch ersticktes Fleisch für den Juden unrein war. Dementsprechend schweigt Paulus im Ersten Korintherbrief vom Wein, ohne

---

39. Lütgert, a.a.O. S. 94 f. Vgl. v. Soden, a.a.O. S. 42; Johannes Weiß (1917), S. 279 f.; Michel, a.a.O. S. 334; Hans Wilhelm Schmidt, a.a.O. S. 226; Suhl, a.a.O. S. 128.

40. Eichhorn, a.a.O. S. 225, Anm. g; Feine (1903), S. 53 f.; Rauer, a.a.O. S. 122 ff.

41. Tholuck, a.a.O. S. 701; Riggenbach (1893), S. 668 ff.; Lütgert, a.a.O. S. 95 ff.

ihn freilich ganz außerhalb des Blicks zu haben (10,31!), und von den jüdischen Feiertagen: danach war er nicht gefragt worden, und angesichts der Tendenz des Paulus, diese ganze Problematik weiterhin für ἀδιαφόρως zu erklären – jeder soll den anderen in dessen Verhalten und Verständnis gelten lassen –, wird er sich hüten, die Diskussion unnötig auszuweiten.

Mit anderen Worten: in Korinth begegnet auf Grund einer konkreten Anfrage der Korinther nur ein Ausschnitt des Problems, wie man sich als Christ zu der für die Gottesfürchtigen verbindlichen Zeremonialgesetzgebung der Synagoge verhalten soll, nämlich die Frage nach dem unreinen Götzenopferfleisch; daß man z. B. Ersticktes essen dürfe, mag in der paulinischen Gemeinde zu Korinth gar nicht mehr strittig gewesen sein. Im Römerbrief wird dagegen entsprechend der ,breiteren' Gemeindesituation das Problem von Paulus in größerer Weite vorgestellt. Die Problematik aber ist hier wie dort dieselbe und dürfte in allen heidenchristlichen Gemeinden, da diese sich im wesentlichen aus Gottesfürchtigen zusammensetzten, früher oder später akut geworden sein.

Friedrich[42] schreibt: „Im Korintherbrief sind die Schwachen Angefochtene, die aus Angst vor Berührung mit dem Heidentum kein Fleisch kaufen, im R(ömerbrief) dagegen selbstbewußte Asketen, die sich zu Richtern über die Starken aufschwingen (14,3f. 10. 13)." Dieser Gegensatz ist überspitzt dargestellt und nur scheinbar vorhanden: Wer in Angst vor der Verunreinigung durch unerlaubte Speise lebt und handelt, wird leicht die Starken, die solche Angst nicht kennen, richten und sie unerlaubten Verhaltens zeihen.

Andererseits liegt kein Grund vor, die Parallelität der Situation in Rom und Korinth so eng zu fassen, daß man auch für Rom mit dem Eindringen libertinistisch-gnostischer Irrlehrer rechnen dürfte, wie Lütgert[43] tut. *Die Differenz*[44] zwischen Rom und Korinth ist unbestreitbar, daß 1Kor 8,1–11,1 zufolge die Diskussion um die Reinheitsvorschriften in Korinth durch die eingedrungenen Gnostiker aus ihrer Latenz hervorgerufen wurde, während in Röm 14,1–15,6 von Eindringlingen keine Spur zu finden ist; in Rom brach die Differenz aus der differenziert zusammengesetzten Gemeinde selbst auf.

Daß der Konflikt zwischen den Starken und den Schwachen in Rom aus der Gemeinde selbst erwuchs, bestätigt das Bild, das wir bisher von der römischen Christenheit gewonnen hatten: Diese Christenheit ging nicht auf eine einheitliche Mission zurück, sondern spiegelt von ihrem Ursprung her die unterschiedlichen Tendenzen wider, die im Heidenchristentum des Ostens virulent waren. Dabei überrascht freilich, daß Paulus in 14,1–15,6

---

42. A.a.O. Sp. 1138.
43. A.a.O. S. 90 ff.
44. Vgl. Käsemann, a.a.O. S. 348 f.

mit einer großen, offensichtlich die Mehrheit der Gemeinde bildenden Gruppe von ‚Starken' rechnet, die er vor allem anredet und von der er voraussetzt, daß sie sich längst von den synagogalen Gewohnheiten losgelöst hatte. Von einer solchen Gruppe war nämlich in Kap. 1–11 nicht die Rede gewesen, und die paulinische Argumentation in Kap. 1–11 erlaubt auch nur schwer die Vermutung, daß Paulus bei der Abfassung dieses Hauptteils seines Briefes damit rechnete, die Mehrzahl der römischen Christen habe längst den Bruch mit der Synagoge vollzogen und die unter den gottesfürchtigen Heiden üblichen Observanzen, die ein Zusammenleben mit den Juden ermöglichen sollten, bereits abgelegt.

Innerhalb der grundsätzlich gleichen Situation von Kap. 1–11 und 14,1–15,6 ergibt sich also eine nicht geringe Spannung, die alle Aufmerksamkeit verdient und uns später noch beschäftigen wird, wenn auch die zu Beginn des vorliegenden Kapitels B bemerkte undeutliche Funktion von 15,7–13 geklärt werden wird.

Kapitel C: Die Doxologie 16,25–27

Die Doxologie 16,25–27 ist in sich selbst nicht ohne Schwierigkeit verständlich, ihre paulinische Herkunft steht in Frage und vor allem wirft ihre Stellung im Römerbrief schwierige Probleme auf.

Die Doxologie begegnet in unserer Überlieferung in den folgenden Positionen[1]:

1. 1,1–16,23(24) + Doxologie $\mathfrak{H}$ D lat sy^p bo sa Orig
2. 1,1–14,23 + Doxologie + 15,1–16,23(24) $\mathfrak{R}$ L 104 sy^h Chrys Theod
3. 1,1–14,23 + Doxologie + 15,1–16,23(24)
       + Doxologie   A P 5 33
4.[2] 1,1–16,23(24)   F G D* g Ambrosianus
       E 26 inf. aus Monza
       Hier in Ep. ad Eph 3,5[3]
5. 1,1–14,23   Marcion[4]
6. 1,1–14,23 + Doxologie   vg 1648. 1792. 2089; altlat. Hs. nach alten Kapitelsverzeichnissen[5]; vielleicht Iren Tert Cypr[6]
7. 1,1–15,33 + Doxologie + 16,1–23   p^{46}

Form 3 stellt eine Mischform dar. Sie gibt für die Frage nach der ursprünglichen Stellung der Doxologie unmittelbar nichts her, sondern unterstützt die Formen 1 und 2.

Form 4 muß als selbständiger Zeuge vermutlich auch ausscheiden. Corssen[7]

---

1. Vgl. Lucht, a.a.O. S. 49 ff.; Schumacher, a.a.O. S. 125 ff.; Lietzmann (1933), S. 130 f.; Kümmel (1964), S. 225 f.; Aland; Glosse, Interpolation, Redaktion und Komposition in der Sicht der neutestamentlichen Textkritik, in: Apophoreta, Festschrift für Ernst Haenchen, 1964, S. 18 ff.
2. Vgl. Lucht, a.a.O. S. 57 ff.; Riggenbach, (1892) S. 556 f.; Zahn (1906), S. 284 ff.; de Bruyne (1908), S. 429 f.; Corssen, a.a.O. S. 1 ff.; Schumacher, a.a.O. S. 15. 126 ff.; Dupont (1948), S. 18 ff.
3. Vgl. Lucht, a.a.O. S. 60 f.; Zahn (1906), S. 286 f.
4. Orig. Com. ad Rom. (Migne 14, Sp. 1290); Tert. Adv. Marc. 5, 14; vgl. dazu Lucht, a.a.O. S. 34 ff. Corssen, a.a.O. S. 13 ff., versucht den Nachweis, daß diese Textform auch in altlateinischen kirchlichen Handschriften begegnete; ähnlich de Bruyne (1908), S. 424 f.
5. Wettstein, Nov. Test., ad Rom. 14, 23 (Bd. 2, S. 91); Zahn (1906), S. 280 ff.; Corssen, a.a.O. S. 21 ff.; Schumacher, a.a.O. S. 13 ff.; Lietzmann (1933), S. 130; Dupont (1948), S. 6 f.
6. Volkmar (1875), S. 131; Lucht, a.a.O. S. 43 ff.; Schumacher, a.a.O. S. 11 ff.; Michel, a.a.O. S. 387, Anm. 6.
7. A.a.O. S. 1 ff.; das Zitat auf S. 10 f.

kommt nach sorgfältiger Untersuchung der betreffenden Zeugen zu dem Ergebnis: „Ich halte daher ebensowenig wie Zahn und Riggenbach das Fehlen der Doxologie in dem Ambrosianus wie auch in dem Vorgänger von D für etwas Ursprüngliches, sondern für eine Folge der schwankend gewordenen Stellung der Doxologie, die ebensogut dazu führen konnte, daß die Doxologie ganz ausfiel, wie sie dazu geführt hat, daß sie in manchen Handschriften doppelt steht. Es ist also mit der größten Wahrscheinlichkeit Z, die Urhandschrift von D F G, denjenigen Zeugen anzureihen, die für die Stellung der Doxologie hinter 14,23 eintreten."[8] Darum ist es methodisch geboten, die Form 4 als selbständige Form unberücksichtigt zu lassen und ihre Zeugen zur Form 2 zu stellen[9].

Unbestritten sollte sein, daß Form 2 nicht als ursprünglich in Frage kommt. Hinter 14,23 ist die Doxologie nicht nur selbst sinnlos, sondern sie zerreißt auch einen engen Zusammenhang in sinnloser Weise[10]. Auch ist nicht ersichtlich, wie sie an das Briefende wandern konnte, wenn sie ursprünglich hinter 14,23 stand.

Form 5 wurde von Baur für den ursprünglichen Text des Römerbriefes gehalten[11]. Diese Form ist durch Origenes bezeugt, der gegen Ende seines

---

8. In G findet sich hinter 14,23 eine leere Stelle im Umfang der Doxologie. F schließt 15,1 unmittelbar an 14,23 an und ergänzt die Doxologie am Schluß lateinisch nach der Vulgata. D scheint die Doxologie aus einer anderen Handschrift als seiner gewöhnlichen Vorlage abgeschrieben zu haben.

9. Vgl. schon Eichhorn, a.a.O. S.236f.; ferner Zahn (1906), S.270; 284ff.; Dupont (1948), S.18ff.

10. So fast alle neueren Forscher. Vgl. z.B. Mangold (1884), S. 76ff.; Spitta (1901), S. 16f.; Corssen, a.a.O. S. 12f.; Kühl, a.a.O. S. 490; Appel, a.a.O. S. 46; Schumacher, a.a.O. S. 131 (Lit.); Michel, a.a.O. S. 352.
Anders Zahn (1906), S. 270f.; (1910) z. St.; v. Hofmann, a.a.O. S. 577ff. (mit Hilfe komplizierter Satzverbindungen).

11. Er hatte dabei Vorgänger, die freilich im Unterschied zu ihm nicht den paulinischen Ursprung von Kap. 15f. bestritten.
Keggermann, a.a.O., dessen von Semler betreute Dissertation von diesem mit einer Einleitung und einigen Zusätzen versehen in seiner Paraphrasis (a.a.O.) S.277–311 übernommen wurde, hält Form 6 für ursprünglich. Kap. 16 sei ein Schreiben an die (unbekannten) Überbringer des Römerbriefes gewesen, das jene Personen verzeichnete, die sie auf ihrer Reise nach Rom begrüßen und besuchen sollten: die Phöbe in Kenchräa, Aquila und Priscilla in Ephesus usw.; die verschiedenen Wohnorte habe Paulus den Überbringern mündlich angegeben. Kap. 15 sei dagegen bestimmt gewesen, diesen besuchten Brüdern zusammen mit einer Abschrift des Römerbriefes überreicht zu werden.
Eichhorn, a.a.O. S.232–242, urteilte, 16,21–24 und 16,25–27 seien *recto* und *verso* auf ein Blättchen geschrieben worden, und zwar als Schlußstücke des im übrigen bis 14,23 reichenden Briefes (bei 14,23 war die Rolle vollgeschrieben). Für 16,1–20 schließt Eichhorn

Römerbriefkommentars bemerkt: *„Caput hoc (= die Doxologie) Marcion, a quo scripturae evangelicae atque apostolicae interpolatae sunt, de hac epistola penitus abstulit, et non solum hoc sed et ab eo loco, ubi scriptum est: Omne autem, quod non est ex fide, peccatum est (= 14,23) usque ad finem cuncta dissecuit."* [12]

die römische Adresse aus und vermutet korinthische Empfänger. Kap. 15 sei eine Ergänzung zum Römerbrief; da Paulus den Brief nicht sogleich absandte, sondern eine passende Gelegenheit zur Übermittlung abwartete, fand er noch Muße, „in einer Beylage seine Gedanken über das Benehmen gegen schwache, noch mit Vorurtheilen behaftete Christen weiter zu erörtern; ein Wort der Entschuldigung über seinen Entschluß zu einem Brief an eine Gemeinde, der er nicht persönlich bekannt war, und über seine künftigen Reisepläne bey zu fügen" (S. 239 f.). Ähnlich urteilt noch Schenkel, a.a.O. S. 113 ff., der Kap. 16 allerdings für ein Schreiben hält, das Phöbe auf den verschiedenen Stationen ihrer Reise vorlegen soll.

Auch Paulus (1831), S. 309 ff. (ähnlich bereits 1801), geht von Form 6 aus. Er hält Kap. 15 und Kap. 16 für zwei selbständige Schreiben; Kap. 15 sei an die ‚ δυνατοί ‘, die ‚Starken‘, Kap. 16 an die Vorsteher der römischen Gemeinde gerichtet gewesen. „Die Beurtheilung, daß die Verse 16, 25–27 an das Ende des Gemeindebriefs gehören, steigt in der Wahrscheinlichkeit noch mehr, wenn dem Aufmerksamen bei dem fünfzehnten Kapitel klar wird, daß dieses das vorher ausführlicher Gezeigte *kurz und gedrängter* wiederholt und *in einem solchen Ton* bestätigt, wie ihn Paulus wohl gegen die Vertrauteren in der Gemeinde oder, wie 15,1 gesagt ist, gegen die ‚Erstarkteren‘ . . . annehmen konnte, theils um ihnen anzudeuten, wie wichtig ihm der Gemeindebrief selber sey, theils ihnen *im Vertrauen die Ursache des Schreibens und des Vorsatzes zur Reise nach Spanien* mitzutheilen. Dieser kleinere Brief hat 15,33 auch seinen eigenen Schluß.

Außer demselben hatte Paulus der Ueberbringerin beider Briefe ein besonderes Blättchen von Empfehlungen an solche mitgegeben, welche er durch die Gemeindevorsteher in seinem Namen besonders grüßen lassen wollte. Auch dieses hat 16,20 seinen eigenen Schluß. Die letzten Verse hingegen 16, 21–24 sind Begrüßungen von den Begleitern, welche gerade um Paulus waren" (S. 311).

Griesbach, a.a.O. S. 45 ff., geht von Form 5 als dem ursprünglichen Korpus des Briefes aus, dem Paulus auf besonderen Blättern vier Beilagen mitgegeben habe: 1. 16, 21–23 (24); 2. 16, (24) 25–27; 3. 15, 1–33 (als sich die Absendung des Briefes verzögerte); 4. 16, 1–20 (vielleicht nicht für Rom, sondern für Korinth bestimmt).

Die Voraussetzung aller dieser Erklärungen ist falsch; Paulus hat den Römerbrief nicht ursprünglich mit 14,23 (mit oder ohne Doxologie) geschlossen (siehe unten). Form 5 und 6 sind sekundäre Überlieferungsgestalten des Textes. Deshalb erübrigt sich eine eingehende Widerlegung der referierten Analysen. Allerdings treffen viele der von den genannten Forschern für die Selbständigkeit von Röm 16, 1–23 und für eine Diskrepanz von Kap. 15 zu dem Proömium des Briefes vorgebrachten Argumente zu. Viele dieser Argumente sind zu Unrecht vergessen worden (siehe unten).

12. Migne 14, Sp. 1290. Zur Interpretation dieser Stelle vgl. z. B. Hilgenfeld, Ztschr, für hist. Theol. 25, 1855, S. 438; 457; Nitzsch, ebd. 30, 1860, S. 285 ff.; Lucht, a.a.O. S. 35 ff.; Zahn (1906), S. 279 f.; Corssen, a.a.O. S. 14 f.; Kühl, a.a.O. S. 489; Harnack, a.a.O. S. 110 *;

Origenes behauptet also, der Text des Marcion habe bis 14,23 gereicht; alles Folgende einschließlich der Doxologie habe er abgeschnitten. Baur nun ist mit den genannten Vorgängern der Meinung, dieser marcionitische Text sei der ursprüngliche Text des Römerbriefes, dem Kap. 15 f. mitsamt der Doxologie erst spät zugewachsen sei[13].

Auf die Gründe Baurs und seiner Nachfolger für die Unechtheit von Kap. 15 f. einzugehen – er schreibt diesen Kapiteln eine konziliatorische Tendenz zu – lohnt nicht. Sie sind auch von seinen eigenen Schülern oft genug widerlegt worden und finden heute keine Resonanz mehr[14]. 14,23 ist überdies als Briefschluß gar nicht denkbar[15], und wie sich in der gesamten kirchlichen

Schumacher, a.a.O. S. 3 ff.; Michel, a.a.O. S. 387; Dupont (1948), S. 11 ff. Besonders das *dissecuit* war strittig, doch wird heute allgemein und mit Recht angenommen, daß es nicht ‚verstümmelt‘, sondern (= *desecuit*) ‚abschneiden‘ heißt; anders Nitzsch a.a.O. passim und noch Feine (1903), S. 136.

13. (1845), S. 398–416. Im wesentlichen zustimmend zu Baur äußerten sich Schwegler, a.a.O. I, S. 285 ff.; II, S. 123 ff.; Zeller (1844), S. 588; (1854), S. 488; Volkmar, Theol. Jb. 15, 1856, S. 322; ders., a.a.O. S. XV f.; 56 ff.; 129 ff.; Holsten (1885), S. 195 ff.; Michelsen (1887), S. 190 ff.

14. Vgl. Hilgenfeld, a.a.O. S. 322 ff.; Schultz, a.a.O. S. 107 f.; 110 ff.; Kling, a.a.O. S. 308 ff.; Mangold (1884), S. 31 ff.; 81 ff.; Lipsius, a.a.O. S. 84 f.; Zahn (1906), S. 294 ff.; Jülicher (1906), S. 94 f.

15. Einige Nachfolger Baurs haben darum aus Kap. 15 einen echten Schluß des ursprünglichen Römerbriefes rekonstruiert, der später stark erweitert wurde.

Lucht (a.a.O. passim, z. B. S. 75 ff.) meint, man habe in Rom bei der Herausgabe des Römerbriefs in Form 5 den originalen Schluß des Briefes abgetrennt, vermutlich deshalb, weil er Ungünstiges über die Gemeinde enthalten habe. Diesen verkürzten Text habe der eine Redaktor mit der (unechten) Doxologie versehen (Form 6), während der andere später unter Verwendung echter Stücke des ehemaligen Briefschlusses (im wesentlichen 15,25 f. 29–33; 16,21–24), eines nach Rom verschlagenen Epheserbriefes (im wesentlichen 16,1–6. 16–20) und eigener Ergänzungen (das meiste in Kap. 15 und 16,7–15. 25–27) Kap. 15 f. verfertigt habe. Beide Redaktionen seien dann in verschiedener Weise zusammengearbeitet worden. Dadurch entstanden die Formen 1–3.

Volkmar (1875, bes. S. 55 ff.; 129 ff.) hält 1,1–14,23 + 15,33 + 16,1–2.21–24 für den ursprünglichen Text des Römerbriefes. Zwischen 120 und 160 wurden für dieses Schreiben verschiedene Erweiterungen angefertigt: die Doxologie 16,25–27 (antignostische Erweiterung); 16,17–20 (Zusatz aus der katholisierenden Zeit gegen gnostische Irrlehrer); 15,1–32 (antijudaistische Erweiterung); 16,3–16 (conciliatorische Erweiterung: Grüße des Paulus an sämtliche Glieder der römischen Urgemeinde, mit Hilfe eines alten Verzeichnisses angefertigt). Seit 195 begegnen diese Zusätze in der Überlieferung, seit 210 werden sie allgemein rezipiert und in einer abendländischen (Doxologie hinter 16,24) und einer morgenländischen (Doxologie hinter 14,23) Rezension mit dem Römerbrief verbreitet.

An Volkmar schließt sich Scholten a.a.O. an: Der älteste Text umfasse in jedem Fall 1,1–14,23. Der Osten fügte die Doxologie an; dabei ging der echte Schluß (16,21–24; vielleicht auch 16,1–2) verloren. Der Westen ergänzt unter Beibehaltung des ursprünglichen

Überlieferung Kap. 15 f. hätten durchsetzen können, falls diese Kapitel einen späteren Zusatz darstellen, ist nicht zu erklären, zumal wenn man bedenkt, daß Marcion seinem Apostolikon ja den kirchlichen Text der Paulusbriefe zugrunde legte, das heißt, wenn man beachtet, daß der von Baur postulierte und von Marcion bezeugte ursprüngliche Text des Römerbriefes 1,1–14,23 der *in der Kirche* um die Mitte des 2. Jahrhunderts *verbreitete* Text gewesen sein müßte.

Form 7 führte T. W. Manson [16] und Friedrich [17] zu der These, der Munck sich anschließt [18], die älteste Ausgabe des Römerbriefes habe Kap. 1–15 in der Fassung von p[46], also unter Einschluß der Doxologie, enthalten. Dieser Text sei, so meinen Manson und Munck, von Paulus unter Hinzufügung von Kap. 16 auch nach Ephesus gesandt worden. Aber diese These mißt nicht nur dem singulären p[46] zu viel Gewicht bei, sie läßt auch die meisten anderen Formen der Überlieferung unerklärt.

Originell ist die Erklärung von Lightfoot [19], der im Anschluß an Renan (siehe unten S. 152 f.) meint, Paulus habe in späterer Zeit selbst aus dem Römerbrief ein Zirkularschreiben gemacht, indem er die Adresse in 1,7.15 änderte, Kap. 15 f. wegließ und als Schluß des Rundschreibens die Doxologie neu schuf. Wir hätten also zwei Auflagen des Römerbriefes von der Hand des Paulus. Indessen müßte, diese aus vielen Gründen unwahrscheinliche Tatsache einmal unterstellt (schon daß Paulus überhaupt einen konkreten Brief an eine bestimmte Gemeinde als allgemeines Rundschreiben ausgibt, ist undenkbar; der Abbruch hinter 14,25 wäre bei Paulus selbst besonders unverständlich), angenommen werden, daß auch die älteste Sammlung der Paulusbriefe in doppelter Fassung, d. h. teils mit der ersten, teils mit der zweiten Auflage des Römerbriefes ausgegeben worden wäre.

Im allgemeinen geht man heute davon aus, daß eine gar nicht sicher bezeugte Form den Archetyp aller Texte mit Doxologie darstellt, nämlich 1,1–16,23. Von dieser Grundlage aus hat z. B. Corssen [20] gemeint, alle Spuren der weiteren Textüberlieferung erklären zu können. Marcion habe vermutlich einen verstümmelten Text bereits vorgefunden. In marcionitischen Kreisen sei dann die Doxologie gebildet und an den Kurztext angehängt worden. So

Schlusses 15,1–33 und 16,(1–2).3–24. Später wachsen beide Rezensionen zusammen.
Gegen diese komplizierten Thesen wendet sich mit Recht z. B. Mangold (1884) S. 81 ff. Indessen sind manche literarischen Beobachtungen der genannten Forscher zu Unrecht vergessen worden.

16. A.a.O. S. 231 ff.
17. A.a.O. Sp. 1138; vgl. Taylor, a.a.O. S. 293 f.; Feuillet (1950), S. 522; 527 ff.
18. (1954), S. 191 f.
19. A.a.O. S. 287–320.
20. A.a.O. passim; vgl. schon Schultz, a.a.O. S. 130; Spitta (1901), S. 21 ff.

entstand die Form 6. Anderswo hatte sich die paulinische Urform 1,1–16,23 gehalten. Durch Verbindung dieser Urform mit der marcionitischen Fassung seien die anderen Textgestalten entstanden.

Diese These hat sich in der einen oder anderen Form weithin durchgesetzt[21]. Man diskutiert zwar darüber, ob die Doxologie in kirchlichen Kreisen[22] oder in der marcionitischen Gemeinde[23] dem Kurztext als provisorischer Abschluß angefügt wurde; ob Marcion selbst den Römerbrief verkürzt hat[24] oder ob er einen verstümmelten Text bereits vorfand[25]; ob Marcion trotz der Nachricht des Origenes nicht doch einen Abschluß seines Textes gekannt habe[26]. Aber in der Grundthese besteht weitgehende Einmütigkeit: der Kurztext 1,1–14,23 provozierte die Entstehung der Doxologie und damit die weitere Textgeschichte.

Aber diese These ist in keiner ihrer Gestalten haltbar[27]. Dem Apostolos

21. Vgl. Jülicher (1908), S. 326 f.; Schumacher, a.a.O. S. 134; Lietzmann (1933), S. 131; Sickenberger, (1939), S. 125; Althaus, a.a.O. S. 129; Kümmel (1964), S. 225 ff.; Barrett, a.a.O. S. 13

22. J. E. C. Schmidt, a.a.O. S. 224 ff.

23. Corssen, a.a.O. S. 34; Jülicher (1908), S. 326; Harnack, SAB 1919, S. 527 ff., der aber einige spätere kirchliche Zusätze ausscheidet (vgl. ders., a.a.O. S. 165 f. *); Lietzmann (1933), S. 131; Zuntz, The Text of the Epistles, 1953, S. 227; vgl. Kümmel (1964), S. 226.

24. Baur (1845), S. 399; Schultz, a.a.O. S. 130; Feine-Behm, a.a.O. S. 168 f.; Friedrich, a.a.O. Sp. 1138; Wendland, a.a.O. S. 351.

25. Corssen, a.a.O. S. 45; vgl. Harnack, a.a.O. S. 164 f. *; Michel, a.a.O. S. 387. Vgl. Anm. 31.

26. De Bruyne (1911), S. 133 ff.; Harnack, a.a.O. S. 110 *.

27. Kamlah, der a.a.O. mit Recht überzeugt ist, der Römerbrief sei von Anfang an mit der Doxologie (hinter 16,23) in die Überlieferung eingetreten, läßt die Geschichte der verschiedenen Stellung der Doxologie dennoch mit Marcions Kurztext beginnen. Die dabei entstehenden Schwierigkeiten sieht er selbst: „Ich kann nicht leugnen, . . . daß es auffällig ist, wenn Marcion einen solchen Einfluß auf den Reichstext bekommen hat, daß er, wenn auch seine Streichung rückgängig gemacht wurde, doch dort die Stellung der Doxologie bestimmte" (S. 23).

Mit besonders starken Wechselbeziehungen zwischen kirchlicher und marcionitischer Überlieferung rechnet auch Schumacher, a.a.O. S. 129. 134 f.: Die kirchliche Ausgabe des Römerbriefs hatte die Doxologie am Ende; Marcions Fassung schloß mit 14,23, besaß also die Doxologie überhaupt nicht. Das führte dazu, daß auch in einzelnen kirchlichen Exemplaren die Doxologie in Fortfall kam. Andererseits übernahmen marcionitische Handschriften die Doxologie aus kirchlichen Exemplaren und setzten sie an den Schluß von Kap. 14. Diese Handschriften wiederum wurden von verunsicherten katholischen Kreisen übernommen. „Nach Überwindung der Zweifel fügte man die fehlenden Kapitel 15 und 16 an diese Textform an. Dabei mochte auch vereinzelt die am Ende von c. 16 stehende Doxologie zum zweiten Male gebracht werden." Auch abgesehen davon, daß damit die Fassung von p[46] noch nicht erklärt ist, wird man diesen lebhaften Austausch zwischen Marcioniten und Großkirche ausgerechnet und nur beim Schluß des Römerbriefes für gänzlich unwahrscheinlich halten müssen.

Marcions lag die kirchliche Ausgabe der Paulusbriefe zugrunde. Wie soll man sich vorstellen, daß deren Fassung des Römerbriefes (angeblich ohne Doxologie!) durch den Einfluß eines marcionitischen Textes gänzlich verdrängt wurde! Unmöglich kann sich die Doxologie in der ganzen kirchlichen Überlieferung durchgesetzt haben, wenn sie dieser ursprünglich fremd war und erst im späten 2. Jahrhundert entstanden ist[28]; erst recht ist dieser Vorgang nicht denkbar, wenn es sich um eine Doxologie marcionitischen Ursprungs handelt, wofür es freilich keine überzeugenden Gründe gibt. Eine kirchliche Doxologie aber kann man sich nicht als für eine marcionitische Textfassung angefertigt vorstellen.

Schon Origenes kennt keine kirchlichen Exemplare des Römerbriefes ohne die Doxologie mehr. Deshalb wirft er Marcion ausdrücklich vor, sie in seinem Text gestrichen zu haben und fährt an der genannten Stelle fort: *„In aliis vero exemplaribus, id est in his, quae non sunt a Marcione temerata, hoc ipsum caput diverse positum invenimus: in nonnullis etenim codicibus post eum locum quem supra diximus, hoc est ,ei autem, qui poteus est vos confirmare'; alii vero codices in fine id, ut nunc est positum, continent."* Wer will diese Tatsache verständlich machen, wenn erst Schüler des Marcion oder kirchliche Christen die Doxologie für einen Text entworfen haben, der nach den Angaben des Origenes noch bei Marcion selbst keine Doxologie hatte? De Bruynes[29] Erklärung, zwei uns unbekannte Persönlichkeiten hätten um das Jahr 200 die Doxologie in die kirchliche Tradition eingeführt, und zwar die eine nach Kap. 14, die andere nach Kap. 16, ist nicht leicht ernstzunehmen; denn auch die beiden bedeutendsten Persönlichkeiten der Kirche um 200 hätten nicht alle Exemplare des Neuen Testament in entsprechender Weise beeinflussen können.

Die ganze gängige Hypothese krankt also an inneren Unwahrscheinlichkeiten.

Einen hinreichenden Grund dafür, daß *Marcion* Kap. 15 f. gänzlich tilgte, hat außerdem noch niemand nennen können[30]. Wenn er aber einen kirchlichen

---

28. Das ist auch der entscheidende Einwand gegen die von Mangold (1884), S. 79 f., gegebene Erklärung. Mangold hält Form 4 (1,1–16,24) für ursprünglich. Um die Mitte des zweiten Jahrhunderts sei plötzlich die Doxologie aufgetaucht, als sekundärer Abschluß des Römerbriefes mit antimarcionitischer Spitze verfaßt. Einige Abschreiber hätten sie hinter 16,24 gestellt, andere zwischen 16,23 und 16,24. Meist nahm man freilich Anstoß an dem Zusammentreffen von 16,24 mit der Doxologie. Darum strichen einige V.24, während andere für die Doxologie hinter 14,23 eine passende Stelle fanden.
Daß jemand die Doxologie vom Ende des Briefes wegnahm und hinter 14,23 versetzte, ist kaum denkbar, selbst wenn 16,24 ursprünglich wäre.

29. (1911), S. 142.

30. Vgl. Wikenhauser-Schmid, a.a.O. S. 458.

Text vorfand, der in 14,23 endete[31], kann man nicht mehr das Apostolikon Marcions für die ganze folgende Textgeschichte verantwortlich machen[32]. Übrigens hätte der bei dieser Hypothese vorausgesetzte ursprüngliche Text 1,1–16,23 keinen Schluß gehabt, da 16,24 nicht ursprünglich ist (s.u.); wie will man das erklären?

Die ursprüngliche Ausgabe des Römerbriefes enthielt die Doxologie

Bedenkt man, daß für keine Texte der kirchlichen Überlieferung das Fehlen der Doxologie sicher nachgewiesen ist, wird man nicht umhin kommen, die Doxologie zur ursprünglichen kirchlichen Ausgabe der Paulusbriefe hinzuzuzählen[33].

Ihr Platz kann dann aber nur am Ende des Briefes gewesen sein, wo sie nach der besseren und breiteren Überlieferung ja auch zu finden ist[34]. Wie aber kommt die Doxologie dorthin, und wie konnte sie von dort wegrücken?

Zur letzten Frage erklärte man gelegentlich, Kap. 15 f. habe man wegen der Unwichtigkeit dieser Abschnitte bei der liturgischen Vorlesung übergangen. Auf die Doxologie aber habe man nicht verzichten wollen. Deshalb sei sie vorgezogen worden[35]. Aber daß man Kap. 15 f. bei der gottesdienstlichen

---

31. Das erwog bereits Baur, 2. Aufl., Paulus, 1866, I, S. 394. Lucht, a.a.O. S. 40 ff., versucht, es auf Grund des von Tertullian und Irenäus verwendeten Textes zu erweisen. Volkmar (1875), S. XV; 130 f., rechnet fest damit. Vgl. auch Harnack, a.a.O. 49; 164 f. * (siehe noch Anm. 25). In der Tat ist dies wahrscheinlicher als die tendenziöse Behauptung des Origenes, Marcion selbst habe den verstümmelten Text hergestellt. Origenes kann von einem bis 14,23 reichenden Text erfahren haben und hat ihn dann, weil Marcion für alle Textverderbnis verantwortlich war, auf Marcions Konto geschrieben, ohne Marcions Fassung des Römerbriefs, die er sonst nie erwähnt, überhaupt zu kennen.

32. Durch Zufall sei eine Handschrift mit 14,23 beendet worden, sei es durch eine Verhinderung des Schreibers, sei es infolge Beschädigung der Handschrift, meinte bereits J. E. C. Schmidt, a.a.O. I, S. 224 ff. Während die Marcioniten diesen verstümmelten Text übernehmen, erlaubten sich andere, die Doxologie als Schluß des Kurztextes zu formulieren. Durch Vergleich und Vermischung mit vollständigen Handschriften entstand die heutige Vielfalt der Überlieferung. Das ist eine nach wie vor ansprechende These, die Elemente der richtigen Lösung enthält (siehe unten), die freilich auch den nicht sicher bezeugten Text *ohne* Doxologie für den Ursprung unserer Überlieferung ansehen muß und zugleich davon ausgeht, daß sich die in einem tertiären Überlieferungszweig entstandene Doxologie in allen Handschriften durchgesetzt hat.

33. Vgl. Aland: Randbemerkung zur Textkritik, in: Apophoreta, Festschrift für Ernst Haenchen, 1964, bes. S. 18 ff.

34. Richtig Kamlah, a.a.O. S. 21 f.

35. Einige ältere Vertreter dieser Auffassung, die ich zuerst bei Bertholdt, a.a.O. S. 3304 f.,

Lesung übergangen haben sollte, ist nicht nur eine rein hypothetische, sondern auch eine unwahrscheinliche Annahme, die zudem kaum erklärt, warum man die Doxologie innerhalb des geschriebenen Textes versetzte; man hätte die übergangenen Kapitel ohne weiteres überschlagen können. Und daß man Kap. 14 verlesen haben soll, 15,1–13 jedoch nicht, bliebe ganz unverständlich.

Nach der Meinung von Ewald[36] entdeckte ein Abschreiber, daß 16,3–20 ursprünglich nicht zum Römerbrief gehört haben könne; darum habe der Schreiber Kap. 15 f. weggelassen, „zuviel abschneidend" (!), aber die Schlußdoxologie als Abschluß des Briefes an 14,23 angehängt. Das ist eine originelle Erklärung, die jedoch schon daran scheitert, daß ein so scharfsinniger Abschreiber nicht zuviel abgeschnitten und vor allem nicht 15,1–6 von 14,23 abgetrennt hätte.

Auch Rinck[37] geht von dem Text 1,1–16,27 aus und meint, der marcionitische Text 1,1–14,23 sei später durch die Doxologie aus kirchlichen Exemplaren ergänzt worden. Das hätte dann freilich nur durch Marcioniten geschehen können, da kirchliche Abschreiber den ganzen fehlenden Schluß ergänzt hätten. Jedoch ist unglaublich – die wichtige Rolle des marcionitischen Textes bei der Entstehung der verschiedenen Überlieferungen einmal vorausgesetzt –, daß dieser marcionitische Text die kirchliche Überlieferung in breitem Maße hätte beeinflussen können. Ungeklärt bleibt bei dieser Erklärung auch die Stellung der Doxologie hinter 15,33.

Riggenbach[38] und Belser[39] haben die Vermutung geäußert, man habe dem Römerbrief, der mit der Doxologie schloß, früh den üblichen Schluß der Paulusbriefe geben wollen, nämlich in Form von 16,24. Darum habe man die Doxologie versetzt. Richtig beobachtet ist bei dieser These, daß die ungewöhnliche Tatsache der Doxologie als Schluß des Römerbriefes eine Erklärung fordert. Aber man kann nicht gut eine solche Erklärung unterlassen und zugleich alten Abschreibern zutrauen, sie seien um eine korrekte Form des paulinischen Briefschlusses derart besorgt gewesen, daß sie die Doxologie – denkbar ungeschickt – umstellten und statt dessen V. 24 sekundär einfügten[40].

---

gefunden habe, nennt Schumacher, a.a.O. S. 132. Vgl. noch Barth, a.a.O. S. 65; Appel, a.a.O. S. 46; Taylor, a.a.O. S. 292; Meinertz, a.a.O. S. 115. Hans Wilhelm Schmidt, a.a.O. S. 266; Klijn, a.a.O. S. 81. Dagegen schon Mangold (1884), S. 78 f. Vgl. noch Anm. 65.

Reiche, a.a.O. S. 3 f., hält dafür, die Doxologie sei für Leseexemplare als Abschluß hinter 14,23 *geschaffen worden.* Aber es wäre ganz unbegreiflich, wie sich die Doxologie dann in der gesamten handschriftlichen Überlieferung hätte durchsetzen können.

36. A.a.O. S. 430.   37. A.a.O. S. 135.

38. (1892), S. 603 ff.   39. A.a.O. S. 516.

40. Überzeugender sind aufs Ganze gesehen rein literarische Lösungen, wie sie in Anm. 11 auf-

Die Doxologie als Abschluß der ältesten Briefsammlung

Eine zureichende Erklärung des Problems, das die unterschiedliche Stellung der Doxologie aufwirft, muß die Frage berücksichtigen, wieso diese Doxologie überhaupt an das Ende des Römerbriefes zu stehen kam. Räumt man nämlich ein, daß die Doxologie zum ursprünglichen Bestand der kirchlichen Ausgabe des Römerbriefes gehört, so ist es ungewöhnlich, daß der Römerbrief als einziger der paulinischen Briefe nicht mit einem Segenswunsch schließt,

geführt wurden, und zwar vor allem dann, wenn sie im Unterschied von den in Anm. 11 genannten Beispielen kein ursprüngliches Briefende hinter 14,23 ansetzen. So hält Flatt, a.a.O. S. 468–470, an der Einheit des Briefes fest, nimmt aber an, 15,1–16,24 sei auf ein besonderes Beiblatt geschrieben worden und 16,25–27 auf ein zweites. Dadurch konnte es zu einer verschiedenartigen Zuordnung beider Beiblätter zum Römerbrief bzw. zu der unterschiedlichen Stellung der Doxologie kommen. Laurent, a.a.O. S. 31 f., läßt nur die Doxologie auf ein separates Blatt geschrieben sein, das, ursprünglich als Briefschluß gedacht, zufällig hinter 14,23 zu stehen kam.

Aber wer konnte auf die Idee kommen, die Doxologie, statt sie an das Briefende zu setzen, hinter 14,23 (und 15,33) einzufügen?

Eine besonders phantasievolle literarische Lösung legte Credner, a.a.O. S. 389, vor: „Unser Brief ist, wie schon sein Inhalt und Zweck zeigt, kein Werk der Eile, sondern reiflicher Erwägung. Daraus folgern wir, dass Paulus schon längere Zeit vor der Abreise der Phöbe denselben fertig liegen haben konnte, und zwar endigte derselbe mit Cap. 14 und unsere drei Verse bildeten den ursprünglichen Schluß. Nachmals fand es Paulus für gut, den Schluß zu ändern und noch Einiges nachzutragen. Er durchstrich die drei letzten Verse, oder bezeichnete sie mit Puncten als ungiltig, und nahm, wie es in solchen Fällen häufig geschieht, im Anfang unseres 15ten Capitels den Gedanken, mit welchem der Brief vorher geschlossen hatte, etwas breiter wieder auf. Nun schloß der Brief mit Cap. 15,33 und das 16te Capitel wurde als Nachschrift hinzu gefügt und vom Apostel V. 20 geschlossen. Könnte nicht 16,21–24 eine Nachschrift nur von der Hand des Schreibers sein, der sich als einen συνεργός des Timotheus und den Lukios, Jason, Sosipatros als seine Verwandten bezeichnet? So wurde der Brief abgeschrieben. Markion liess die beiden letzten Capitel weg, weil sie ohne Lehrgehalt waren. Andere Abschreiber liessen die drei oben bezeichneten Verse, weil sie durchstrichen waren, ganz weg und verfuhren im Sinne des Paulus. Andere dagegen schrieben aus einer Art Pietät die Verse an ihrer ursprünglichen, jetzt unpassenden Stelle mit ab, während noch Andere sie hinten anfügten." ·

Diese lebendige und vollständige Erklärung setzt freilich voraus, daß der von Paulus eigentlich gewünschte Text (Form 4) in unserer Überlieferung nicht sicher bezeugt ist, während verschiedene ‚unpaulinische' Formen überliefert wurden. Mag man das auch noch für denkbar halten, so trifft es doch nicht zu, daß die Überlieferung des Römerbriefes auf ganz verschiedene private Abschriften des Originalmanuskripts zurückgeht. Vielmehr beruht die Überlieferung des ältesten Korpus Paulinum insgesamt auf *einem* ‚amtlichen' Urexemplar (siehe unten). Die unterschiedliche Stellung der Doxologie geht wie alle Differenzen in den Texten des Korpus Paulinum auf Modifikationen in der Überlieferungsgeschichte des ‚kanonisierten' Exemplars zurück.

obschon der Römerbrief mindestens zwei, mancher seiner Zeugen sogar drei solcher den Brief abschließenden Segenswünsche enthält: 15,33; 16,20b (und 16,24).

Daß Paulus selbst den Römerbrief mit der Doxologie schloß, ist nicht nur ausgeschlossen, weil die Doxologie nicht von der Hand des Paulus stammt (siehe unten), sondern auch angesichts des gewöhnlichen paulinischen Eschatokolls unvorstellbar[41]. Jeder paulinische Brief schließt mit dem (meist christologischen) Segenswunsch, der sich in den originalen Briefen überdies *nur* am Briefende findet.

Man muß, will man unser Problem lösen, davon ausgehen, daß der Römerbrief in früher Zeit die Sammlung der Paulusbriefe abschloß. Das bezeugen Tertullian[42] und der Kanon Muratori. Diese frühe Sammlung der Paulinen wurde von den Korintherbriefen angeführt. Sie hatte eine Einleitung, welche die gesammelt vorgelegten Briefe für alle Christen verbindlich machte, nämlich 1Kor 1,2b[43].

Zugleich hatte diese Sammlung einen feierlichen Schluß, der nicht nur den Römerbrief abschloß, sondern als Abschluß der ganzen Sammlung gedacht war, nämlich die Doxologie 16,25–27[44]. Das hatte schon Johannes Weiß gesehen: „In der ältesten Sammlung (Muratorischer Kanon) stand der Römer-Brief am Schluß; daher stand hier die redaktionelle Schlußdoxologie recht passend. Wir hätten also in den Zusätzen in 1Kor 1,2 und Röm 16, 25–27 noch Spuren der ältesten Sammlung vor uns."[45]

---

41. *Methodisch* richtig urteilte schon Heumann, a.a.O. S. 538; 668f., wenn er 16,24 für den Schluß von Kap. 16 hält und in der Doxologie ein eigenhändiges Postskript des Paulus erkennt, durch das der Apostel „die Römischen Christen, unter welchen etlichen seine Hand bekannt war, versicherte, daß dieser Brief von ihm komme" (S. 668).
  Für den paulinischen Briefschluß halten die Doxologie in neuerer Zeit indessen noch z. B. Kühl, a.a.O. S. 491; Schumacher, a.a.O. S. 105 ff.; Sickenberger (1939), S. 124 f.; Meinertz, a.a.O. S. 115; Nygren, a.a.O. S. 324; Guthrie, a.a.O. S. 45; Hans Wilhelm Schmidt, a.a.O. S. 266; Minear, a.a.O. S. 30 f.
42. Adv. Marc. IV 5; de praescr. haer. 36.
43. Vgl. dazu und zum Folgenden die genaueren Nachweise in meiner Untersuchung über ‚Paulus und die Gnostiker' (1965) S. 185 ff. Nachdem – vermutlich im römischen Interesse – der Römerbrief später an die Spitze der Sammlung gerückt war, hat man anscheinend, statt auch in das Präskript des Römerbriefes eine katholisierende Bemerkung einzufügen, vereinzelt die besondere Adresse ἐν Ῥώμῃ in Röm 1,7.15 gestrichen, wie der Codex Boernerianus bezeugt.
44. Die Sitte, eine Handschrift mit einer Doxologie zu schließen, ist nicht ungewöhnlich, wie schon Berthold, a.a.O. S. 3305, bemerkte.
45. (1917), S. 534, Anm. 2; vgl. Jülicher (1906), S. 93; Moffat, a.a.O. S. 142; Dodd, a.a.O. S. XVII; Kamlah, a.a.O. S. 127; Bartsch (1965), S. 314, Anm. 25; Käsemann, a.a.O. S. 403; 407; Klijn, a.a.O. S. 80.

Dafür, daß die Doxologie spätestens von der Hand des Redaktors der ältesten Paulus-Briefsammlung stammt, sprechen mehrere Überlegungen. Einmal wäre die einhellige Bezeugung der Doxologie in der kirchlichen Überlieferung unverständlich, wenn die Doxologie erst nachträglich der in der Kirche bereits verbreiteten Sammlung zugewachsen wäre. Da aber nicht Paulus selbst den Brief mit der Doxologie schloß, muß sie vom Herausgeber der Sammlung stammen.

Zum anderen ist zu beachten, daß der Römerbrief, würde man die Doxologie streichen, eines korrekten Schlusses ermangelte. Der letzte Segenswunsch steht bereits in 16,20b. Zwar haben zahlreiche Handschriften einen entsprechenden Wunsch auch noch in 16,24, aber unmöglich war der Segenswunsch ursprünglich in V. 20b *und* in V. 24 angebracht. Vielmehr steht es so, daß im allgemeinen nur Handschriften, in denen die Verse 25–27 am Briefende fehlen, den V. 24 haben[46]. V. 24 sollte also offensichtlich den fehlenden Schluß des Briefes (V. 25–27) ersetzen und hat deshalb als spätere Zutat zu gelten[47]. Dabei haben D G und eine Anzahl lateinischer Handschriften die Verdoppelung des Segenswunsches mit Recht als unpassend empfunden und V. 20b gestrichen, während P 33 sy^p, die V. 24 *und* die Doxologie bringen, die Doxologie sinnvollerweise zwischen V. 23 und V. 24 einschieben, so daß der Brief mit dem Segenswunsch formgerecht endet.

Der Redaktor des Römerbriefes bzw. der Sammlung, die mit dem Römerbrief abgeschlossen wurde, ist so verfahren, daß die Schlußdoxologie der Sammlung den gewöhnlichen abschließenden Segenswunsch ersetzte. Er hielt es also für unpassend, die Doxologie auf den originalen Briefschluß des Römerbriefes folgen zu lassen. Mit Recht; denn die Doxologie ist ja, wenn auch als Abschluß der Sammlung, dennoch im ganzen und im einzelnen als Schluß des Römerbriefes gestaltet, nicht aber als deutlich erkennbares redaktionelles Nachwort – so, wie auch die katholisierende Adresse in 1Kor 1,2b ein integrierender Bestandteil des Briefes ist. Fehlt aber nach V. 23 der dort ursprünglich vorhanden gewesene Segenswunsch, weil die Doxologie folgt, so stammt diese bereits von der Hand des Redaktors.

Ob die Doxologie als solche von Paulus verfaßt wurde[48] (und, folgt man

---

46. 𝔐 Archetyp D, G; vgl. Aland (siehe Anm. 1), S. 19 f.; Lucht, a.a.O. S. 53 ff.

47. So z. B. Schumacher, a.a.O. S. 58 f.; Kühl, a.a.O. S. 491; Roller, a.a.O. S. 191 ff.; Althaus, a.a.O. S. 129; Michel, a.a.O. S. 376; 387.
   An der Ursprünglichkeit von V. 24 haben im allgemeinen nur jene Forscher festgehalten, die zwar die Doxologie am Briefende tilgten, im übrigen aber die Integrität des Römerbriefausgangs behaupteten. Dann war 16,24 notwendiger Abschluß des ganzen Briefes. Vgl. Spitta (1901), S. 19 ff.

48. Rückert, a.a.O. S. 686 f.; Olshausen, a.a.O. S. 34 ff.; Baumgarten-Crusius, a.a.O. S. 430 ff.; de Wette (1848), S. 275; Tholuck, a.a.O. S. 744 ff.; Philippi, a.a.O. (2. Aufl., 1856), S. 635 ff.;

unserer Analyse, dem Redaktor nur ihren jetzigen Platz verdankt) oder ob sie von dem Redaktor allererst gebildet wurde[49], ist für die Frage nach ihrer ursprünglichen Stellung im Römerbrief unerheblich.

Man wird für die letztgenannte Meinung nicht ins Feld führen dürfen, daß die Erhaltung eines so kleinen Paulusfragmentes nicht wahrscheinlich sei[50]. Denn der Redaktor der paulinischen Briefsammlung hätte die Doxologie irgendwo aus der Fülle des von ihm verwerteten paulinischen Materials entnehmen können. Nachweislich unpaulinisch ist nichts in der Doxologie[51], wie die folgende Aufstellung zeigt[52]:

$T\tilde{\omega}$ δὲ δυναμένῳ ὑμᾶς στηρίξαι
Röm 1,11; 1Thess 3,13; 2Thess 3,3; Eph 3,20; vgl. Jud 24f.; MartPol 20,2.

κατὰ τὸ εὐαγγέλιόν μου
Röm 2,16.

καὶ τὸ κήρυγμα Ἰησοῦ Χριστοῦ,
1Kor 1,21; 2Tim 4,17; Tit 1,3.

κατὰ ἀποκάλυψιν μυστηρίου χρόνοις αἰωνίοις σεσιγημένου,
1Kor 2,7ff.; Kol 1,26; Eph 3,5.

φανερωθέντος δὲ νῦν
Kol 1,26; Eph 3,5; 2Tim 1,10; Tit 1,2.

διά τε γραφῶν προφητικῶν
Röm 1,2; Eph 3,5.

Ewald, a.a.O. S. 430; v. Hofmann, a.a.O. S. 577; Meyer, a.a.O. S. 634ff.; Bernhard Weiß (1886), S. 37f.; Bleek-Mangold, a.a.O. S. 545; Godet (1892/93), II, S. 347ff.; Riggenbach (1892), S. 605; Spitta (1901), S. 15f.; Feine (1903), S. 134f.; Zahn (1906), S. 272f.; Kühl, a.a.O. S. 492; Appel, a.a.O. S. 46; Feine-Behm, a.a.O. S. 171; Hans Wilhelm Schmidt, a.a.O. S. 266; Gaugusch, a.a.Q. S. 263ff.

49. J. E. C. Schmidt, a.a.O. I, S. 224ff.; Reiche, a.a.O. I, S. 2ff.; II, S. 532; Krehl, a.a.O. S. 537ff.; Lucht, a.a.O. S. 92–119; Heinrich Julius Holtzmann (1874), S. 509; Hilgenfeld, a.a.O. S. 326f.; Schultz, a.a.O. S. 129f.; Mangold (1884), S. 44–81; Völter (1890), S. 43; Lipsius, a.a.O. S. 205f.; Spitta (1893), S. 21, Anm. 1; Clemen (1894), S. 98f.; Pfleiderer (1902) I, S. 176; Jülicher (1906), S. 93; (1908), S. 326f.; Oskar Holtzmann, a.a.O. S. 678; Dodd, a.a.O. S. 245f.; Lietzmann (1933), S. 131; Gaugler, a.a.O. I, S. 7f.; Kamlah, a.a.O. S. 127; Leenhardt, a.a.O. S. 18 (vgl. aber S. 218f.); Friedrich, a.a.O. Sp. 1138; Michel, a.a.O. S. 24; Braun, Theol. Rs. 29, 1963, S. 207f.; Kümmel (1964), S. 226ff.; Lührmann, a.a.O. S. 122.

50. So Kümmel (1964), S. 226.

51. Clemen (1894), S. 98f.

52. Zur Auslegung der Doxologie im einzelnen vgl. neben den Kommentaren Spitta (1901), S. 6ff.; Mangold (1884), S. 44ff.; Kamlah, a.a.O. passim.

κατ' ἐπιταγὴν τοῦ αἰωνίου θεοῦ
1Tim 1,1; Tit 1,3; vgl. 1Kor 7,6; 2Kor 8,8.

εἰς ὑπακοὴν πίστεως εἰς πάντα τὰ ἔθνη γνωρισθέντος,
Röm 1,5.

μόνῳ σοφῷ θεῷ, διὰ Ἰησοῦ Χριστοῦ, ᾧ ἡ δόξα εἰς τοὺς αἰῶνας τῶν αἰώνων·
ἀμήν.
Röm 11,33; Gal 1,5; 1Tim 1,17; 2Tim 4,18; vgl. Jud 24f.; Hebr 13,21.

Doch ergibt sich durch diese Aufstellung zugleich, daß die engsten formalen
Parallelen insgesamt und im einzelnen in den deutero-paulinischen Schriften
zu finden sind[53], so daß die Doxologie den Eindruck erweckt, von einem
Schüler des Paulus unter Anschluß an dessen eigene Briefe geschrieben
worden zu sein[54]. Auffällig ist dabei vor allem die Verwendung des Römerbriefes, die bei einem Mann der zweiten Generation verständlicher ist als bei
Paulus selbst.
Ein besonderes Problem bildet bei alledem die Berufung auf prophetische
Schriften in V. 26. Man denkt dabei zunächst natürlich an die Schriften der
alttestamentlichen Propheten, zumal angesichts der Parallele in Röm 1,2.
Dieser Bezug bereitet indessen Schwierigkeiten wegen des eschatologischen
νῦν in V. 26. Jedoch kann man den Sinn von V. 26 so fassen, daß das Evangelium *jetzt* in Christus offenbart ist und *jetzt* auch den Heiden bekannt-
gemacht wird, nämlich auf Grund der prophetischen Schriften des Alten
Testaments, die das Christusgeschehen vorlaufend deuteten. Daß diese Deutung sich erst vom eschatologischen νῦν her erschließt, ist selbstverständliche
Überzeugung der Urchristenheit. Man muß dann freilich in Kauf nehmen,
daß es nicht, wie zu erwarten wäre, heißt: διὰ τῶν τὲ γραφῶν προφητικῶν.
Auch ist es *für Paulus* schwerlich korrekt zu erklären, das Evangelium sei
den Heiden durch prophetische Schriften des Alten Testaments kundgetan
worden.
Harnack half sich damit, διά τε γραφῶν προφητικῶν als kirchlichen Einschub
in die angeblich marcionitische Doxologie auszuscheiden[55], eine Lösung, die
damit fällt, daß ein spezifisch marcionitischer Charakter der Doxologie, den

---

53. Kamlah, a.a.O. passim; Lührmann, a.a.O. S. 122; Heinrich Julius Holtzmann (1874), S. 513.
54. Man kann fragen, ob der Verfasser der Doxologie, der die älteste Sammlung von (sieben)
Paulusbriefen herausgab (siehe meine Anm. 43 genannte Untersuchung), auch mit dem Herausgeber einer der anderen Sammlungen identisch war (Eph-Kol-Philem bzw. 1Tim-2Tim-
Tit). Eine Antwort auf diese Frage läßt sich kaum mit genügender Sicherheit geben. Heinrich
Julius Holtzmann (1874), S. 513, identifiziert ihn mit dem Autor von Eph 3,5.9f. 20f.
55. SAB 1919 S. 527 ff. = a.a.O. S. 165 f. *. Spitta (1901), S. 12 f., will dem undeutlichen Text
durch eine Ergänzung zu Beginn von V. 26 aufhelfen.

schon Volkmar[56] behauptete und den jüngst wieder Lührmann[57] annimmt, nicht zu erkennen ist. Näher liegt die Auskunft, mit den prophetischen Schriften seien nicht die Bücher des Alten Testaments gemeint, sondern urchristliche Schriften, die als ,prophetische', nämlich inspirierte Schriften zu bezeichnen nahe liegen mußte, zumal wenn man Stellen wie Eph 2,20; 3,5; 4,11; Apc 18,20; 2Petr 3,16; MartPol 16,2 vergleicht[58]. Dann könnte der Redaktor bei den ,prophetischen Schriften' an die Paulusbriefe selbst gedacht haben, die er zu einer kirchlichen Sammlung zusammenstellte und mit der Doxologie abschloß[59]. Er läßt Paulus selbst die Aufgabe und die Bedeutung seiner Briefe aussprechen: es sind inspirierte Schriften, die auf Gottes Befehl das Evangelium den Heiden bekanntgeben, bei ihnen Glaubensgehorsam zu wirken. Diese Deutung hat manches für sich und würde erneut beweisen, daß die Doxologie vom Redaktor selbst formuliert wurde.

Angesichts dessen, daß auch die Beziehung auf alttestamentliche Schriften an unserer Stelle verständlich und daß dies Verständnis durch Röm 1,2 nahegelegt ist, wage ich in dieser Frage keine Entscheidung zu fällen. Am paulinischen Ursprung der Doxologie aber vermag ich auf keinen Fall festzuhalten.

Die Lösung des Problems

Wir gehen also davon aus, daß Röm 16,25–27 die vom Redaktor und Herausgeber der ursprünglichen Briefsammlung verfertigte Schlußdoxologie nicht nur des Römerbriefes, sondern der ganzen Sammlung war. Die textkritisch am besten bezeugte Form 1 ist dann die in unserer Überlieferung ursprüngliche Gestalt des Textes des Römerbriefes.

Von dieser Erkenntnis aus müssen und können die unterschiedlichen Positionen der Doxologie in der Überlieferung des Römerbriefes verständlich gemacht werden.

Es war bekanntlich für die Abschreiber einer Handschrift nicht immer leicht, die Rolle oder den Kodex in der gehörigen Größe genau vorzubereiten. Das Schreibmaterial war anderseits zu wertvoll, als daß man nicht eine möglichst genaue und knappe Berechnung des benötigten Umfangs für wünschenswert halten mußte. Daß dennoch nicht selten der vorausberechnete Umfang zu groß oder zu klein gewählt wurde, ist verständlich. Am Ende der Rolle blieben einige Kolumnen, am Ende des Kodex einige Seiten oder

56. (1875), S. 56.
57. A.a.O. S. 123, Anm. 4.
58. So erklären u.a. Jülicher (1906), S. 93; ders. (1908), S. 326; Godet (1892/93) II, S. 344 f.; Corssen, a.a.O. S. 33 f.; Lührmann, a.a.O. S. 123.
59. Vgl. Corssen, a.a.O. S. 34.

Zeilen frei. Ebenso konnte es passieren, daß der zur Verfügung stehende Raum nicht ausreichte. Bei der Rolle konnte man notfalls einen Streifen ankleben, aber bei einem Kodex, der aus einer Lage von in der Mitte gefalteten Blättern bestand, war das nicht möglich.

Nun wissen wir, daß die Form des Papyruskodex für die neutestamentlichen Handschriften von Anfang an, jedenfalls aber bereits in der ersten Hälfte des zweiten Jahrhunderts, die herrschende war[60]. Man hat sogar die Vermutung geäußert, der Kodex sei eine frühchristliche Erfindung gewesen[61]. Er war das Buch der kleinen Leute. Es gab Kodices von mehr als 50 Bogen (p^{46}; p^{75}), also mit 100 Blättern und 200 Seiten. Solche Bücher waren nicht nur unhandlich, bei ihnen war auch die vorhergehende Berechnung des benötigten Umfangs sehr schwierig. Darum ging man später dazu über, einzelne Bogen oder kleine Lagen durch Fäden am inneren Rand zusammenzuheften[62].

Aus *einer* Lage besteht z.B. der berühmte Papyruskodex p^{46}, von dessen ursprünglich 52 Bogen = 104 Blättern 86 Blätter leicht beschädigt erhalten sind[63]. Er enthielt das Korpus Paulinum in der Reihenfolge Röm, 1,2Kor, Eph, Gal, Phil, Kol, 1,2Thess, Phlm. Am Ende fehlen allerdings eine Anzahl Blätter, so daß von 2Thess und Phlm kein Stück erhalten geblieben ist. Doch kann der 2Thess neben dem 1Thess nicht gefehlt haben, und Phlm ist von Eph und Kol nicht zu trennen. Dagegen nimmt man im allgemeinen an, daß p^{46} die Pastoralbriefe nicht umfaßte. Denn wenn 2Thess und Phlm auf ihm verzeichnet waren, blieben nur noch etwa vier Blätter am Ende frei. Entweder hatte der Schreiber den Raum für seine Vorlage zu reichlich bemessen – wenn diese nämlich die Pastoralbriefe nicht enthielt – oder zu knapp, wenn diese Briefe in seiner Vorlage bereits enthalten waren. So oder so bietet p^{46} ein Beispiel für das Problem, das sich stellt, wenn man einen Kodex in *einer* Lage faltete.

Daß am Ende des Kodex Raum unbeschrieben blieb, ist verständlicherweise mehrfach bezeugt bzw., da die letzten Blätter häufig fehlen, durch Berechnung nachzuweisen; man vgl. z.B. den Septuagintakodex 911.

Angesichts der Tatsache, daß der dicht gefaltete Kodex die gebräuchlichste Form für die frühchristliche Handschrift war, mußte es auch dem ältesten

60. Kenyon-Adams: Der Text der griechischen Bibel, 2. Aufl., 1961, S. 17 f.
61. Ebd.
62. C. H. Roberts: The Codex, in: Proceedings of the British Academy, 40, 1954, S. 169–204; ders.: Greek Literary Hands, 1956; W. Schubart: Das Buch bei den Griechen und Römern, 3. Aufl., 1961, bes. S. 99 ff.; H. Hunger: Antikes und mittelalterliches Buch- und Schriftwesen, I, 1961, S. 25 ff.; B. M. Metzger: Der Text des Neuen Testaments, 1966, bes. S. 5 ff. (Lit.); E. G. Turner: Greek Papyri, An Introduction, 1968, S. 13 ff.
63. p^{75} hat 36 Bogen = 72 Blatt = 144 Seiten.

Korpus Paulinum passieren, daß bei seiner weiten Verbreitung und bei den entsprechenden zahlreichen Abschriften gelegentlich der Platz auf dem vorbereiteten Kodex nicht ausreichte[64]. Den Schaden davon hatte der Römerbrief, der am Ende der ältesten Sammlung stand.

Die Form 6 (1,1–14,23 + Doxologie) zeigt, daß ein Abschreiber der ursprünglichen Fassung (Form 1) den Text bei 14,23 abbrechen mußte, weil der Kodex zu Ende ging[65], aber die Doxologie noch anfügte, um dem Brief bzw. der ganzen Handschrift wenigstens den förmlichen Schluß zu geben.

Als eine solche Handschrift später selbst zur Vorlage diente, aber aus anderen Kodices ergänzt wurde, entstanden die Formen 2 (1,1–14,23 + Doxologie + 15,1–16,23) und 3 (1,1–14,23 + Doxologie + 15,1–16,23 + Doxologie).

Dementsprechend geht Form 7 (p[46]: 1,1–15,33 + Doxologie + 16,1–23) offenbar auf eine Handschrift zurück, die, weil das Papier nicht reichte, in 15,33 + Doxologie abbrechen mußte und die später ähnlich wie Form 2 ohne Wiederholung der Doxologie durch 16,1–23 ergänzt wurde[66].

Auch Marcions Text ist ein in dieser Weise verkürzter Text, der allerdings, wenn man Origenes folgen darf, die Doxologie nicht enthielt[67]. Allerdings sollte man der Nachricht des Origenes in jedem Fall mit großer Vorsicht begegnen; wir wissen nicht, ob er einen entsprechenden Text überhaupt selbst gesehen hat. Hat Origenes recht, könnte Marcion auch einen Text der Form 6 vorgefunden und die Doxologie gestrichen haben.

Falls Form 4 (1,1–16,23) eine alte Textform darstellt, müßte sie entstanden sein, weil die Doxologie am Ende in Verlust geriet oder weil sie auf dem vorbereiteten Kodex keinen Platz mehr fand. Aber wir haben gesehen (S. 108 f.), daß diese Form vermutlich erst sehr spät aufkam und auf überlegte Redaktion später Abschreiber zurückgeht.

64. Vgl. Spitta (1901), S. 18 f.

65. Zu der Meinung von Dodd, der Abschreiber habe den Text abgebrochen, „to make the epistle more suitable for general reading in church" (a.a.O. S. 245), siehe oben S. 115 f.

66. Daß p[46] „die Aporie kennt, sie aber behebt, indem sie die Doxologie sachlich ansprechend an c. 15 anfügt und 16,1–23 als Nachtrag behandelt" (Käsemann, a.a.O. S. 402), kann man doch nur vom Standpunkt des modernen Historikers eine ‚elegante Lösung' (ebd.) nennen, dünkt mich tatsächlich aber ganz abwegig zu sein.

67. Ein solcher Kurztext *ohne* Doxologie könnte freilich auch durch eine der häufigen Textverstümmelungen am Ende der Handschrift entstanden sein; vgl. Spitta (1901), S. 18 f. Das bekannteste Beispiel ist Min. 1, die Erasmus bei der Ausgabe seines griechischen Neuen Testaments benutzte. Sie bricht in Apk 21,16 ab, so daß Erasmus die letzten sechs Verse des Neuen Testaments aus dem Lateinischen rückübersetzte. Allerdings legt die Verwandtschaft der Texte Form 5 und Form 6 nahe, für beide Textformen einen gemeinsamen Ursprung anzunehmen.

Kapitel D: Römer 16

Daß der Römerbrief so wenig wie die meisten anderen Paulusbriefe von redaktionellen Eingriffen verschont geblieben ist, zeigt bereits die Doxologie und die mit ihrem redaktionellen Ursprung verbundene Tatsache, daß dem Römerbrief in seiner jetzigen Form der für alle Paulusbriefe obligatorische Segenswunsch am Schluß fehlt; denn wir sahen, daß V. 24 sekundär jenen Exemplaren des Römerbriefes zugewachsen ist, denen die Doxologie am Ende genommen wurde.

Weiter ist zu beachten, daß der Römerbrief als einziger Paulusbrief zwei Grußlisten enthält: 16,3–16 und 16,21–23. Angesichts dieses Befundes kann man sich nicht mit der Auskunft behelfen, 16,3–16 enthielte die Grüße an die Empfänger, 16,21–23 die Grüße von den Absendern. Denn einmal werden diese verschiedenen Grüße von Paulus nie durch andere, dazwischengeschobene Briefteile getrennt; zum anderen enthält 16,3–16 in V.16b bereits den Gruß von den Absendern[1], der keine weiteren Grüße von Einzelpersonen neben sich verträgt (vgl. 1Kor 16,20a; 2Kor 13,12b; Phil 4,22; Tit 3,15). Jedenfalls ist es extrem unwahrscheinlich, daß die Grüße 16,21–23 ursprünglich vor V.16b gestanden haben und erst von dem Redaktor versetzt wurden, um nicht den Schlußgruß V. 20b und die Doxologie unmittelbar aufeinander folgen zu lassen. In diesem Fall hätte es nähergelegen, V. 20b zu streichen. Und daß der Redaktor bei solcher Disposition V.16b an seinem alten Platz beläßt, wäre ganz unbegreiflich. Außerdem kann Paulus den Christen, die er in 16,3–15 grüßt, Timotheus nicht als einen Unbekannten vorstellen. 16,3–16 und 16,21–23 gehören also zu verschiedenen Schreiben.

Einen anderen Hinweis darauf, daß der Römerbrief gegen Ende redaktionell bearbeitet wurde, gibt die Beobachtung, daß sich sowohl in 15,33 wie in 16,20b ein ursprünglich den Briefschluß bildender Segenswunsch findet und daß keiner dieser Segenswünsche den Brief wirklich abschließt. Beide Segenswünsche müssen also ihren jetzigen Platz durch redaktionelle Komposition bekommen haben[2]. Segenswünsche dieser Art finden sich bei Paulus nur am Briefende, und zwar als letzter, abschließender Teil des Eschatokolls[3]. Wenn heute einige solcher Segenswünsche im Inneren des Briefkorpus begegnen, so handelt es sich jedesmal um das Ergebnis einer redaktionellen

---

1. Vgl. Mangold (1884), S.148; Bernhard Weiss (1891), S.36; Spitta (1901), S.23f.; Kühl, a.a.O. S. 492.
2. Eichhorn, a.a.O. S.233f.; Griesbach, a.a.O. S.45ff.; Heinrich Julius Holtzmann (1874), S. 512; Ders. (1886), S. 271; Bernhard Weiß (1891), S. 36; Pfleiderer (1902), S. 176; Spitta (1901), S. 22; Feine (1916), S. 397f.; Feine-Behm, a.a.O. S. 169.
3. Vgl. Spitta (1901), S.22.

Briefkomposition; 2Thess 3,16b[4]; Phil 4,7; Phil 4,9b[5] bilden jeweils das Ende eines ursprünglichen Briefes, der durch redaktionelle Kompositionsarbeit seine Selbständigkeit verloren hat. Anders kann es dann auch im Römerbrief nicht stehen. Sowohl 15,33 wie 16,20b markieren ein Briefende[6]. 15,33 zeigt dabei eine relativ kurze Form des Schlußsegens ohne Erwähnung des Namens Christi; dazu bietet Phil B: 4,9b (vgl. 2Thess 3,16; Kol 4,18; 1Tim 6,21b; 2Tim 4,22b; Tit 3,15b; Hebr 13,25) eine genaue Parallele. Röm 16,20b zeigt die meist übliche Form eines christologischen Schlußsegens.

Das Eschatokoll des Römerbriefes

Das Eschatokoll der paulinischen Briefe hat eine relativ feste Form mit stereotypen Stücken: Persönliche Bemerkungen; ein fürbittender Segenswunsch; eine Schlußparänese; die Grüße; der Schlußsegen[7].

Von diesen fünf stereotypen Teilen des paulinischen Briefschlusses finden sich die zum Römerbrief gehörenden persönlichen, Absender und Empfänger des Briefes verbindenden Bemerkungen, die zu den formgebundeneren Teilen des Briefschlusses überleiten, in 15,14–29.

Der in den meisten Fällen darauf *folgende*, meist mit $\alpha\vec{v}\tau\grave{o}\varsigma$ $\delta\grave{e}$ $\acute{o}$ $\vartheta\varepsilon\grave{o}\varsigma$ $\tau\tilde{\eta}\varsigma$... o.ä. eingeleitete fürbittende Segenswunsch (siehe S. 154 ff.) findet sich *vor* den persönlichen Bemerkungen, auffallenderweise allerdings in doppelter Fassung, nämlich in 15,5 f. ($\acute{o}$ $\delta\grave{e}$ $\vartheta\varepsilon\grave{o}\varsigma$ $\tau\tilde{\eta}\varsigma$ $\acute{v}\pi o\mu o\nu\tilde{\eta}\varsigma$ $\varkappa a\grave{\iota}$ $\tau\tilde{\eta}\varsigma$ $\pi a\varrho a\varkappa\lambda\acute{\eta}$-$\sigma\varepsilon\omega\varsigma$ ...) und in 15,13 ($\acute{o}$ $\delta\grave{e}$ $\vartheta\varepsilon\grave{o}\varsigma$ $\tau\tilde{\eta}\varsigma$ $\acute{e}\lambda\pi\acute{\iota}\delta o\varsigma$...). Das Phänomen dieser Dublette wird uns später beschäftigen. Hier genügt die Feststellung, daß auch dies unverzichtbare Element des Briefschlusses an geeigneter Stelle vorhanden ist.

4. Vgl. meine Untersuchung über ‚Paulus und die Gnostiker‘ (1965), S. 138 ff.
5. Vgl. ebd. S. 48 ff. Kümmel (1964), S. 228 (vgl. Zahn, 1906, S. 287, Anm. 10), hat also ohne Frage recht, wenn er bemerkt, der abschließende Wunsch sei *innerhalb* eines Paulusbriefes durchaus nicht unmöglich. Nur spricht diese Beobachtung, recht gedeutet, *gegen* seine These, Röm 16 bildet eine literarische Einheit mit dem übrigen Brief. Denn die abschließenden Segenswünsche *innerhalb* der paulinischen Briefe gehen in *allen* Fällen auf die Arbeit des Redaktors zurück.
6. „Die Häufung der Schlußformeln fällt zwar auf. An unserer Stelle aber ist die Gebetsgewißheit, daß die ‚Gnade unseres Herrn Jesus Christus mit euch ist‘, sozusagen auch psychologisch notwendig" (Hans Wilhelm Schmidt, a.a.O. S. 259). Indessen darf man die Psychologie nicht gegen die Formgesetze des Briefschlusses ausspielen, denen Paulus aus psychologisch sehr verständlichen Gründen folgt. Der Prediger pflegt ja auch seine Predigt nicht zweimal mit Amen zu schließen, er müßte denn ein sehr schlechter Psychologe sein.
7. Vgl. meine Anm. 4 genannte Untersuchung S. 93 ff.

Auf die persönlichen Notizen mit der bei Paulus immer dem Eschatokoll vorbehaltenen Besuchsankündigung folgt in 15,30–32 die Schlußparänese; sie enthält die konkrete Aufforderung zur Fürbitte für die Arbeit des Apostels, die sich bei Paulus nur in den Briefausgängen findet [8].

Die Segensformel V. 33 schließt den Brief definitiv ab.

Vor diesem Schlußsegen fehlen jetzt die Grüße. Nun beobachteten wir bereits die doppelte Grußliste in Kap. 16. 16,21–23 können unmöglich ihren ursprünglichen Platz an der jetzigen Stelle hinter dem abschließenden Segenswunsch V. 20b und neben der Grußliste V. 3–16 gehabt haben. Lietzmann [9] meint freilich im Blick auf V. 17–20, Paulus „mag dem Schreiber Tertius plötzlich ... die Feder aus der Hand genommen haben, um selbst ein paar eindringliche Worte hinzuzufügen – dann gibt er sie ihm zurück, und fährt (mit V. 21) ruhig wie vorher fort, Nachträge zu diktieren, langsam und mit Pausen". Nun mag ein „solcher Versuch, die Überlieferung psychologisch zu erklären", an sich wissenschaftlich ebenso berechtigt sein wie „der beliebte Griff nach der Schere", aber Paulus müßte dann auch den definitiven Briefschluß in V. 20 im Eifer des Gefechtes hingeschrieben haben, ohne die darauffolgenden Nachträge als solche zu kennzeichnen und den Brief erneut förmlich abzuschließen – eine angesichts des festen paulinischen Briefformulars sehr unwahrscheinliche Annahme, die „diesem Meister im Briefschreiben" [10] gerade Lietzmann nicht unterstellen sollte. Außerdem entscheidet in der Alternative ‚psychologische Erklärung – redaktionskritische Analyse' der Gesamtbefund des Korpus Paulinum eindeutig für den zweiten der genannten Lösungswege.

Dann aber ist es fast zwingend, in 16,21–23 die Grüße des Paulus nach Rom zu vermuten, die wir vor 15,33 vermißten und die dort, weit entfernt vom redaktionellen Ende des Briefes, nicht gut stehenbleiben konnten. Setzen wir sie an ihren ursprünglichen Platz zurück, erhalten wir einen vollständigen und formgerechten paulinischen Briefschluß:

Fürbittender Segenswunsch: 15,5f. bzw. 15,13.

Persönliche Bemerkungen: 15,14–29.

Schlußparänese: 15,30–32.

Schlußgrüße: 16,21–23.

Schlußsegen: 15,33.

In dem Brief nach Rom ist nicht nur die Vorstellung des Timotheus in 16,21 wohl verständlich, sondern auch die Vorstellung der anderen Grüßenden (16,21–23), die natürlich den gegrüßten Briefempfängern in Rom unbekannt

8. Vgl. ebd. S. 95.
9. (1933), S. 127; dem stimmt Hans Wilhelm Schmidt, a.a.O. S. 257, zu.
10. Ebd. S. 129.

waren[11]. Timotheus, Lukios/Lukas und Sosipater/Sopater gehören zu den Begleitern des Paulus auf seiner letzten Reise nach Jerusalem (vgl. Apg 20,4)[12]. Das paßt glatt zu den Abfassungsverhältnissen von Röm 15. Auch ist bei der römischen Adresse von 16,21–23 am besten verständlich, daß zwar relativ viele Absender grüßen, keiner der Grüßenden aber den Gegrüßten bekannt gewesen zu sein scheint.

Deshalb wird auch die römische Adresse von 16,21–23 weithin von den Forschern angenommen, die 16,1–20 nicht nach Rom gerichtet sein lassen[13]. Dagegen gibt es keinen einsichtigen Grund, 16,16 mit zu 16,21–23 zu ziehen[14]; denn wenn man überhaupt an dem Gruß ,von allen Gemeinden' Anstoß nimmt, wäre dieser Anstoß bei römischer Adresse ebenso gegeben wie bei einer anderen.

Römer 16,1–20 als selbständiger Brief

Endet der Römerbrief unter Einschluß von 16,21–23 in 15,33, so beginnt in 16,1 ein anderer Brief, der bis 16,20 reicht, wo sich der abschließende Segenswunsch dieses Schreibens an ursprünglicher Stelle findet. Schon die literarische Verfassung von Röm 15 und 16 zwingt also im Vergleich mit den entsprechenden literarischen Verhältnissen der anderen Briefe dazu, 16,1–20 für ein selbständiges Schreiben zu halten. Dieses Urteil würde auch gelten, wenn 16,1–20 als Schreiben nach Rom verständlich wäre oder gar nur nach Rom gerichtet sein könnte; dann hätten wir es in 16,1–20 mit einem *zweiten* Römerbrief zu tun.

---

11. Michaelis (Die Gefangenschaft des Paulus in Ephesus, 1925, S. 87 ff.) meint als Kanon aufstellen zu dürfen, „daß Paulus in seinen Briefen nicht etwa alle Brüder aufführt, die gerade bei ihm sind, sondern nur solche, von denen er weiß, daß sie den Empfängern bekannt sind, zumeist wohl sogar persönlich bekannt gewesen sind". Er zählt 16,21–23 aus diesem Grund nicht zum Römerbrief.

Aber dieser Kanon widerspricht aller Lebenserfahrung. Die Auswahl der Mitgrüßenden unterliegt den verschiedensten Bedingungen. Zudem zeigt die Vorstellung der einzelnen Personen in 16,21–23 deutlich, daß diese Christen den Adressaten, wo immer sie zu suchen sein mögen, nicht näher bekannt waren. *Daß* Paulus von ihnen grüßt, geschieht vermutlich weniger im Blick auf die Römer als vielmehr um der Grüßenden willen: Solche lobende Vorstellung mit der Erwähnung ihrer Verdienste ehrt sie und bindet sie fester an den Apostel, der zu jener Zeit besonders auf sie angewiesen ist.

12. Vgl. Lucht, a.a.O. S. 119 ff.; Schultz, a.a.O. S. 112 f.; Schumacher, a.a.O. S. 101; Deißmann, a.a.O. S. 372 ff.

13. Völter (1890), S. 43; Mangold (1884), S. 145 ff.; Bernhard Weiß (1891), S. 36; Lipsius, a.a.O. S. 86; Clemen (1894), S. 97; Kühl, a.a.O. S. 492; vgl. Erbes, a.a.O. S. 146; 205 ff.; Schenke, a.a.O. Sp. 883.

14. Lipsius, a.a.O. S. 86.

Der Charakter des Briefleins 16,1–20 ist unschwer zu erkennen: Es handelt sich um einen Empfehlungsbrief für ein aus Kenchräa stammendes aktives Gemeindeglied mit Namen Phöbe. 16,1–2 bildet das eigentliche Briefkorpus. Das ihm vorausgehende Präskript wurde wie in allen entsprechenden Fällen im Korpus Paulinum von dem Redaktor gestrichen. Eine Danksagung muß der kleine Brief nicht unbedingt gehabt haben[15].

Der Empfehlungsbrief war in der Antike ganz gewöhnlicher Brauch[16]. Das Neue Testament bietet eine Reihe von Hinweisen auf diesen Tatbestand; man vgl. 1Kor 16,3; 2Kor 3,1; 8,16ff.; Apg 9,2; 15,23ff.; 22,5. Die Form der Empfehlungsbriefe war unterschiedlich. Durchweg aber setzten sie mit der Empfehlung ein, wie die von Deissmann gebrachten Beispiele zeigen[17].

Der auf die Empfehlung der Phöbe folgende Teil des kleinen Briefes enthält die zu einem paulinischen Briefschluß gehörenden Stücke und nur diese, wenn auch nicht alle in der üblichen Reihenfolge. Persönliche Bemerkungen fehlen allerdings. Sie hätten vor V. 3 oder, falls sie eine selbständige Aufgabe im Brief erfüllten, auch vor V. 1 im Proömium ihren Platz gehabt; möglicherweise haben sie dort auch gestanden. Der Redaktor mußte sie in diesem Fall streichen, weil die Situation des Paulus für den ganzen vorliegenden Römerbrief durch die persönlichen Bemerkungen festgelegt war, die sich in 1,8–17 und in 15,14–32 finden. Die Annahme, das Empfehlungsschreiben für die Phöbe habe persönliche Bemerkungen über die Lage oder die Pläne des Apostels enthalten, ist freilich nicht unbedingt nötig. Denn da Phöbe genugsam von Paulus berichten konnte, waren sie entbehrlich. So heißt es beispielsweise in dem von Deissmann[18] abgedruckten Empfehlungsschreiben für den Soldaten Theon an den Tribun Julius Domitius: „Und er kann Dir alles berichten über unsere Tätigkeit. Was immer er mir sagte, das ist auch tatsächlich so gewesen." Paulus selbst schreibt in Kol 4,7ff. anstelle ausdrücklicher Nachrichten über sein Ergehen: „Alles, was mich betrifft, wird euch Tychikus mitteilen, der geliebte Bruder ..." So sind die persönlichen Nachrichten möglicherweise in der warmen Empfehlung der Phöbe in 16,1–2 indirekt eingeschlossen.

---

15. Zu dem δέ (16,1) wird meist auf Ps. Xen. Ath. 1 verwiesen (siehe z.B. Lietzmann, 1933, S. 129). Vgl. dazu RE IX A 2 Sp. 1979 (Xenophon von Athen). Indessen bildet das δέ in 16,1 nur dann ein Problem, wenn man übersieht, daß ihm ursprünglich ein Präskript (und eventuell eine Danksagung) vorausging. Zu Beginn des Briefkorpus ist δέ ganz gewöhnlich; vgl. z. B. 1Kor 1,10; Phil 1,12; 2Thess 2,1.
16. Vgl. Windisch: Der zweite Korintherbrief, MeyerK VI⁹, 1924, S. 103f.
17. A.a.O. S. 137; 163ff. „Die Briefe Epistolographi Graeci rec. Hercher, S. 259 (Dion an Rufos) und S. 699 (Synesios an Pylaimenes) beginnen, wie Röm 16, mit συνίστημι" (ebd. S. 199). Weitere Beispiele bei McDonald, a.a.O. S. 371 (Pap. Oxyrh. Nr. 32; 1162).
18. A.a.O. S. 163f.

Auf die Empfehlung folgen die Grüße in auffallender Ausführlichkeit, und zwar in V. 3–15 Grüße an die Gemeindeglieder im Bereich der Briefempfänger, in V. 16 ein kurzer formeller von den Absendern ausgehender Gruß, der unter ἐκκλησίαι vermutlich die verschiedenen Hausgemeinden im Umkreis des Absenders versteht [19], falls sich der Apostel nicht als Mandatsträger aller von ihm gegründeten Gemeinden ansieht, deren Verbundenheit mit den angeredeten Christen er betonen will.

Die Grußliste wirft eine Reihe von Problemen auf, von denen uns einige weiter unten noch beschäftigen werden. An dieser Stelle achten wir nur auf das Urteil Kümmels [20], der Brief 16,1–20 „hätte einen literarisch unmöglichen Charakter. Einen weitgehend aus Grüßen bestehenden Brief hat noch niemand für die Antike nachgewiesen."

Auch wenn das Urteil stimmte, würde es dann nicht entscheidend ins Gewicht fallen können, wenn 16,1–20 aus seiner eigenen Situation als Brief verständlich zu machen wäre. Aber das Urteil stimmt auch nicht. Kümmel hat unter anderem übersehen, was Deissmann [21] zu diesem Problem bereits bemerkt hat: „Es ist leicht, namentlich die eine auffallende Eigenart dieses Briefes, die scheinbar monotone Häufung der Grüße, durch Parallelen aus den Papyrusbriefen zu belegen: ich nenne den Brief der Tasucharion an ihren Bruder Neilos (Faijûm, 2. Jh. n. Chr.) und den Brief des Ammonios an seine Schwester Tachnumi (Ägypten, Kaiserzeit), deren Ähnlichkeit mit Römer 16 geradezu frappant ist, nur daß Paulus die Monotonie des Massengrußes durch feine individuelle Noten belebt." [22] Deissmann bringt an der gleichen Stelle auch interessante Hinweise auf nicht-antike Parallelen, die an der Möglichkeit eines „weitgehend aus Grüßen bestehenden" Briefes keinen Zweifel lassen.

Da die von Deissmann angeführten Papyri nur schwer zugänglich sind, bringe ich Nr. 601 der Berliner Sammlung *in extenso*, einige kleinere Ergänzungen und Korrekturen einarbeitend:

Τασουχάριον Νείλῳ τῷ
ἀδελφῷ πολλὰ χαίρειν.
Πρὸ μὲν πάντων εὔχομαί σε

19. Vgl. 1 Kor 16,20a: *ἀσπάζονται ὑμᾶς οἱ ἀδελφοὶ πάντες*
     2 Kor 13,12b: *ἀσπάζονται ὑμᾶς οἱ ἅγιοι πάντες*
     Phil 4,22: *ἀσπάζονται ὑμᾶς πάντες οἱ ἅγιοι*
     Tit 3,15: *ἀσπάζονταί σε οἱ μετ' ἐμοῦ πάντες*
     1 Kor 16,19: *ἀσπάζονται ὑμᾶς αἱ ἐκκλησίαι τῆς Ἀσίας*
20. (1964), S. 228 f.; vgl. Lietzmann (1933), S. 129; Michaelis, a.a.O. S. 162; Wikenhauser-Schmid, a.a.O. S. 462.
21. A.a.O., S. 199; vgl. Michaelis (siehe Anm. 11), S. 85 f.
22. Auch solche belebenden Noten finden sich allerdings in antiken Grußlisten; siehe McDonald, a.a.O. S. 370 f.

ὑγιαίνειν καὶ τὸ προσκύνη-
μα σου ποιῶ παρὰ τῷ κυρίῳ Σαρά-
πιδι. Γίνωσκε, ὅτι δέδωκα
Πτολεμαίῳ καλὰ μεσιτὰ ἀσπα-
λίσματα τῆς οἰκίας εἰς τὸ Δημη-
τρῖον. Εὖ οὖν ποιήσῃς γράφον μοι
περὶ τῆς οἰκίας. ὅτι τί ἔπραξας,
καὶ τὸν ἀρραβῶνα τοῦ Σαραπί-
ωνος παράκλητος δέδωκα αὐτῷ,
καὶ γράψον μοι περὶ τῆς ἀπογραφῆς.
Εἰ ποιεῖς τὴν ἀπογραφὴν ἐμο . . .
καλῶς ποιεῖς ει . . .
γράψον μοι ἐν τάχιον, ἵνα ἑτοι-
μάσω καὶ ἀναπλεύσω πρός σε.
Καὶ περὶ τῶν σιταρίων, μὴ πώλει
αὐτά. Ἀσπάζομαι τὴν ἀδελφήν μου
Ταοννῶφριν καὶ τὴν θυγατέρα Βελλαίου.
Ἀσπάζεταί σε Δίδυμος καὶ Ἡλιόδωρος.
Ἀσπάζεται ὑμᾶς Πτολεμαῖος καὶ Τι-
βερῖνος καὶ Σαραστίων. Ἀσπάζομαι
Σαραπίωνα Ἰμούθου καὶ τὰ τέκνα αὐτοῦ
καὶ Σῶμα καὶ τὰ τέκνα αὐτοῦ καὶ τὴν γυναῖκα
καὶ Ἥρωνα καὶ Ταβοὺς καὶ Ἰσχυρίαινα.
Ἀσπάζεται ὑμᾶς Σατορνεῖλος. Ἐρρῶσθαί σε
εὔχομαι. Ἀσπάζεται Τασουχάριον Πε.ιν
καὶ τὰ τέκνα αὐτῆς. Ἑλένη ἀσπάζεται
τὴν μητέρα μου πολλὰ καὶ τοὺς ἀδελφούς.
Ἀσπάζεται ὑμᾶς Χαιρήμων. . .

(Ägyptische Urkunden aus den Königlichen Museen zu Berlin, 2. Bd., 1898,
Nr. 601; die *verso* stehende Adresse habe ich weggelassen.)
Dazu stelle ich den Beginn des Papyrus Nr. 18 aus Notices et Extraits des
Manuscrits de la Bibliothèque Impériale et autres Bibliothèques, Tome 18,
Paris 1865 (S. 232 f.).
Ἀμμώνιος Ταχνουμὶ τῇ ἀδελφῇ πολλὰ χαίρειν. Πρὸ μὲν πάντων
εὔχομαί σε ὑγιαίνειν, καὶ τὸ προσκύνημά σου ποιῶ καθ᾽ ἑκάστην ἡμέραν.
Ἀσπάζομαι πολλὰ τὸν . . .
Auf dieses Briefkorpus, das praktisch nur aus dem kurzen Proömium besteht,
folgen nicht weniger als zwölf Zeilen Grüße mit einigen Bemerkungen für
die Grußempfänger und mit Angaben über den Absender.
Es lassen sich über die von Deissmann genannten hinaus leicht weitere
Beispiele für derartige Briefe finden. Ich notiere aus dem 2. Band der Ber-

liner Urkunden noch die Nr. 623 (die Grußliste umfaßt etwa 50 % des ganzen Schreibens) und die Nr. 632 (die Grußliste umfaßt fast 60 %).

Auf ein weiteres Beispiel verweist McDonald[23], nämlich auf den Brief des Aurelius Dius an seinen Vater Aurelius Horion[24], der übersetzt lautet:

„Aurelius Dius sendet Aurelius Horion, meinem sehr geliebten Vater, die herzlichsten Grüße.

Täglich bete ich für dich zu den hiesigen Göttern.

Sei unbesorgt um unsere Studien, Vater. Wir arbeiten fleißig und achten auf unsere Erholung. Uns wird es gut gehen.

Ich grüße meine Mutter Tamiea und meine Schwester Thepherous und meine Schwester Philous; ich grüße auch meinen Bruder Patermouthis und meine Schwester Thermouthis; ich grüße auch meinen Bruder Heracl ... und meinen Bruder Kollouchis; ich grüße meinen Vater Melanus und meine Mutter Timpesouris und ihren Sohn.

Es grüßt euch alle Gaia; es grüßen euch alle mein Vater Horion und Thermouthis.

Ich bete, Vater, daß du gesund bleibst."

In diesem Fall umfassen die Grüße reichlich 60 % des ganzen Briefes. Fast ebenso umfangreich sind die Grüße des in demselben 10. Band der Oxyrhynchus Papyri befindlichen Briefes Nr. 1299 aus dem 4. Jahrhundert. In dem Pariser Papyrus Nr. 18 beträgt die Grußliste sogar runde 80 %. In dem zitierten Berliner Papyrus 601 sind es etwa 50 %.

In Röm 16, 1–20 läßt sich die Prozentzahl nur schätzen, da der Eingangsrahmen des Briefes fehlt und wir nicht wissen, ob Paulus außerdem noch persönliche Notizen gemacht hatte, die der Redaktor streichen mußte. Auf keinen Fall umfaßte die Grußliste 16, 3–16 mehr als 60 % des vollständigen Schreibens.

McDonald[25] urteilt also zu Recht: „It is Lietzmann's statement[26] that is anachronistic, not the hypothesis he is attacking. Romans 16, 1–23 as a separate letter would be a monstrosity in the age of picture postcard, but not in Paul's day. One is tempted to ask, 'what kind of postcards did Lietzmann write'?"

Kurzum: die lange Grußliste 16, 3–16 ist literarisch keinesfalls unmöglich, sondern eine in antiken Briefen durchaus übliche Form des Briefstils.

23. A.a.O. S. 370.
24. Oxyrh. Pap. Nr. 1296 (ed. Grenfell-Hunt, X, 1914), 3. Jhdt.; McDonald nennt irrtümlicherweise Nr. 1962.
25. A.a.O. S. 372.
26. An die Römer, HNT 8, 1906[1], S. 76: „Ein fast aus lauter Grüßen bestehender Brief ... mag im Zeitalter der Ansichtspostkarte verständlich sein, für jede frühere Zeit ist es ein Monstrum."

Auf die Grußliste folgt in V.17–19 die Schlußparänese, formal korrekt eingeleitet, wie 1Kor 16,15 und Phil (C) 4,2 zeigen.

V. 20a bildet, daran angeschlossen, jenen förmlichen Segenswunsch, der meistens an einer früheren Stelle im Briefschluß steht und oft von den persönlichen Bemerkungen zur Schlußparänese überleitet (siehe S.154ff.). Dieses Stück des Briefrahmens wird von Paulus relativ frei variiert; an die Schlußparänese angehängt und mit ihr sachlich fest verbunden begegnet dieser Teil des Postskripts wie in 16,20a auch in Phil (B) 4,9b und in 2Kor 13,11b.

V.20b schließlich bildet den Schlußsegen, der den Brief definitiv abschließt.

Das Schreiben 16,1–20 enthielt also alle notwendigen Teile des paulinischen Briefes und enthält sie mit Ausnahme des redaktionell entfernten Protokolls noch jetzt. Das Verhältnis von Korpus und Rahmen ist allerdings ungewöhnlich, wenn man die anderen Briefe des Apostels zum Vergleich heranzieht. Ein Empfehlungsbrief kann logischerweise kein umfangreiches Korpus haben. Für die umfangreiche Grußliste muß indessen noch eine Erklärung gefunden werden; denn sie ist mit dem bloßen Hinweis auf die antiken Parallelen allein zweifellos nicht hinreichend gedeutet. Auffällig ist dabei die Stellung der Grüße vor den anderen Teilen des Postskripts. Sonst stehen die Grüße stets vor dem abschließenden Segenswunsch. Ihre hervorgehobene Stellung in Röm 16 muß mit dem Umfang der Grüße im Zusammenhang stehen, und es steht zu vermuten, daß die Grüße in 16,1–20 ein eigenes Gewicht und eine eigene sachliche Bedeutung haben.

Der literarische Befund läßt jedenfalls keine andere Möglichkeit zu, als 16,1–20 für ein selbständiges Schreiben des Apostels zu halten, und zwar für ein mit Ausnahme des Präskripts und gegebenenfalls einiger persönlicher Bemerkungen vollständiges Schreiben[27]. Nicht diese Erkenntnis darf der Historiker als Hypothesenfreundlichkeit abtun; sehr viel gewagter ist es, angesichts des literarischen Befundes an der Integrität des Römerbriefes festzuhalten[28].

---

27. Schulz a.a.O. passim; Heinrich August Schott, a.a.O. S. 249ff.; Laurent, a.a.O. S. 37f.; Reuss, a.a.O. S. 102; Bernhard Weiß (1886), S. 40f.; Völter (1890), S. 43; Lipsius, a.a.O. S. 86; Haupt in: Theol. Stud. Krit. 73, 1900, S. 148; v. Soden, a.a.O. S. 47ff.; Jülicher (1906), S. 96; Kühl, a.a.O. S. 475ff.; 491f.; Johannes Weiß (1917), S. 109; Käsemann, a.a.O. S. 390. Zu Semler, Eichhorn, Paulus siehe oben S. 109f., Anm. 11.

Als integralen Bestandteil des Römerbriefes sehen Kap. 16 von neueren Forschern u.a. an: Schumacher, a.a.O. S. 61ff.; Hans Wilhelm Schmidt, a.a.O. S. 267; Kümmel (1964), S. 227ff.; Donfried, a.a.O. S. 441ff.; Wikenhauser-Schmid, S. 459ff.; Minear, a.a.O. S. 23ff.; Klijn, a.a.O. S. 78f.

28. Dieser literarische Befund schließt es aus, Röm 16 bloß für einen Nachtrag zum Römerbrief anzusehen, stamme er von der Hand des Paulus oder von einem späteren Bearbeiter (siehe

Man hat gelegentlich Kap. 16 – bei verschiedener Abgrenzung – für das *Fragment* eines Paulusbriefes gehalten, das heißt für den Schluß eines Briefes, der im übrigen verlorengegangen sei[29]. Diese Vermutung legt aber der literarische Charakter von 16,1–20 ebensowenig nahe wie die These, Teile von Röm 12–15 gehörten mit 16,1–20 zu einem selbständigen Brief zusammen[30].

Andererseits besteht auch kein Anlaß, an der Integrität des Abschnittes 16,1–20 zu zweifeln. 16,1–2 gehören nicht noch zum Römerbrief, wie manche Forscher[31] meinen und dabei dem Schreiben 16,1–20 sein Briefkorpus nehmen.

Oft hat man auch V. 17–20 ausscheiden wollen, was aber nur bei römischer Adresse von 16,1–20 nötig wäre[32].

Der literarische Charakter von 16,1–20 zeigt allen solchen Versuchen gegenüber, daß jeder der verschiedenen Abschnitte dieses Schreibens in das paulinische Briefformular hineingehört, keiner aber sich wiederholt; V. 1–2 bilden das Korpus, V. 17–19 die Schlußparänese, V. 20a ist der übliche Segenswunsch und V. 20b der Schlußsegen des Empfehlungsbriefes für die Phöbe. Die formalen Gründe sprechen also unbedingt für die Integrität von 16,1–20. Ob inhaltliche Gründe diese Einheitlichkeit in Frage stellen, wird noch zu fragen sein, wenn die Adresse von 16,1–20 feststeht.

dazu S. 109 f.), also auch die Hypothese Appels, derzufolge Paulus Kap. 16 als Anhang ausgearbeitet habe, nachdem er die Phöbe als Überbringerin des Schreibens gefunden, vom Auftreten einer libertinistischen Irrlehre in Rom erfahren (16,17–20) und Nachricht über die ihm befreundeten Christen in Rom bekommen hatte. Kap. 16,1–20 ist, literarisch gesehen, in keiner Weise ein Nachtrag zu einem Brief, sondern ein um das Präskript gekürzter Brief.

Roller, a.a.O. S. 191, meint allerdings zeigen zu können, daß gerade aus formalen Gründen 16,1–20 unmöglich ein selbständiger paulinischer Brief sein könne; er sei unter Voraussetzung paulinischer Autorschaft nur als Teil des Römerbriefes verständlich. Ich verzichte auf eine Auseinandersetzung mit Rollers Ansicht, da er trotz eines voluminösen Werkes eine einigermaßen gründliche Analyse des paulinischen Briefformulars nicht geliefert hat. Aber auch davon abgesehen ist gänzlich unverständlich, wie Roller angesichts der Dubletten 15,5 f.; 15,13; 15,33 und 16,20 sagen kann – das ist sein Hauptargument – 16,20 dürfe dem Hauptbrief aus formalen Gründen nicht genommen werden.

29. Mangold (1884), S. 147 ff.; Feine-Behm, a.a.O. S. 170 f.; Michaelis, a.a.O. S. 162 f.; Marxsen (1963), S. 99 f.

30. So Schultz, a.a.O. passim; Spitta (1901) passim.

31. Ewald, a.a.O. S. 427 ff.; Ritschl, Jb. für dt. Theol. 11, 1866, S. 352 ff.; Volkmar (1875), S. 137; Mangold (1884), S. 137 ff.; Pfleiderer (1902), S. 175; Feine (1916), S. 146; 422; Feine-Behm, a.a.O. S. 170; Michaelis, a.a.O. 162 f.; Marxsen (1963), S. 100; Schenke, a.a.O. Sp. 883.

32. Hitzig, a.a.O. S. 65 f.; Krenkel, a.a.O. S. 207; 212; Heinrich Julius Holtzmann (1886), S. 273; Pfleiderer (1902), S. 175 f.; vgl. Leenhardt, a.a.O. S. 17.

Andere Forscher wiederum haben die Grüße V. 21–23 zu dem selbständigen Schreiben 16,1–20 hinzugenommen[33]. Indessen entgeht man so nur scheinbar der Notwendigkeit, mit der Hand eines Redaktors rechnen zu müssen; denn der ursprüngliche Römerbrief kann nicht in 15,33 oder 16,2 ohne Grüße geschlossen, der Brief 16,1–20 nicht ohne Präskript begonnen und ohne Schlußsegen geendet haben. Das Schreiben Röm 16,1ff. kann also auf keinen Fall zufällig an den eigentlichen Römerbrief herangewachsen sein. Und daß die Grüße 16,21–23 eine Dublette zu 16,3–16 darstellen und vor 15,33 zu stehen kommen müssen, hat unsere Analyse bereits ergeben.

Schließlich ist es unbegründet, Kap. 16 für einen *unpaulinischen* Anhang des eigentlichen Römerbriefes zu halten. Die Unechtheit behaupteten vor allem Baur und seine Schüler, soweit sie Kap. 15 und 16 insgesamt für unpaulinisch ansahen (siehe S. 109 ff.). Aber der paulinische Ursprung von 16,1–20 kann mit Grund nicht bestritten werden, und einsichtige Gründe für die nachpaulinische Bildung dieses Stückes durch einen Paulusimitator lassen sich nicht angeben.

Die Redaktion

Kümmel[34] nennt zwei entscheidende Gründe gegen die These, 16,1–20 sei ein selbständiges Schreiben. Den einen Grund – der angeblich literarisch unmögliche Charakter von 16,1–20 – haben wir bereits ausführlich zurückgewiesen. Der andere Grund lautet, es sei unerklärlich, wie Kap. 16 seinen jetzigen Platz gefunden haben könne, wenn der Abschnitt nicht von Anfang an mit dem Römerbrief verbunden gewesen sei.

Bei seiner Argumentation sieht Kümmel mit Recht, daß an ein zufälliges Zusammenwachsen beider Briefe nicht gedacht werden kann; denn dann bliebe unerklärt, „warum man von dem mit 15,33 beendeten Röm. die dort unentbehrlichen Grüße und vom angeblichen Epheserbrief die Adresse abgeschnitten hätte". Daß man hier ein ernsthaftes Problem, ja, ein entscheidendes oder gar das entscheidende Argument gegen die Selbständigkeit von Röm 16,1–20 sehen kann und oft gesehen hat[35], wird verständlich, wenn

---

33. Straatman, a.a.O. S. 55 ff.; Schenkel, a.a.O. S. 115; Weizsäcker (1902), S. 322; Jülicher (1906), S. 97; ders. (1908), S. 327; Michaelis (siehe Anm. 11), S. 87 ff.; Oskar Holtzmann, a.a.O. S. 678; Moffatt, a.a.O. S. 135 f.; Feine-Behm, a.a.O. S. 170; Käsemann, a.a.O. S. 400; McDonald, a.a.O. S. 371. Meist will man damit ein zufälliges, in der späteren Überlieferung erfolgendes Anwachsen des selbständigen Schreibens Röm 16 an den Römerbrief ermöglichen.

34. (1964), S. 228 f. Vgl. Klijn, a.a.O. S. 80 f.; Wilckens, a.a.O. S. 124 f. Anm. 48 hält Kümmels Einwände für überzeugend.

35. Erbes, a.a.O. S. 129; Schumacher, a.a.O. S. 69 ff.; vgl. Reiche, a.a.O. S. 13 ff.; Feine (1903), S. 158; Schlatter, a.a.O. S. 394 f.

man bedenkt, wie vielfältig, phantasievoll und gelegentlich auch skurril die Vorschläge sind, mit denen jene Forscher, welche die Integrität des Römerbriefes bezweifelten, die mangelnde Integrität des Römerbriefes erklären wollten. Denn noch Jülicher[36] meint, Röm 16 müsse „durch ein Versehen sich an den Römerbrief heran oder in ihn hineingeschoben habe(n)".

Einige Beispiele mögen den genannten Sachverhalt belegen.

Semler[37] und Keggermann[38] vermuteten, Kap. 16 enthalte vor allem ein Verzeichnis der Personen, welche die Überbringerin des Römerbriefes auf ihrer Reise besuchen sollte; daraus mag sich dann das irrtümliche Zusammenwachsen dieses Verzeichnisses mit dem eigentlichen Brief erklären.

Eichhorn[39] hält 16,1–20 für ein Empfehlungsschreiben, das Phöbe später einmal mit nach Rom gebracht habe, wo die unterschiedlichen Schreiben zusammengewachsen seien.

Schenkel[40] rechnet damit, Phöbe sei über Ephesus nach Rom gereist und habe den kleinen für Ephesus bestimmten Brief Kap. 16 gleichfalls mit nach Rom genommen, wo er in Unkenntnis der wirklichen Verhältnisse mit dem Römerbrief verbunden worden sei.

Auch Reuss[41] sieht die eigentliche Schwierigkeit darin, „die Verbindung des Stückes mit dem Römerbriefe zu erklären, wenn er demselben wirklich nicht zugehören sollte". Trotz dieser Schwierigkeit entscheidet er sich für die ephesische Adresse von Röm 16: „Phöbe reiste also nach Ephesus; sollte etwa von dort der andere oder Hauptbrief nach Rom gehen und ein Mißgriff, ein Zufall ließ die Empfehlung dabei?"

Weizsäcker[42] und v. Soden[43] nehmen an, der kleinere Brief habe nie eine Adresse besessen, weil die Phöbe in verschiedene Orte gereist sei; damit wird allerdings nur eine der Schwierigkeiten, die einem zufälligen Zusammenwachsen der Briefe entgegenstehen, aus dem Weg geräumt.

Schultz[44] ist der Meinung, Kap. 16 sei *in* Rom geschrieben worden, so daß in der römischen Gemeinde beide Schreiben leicht zusammenwachsen konn-

---

36. (1908), S. 326 f.
37. A.a.O. S. 277 f., bes. S. 293 ff.
38. Ebd.
39. A.a.O. S. 238–246. Ähnlich urteilen andere Forscher, die in verschiedener Weise 15,1–33; 16,1–20.21–23 (24).25–27 für selbständige Stücke oder für Nachträge zum Römerbrief halten, die in Rom gemeinsam mit dem Hauptbrief 1,1–14,23 veröffentlicht wurden; vgl. z. B. H. E. G. Paulus (siehe S. 109 f., Anm. 11); Credner (siehe S. 116 f., Anm. 40).
40. A.a.O. S. 113 ff.
41. A.a.O. S. 101 f.
42. (1902), S. 322.
43. A.a.O. S. 49.
44. A.a.O. S. 129; ähnlich Ewald, a.a.O. S. 429; Mangold (1884), S. 163.

ten, als man das im Gemeindearchiv ruhende paulinische Material publizierte, zumal die im römischen Archiv ruhende Abschrift des kleinen Briefes wahrscheinlich keine ausgeführte Adresse besaß.

Einige Forscher[45] erklären die Einschiebung des Abschnittes 16,1–20 zwischen 15,33 und 16,21 mit Blattvertauschung. In 15,33 ging ein Blatt zu Ende. Das Schreiben 16,1–20 habe auf einem besonderen Blatt gestanden. Dieses sei durch ein Versehen zwischen 15,33 und 16,21 geraten, mit welchem Vers das letzte Blatt des Römerbriefes begonnen habe.

Deissmann[46] rechnet damit, daß Paulus Kopialbücher geführt hat. Der Römerbrief und der Brief 16,1–20 hätten in einem Buch hintereinandergestanden, da sie in gleicher Reihenfolge abgefaßt wurden. „Bei einer Abschrift aus dem Kopialbuch konnten beide mit gleicher Schrift geschriebenen Briefe um so leichter zusammenfließen, als die Präskripte in der Kopie gekürzt zu werden pflegten."

Andere Erwägungen finden sich z. B. bei Feine-Behm[47], dem sich Michaelis[48] im wesentlichen anschließt, bei Straatman[49] und Munck[50] (mit T. W. Manson[51]).

Alle diese Erwägungen sind verfehlt, ganz gleich, welchen größeren oder geringeren Grad von Wahrscheinlichkeit sie in sich selbst haben mögen. Sie alle nämlich sehen in der literarischen Verfassung von Röm 16 ein spezielles Problem des Römerbriefes, das aus den besonderen Verhältnissen dieses Schreibens gelöst werden müsse. In Wahrheit handelt es sich bei der Frage, wie 16,1–20 in den Römerbrief kommt, um dieselbe Frage, die durch die Briefkompositionen der anderen Paulusbriefe aufgeworfen wird[52]; denn auch die literarische Integrität der Korintherbriefe[53], des Philipperbriefes[54]

45. Laurent, a.a.O. S. 38; Haupt, in: Theol. Stud. Krit. 68, 1895, S. 368.
46. A.a.O. S. 199 ff.; vgl. Feine (1903), S. 158 f.; v.Soden, a.a.O. S. 49.
47. A.a.O. S. 170 f.; vgl. Feine (1916), S. 424.
48. A.a.O. S. 159 f.
49. A.a.O. S. 57.
50. (1954) S. 191 ff. Ähnlich bereits Oskar Holtzmann, a.a.O. S. 677.
51. A.a.O. S. 238 f. Vgl. auch Suggs, ‚The Word is near to you‘, Romans 10, 6–10 within the Purpose of the Letter, in: Studies presented to John Knox, ed. Farmer, Moule, Niebuhr, 1967, S. 292 f.
52. Richtig urteilt im Prinzip z.B. schon Ammon bei Koppe, a.a.O. S. 7 der Einleitung: „Hanc (sc. 16,1–20), ne plane intercideret, librarius post fata Pauli epistolae primae et principi ita attexuisse putandus est, ut eam inter doxologiam (15,33) et salutationes (16,21–27) intercalaret adeoque duas literas in unum corpus compingeret."
53. W. Schenk: Der 1.Korintherbrief als Briefsammlung, ZNW 60, 1969, S. 219–243; W. Schmithals: Die Korintherbriefe als Briefsammlung, ZNW 64, 1973, S. 263–288.
54. Vgl. meine Untersuchung über ‚Paulus und die Gnostiker‘ 1965, S. 48 ff.

und der Thessalonicherbriefe[55] ist mehr als nur zweifelhaft. Das Korpus Paulinum stellt keine einfache Zusammenstellung von Paulusbriefen dar, sondern ist, wie schon Semler erkannte, in gewisser Weise selbst ein literarisches Kunstprodukt. Dann aber läßt sich das literarische Problem von Röm 16 nur gemeinsam mit den literarischen Problemen der anderen paulinischen Hauptbriefe lösen. So aber läßt es sich lösen; denn wenn das älteste Korpus Paulinum überhaupt eine Sammlung redaktionell verfertigter Briefe darstellt, so ist die Tatsache, daß auch der Römerbrief redaktionelle Eingriffe verrät, nicht weiter verwunderlich.

Dabei ist es nicht entscheidend, die Gründe zu kennen, die zu der Herausgabe einer – der ältesten – Sammlung von (sieben) Paulusbriefen in ihrer uns vorliegenden, aus etwa zwanzig Originalbriefen redaktionell verfertigten Gestalt führten[56]. Für unsere Fragestellung ist allein die Tatsache wichtig, *daß* das älteste Korpus Paulinum nicht nur den Fleiß eines Sammlers, sondern in starkem Maße auch die Hand eines Redaktors verrät[57]. Dieser Hand verdankt auch der Schluß des Römerbriefes seine heutige Gestalt, und die Frage, *wie* 16,1–20 zu seinem jetzigen Platz im Ganzen des Römerbriefes gekommen sei, beantwortet sich insoweit einfach mit der Auskunft: durch den Redaktor und Herausgeber der frühesten Sammlung von Paulusbriefen, der 16,1–20 seiner Sammlung in der ihm angemessen dünkenden Weise und an der ihm sinnvoll erscheinenden Stelle einverleibt hat.

Die Adresse von 16,1–20

Die Erkenntnis, daß Kap. 16 – in welcher genauen Abgrenzung auch immer – ein selbständiger Paulusbrief sei, ist alt.

Erkannt wurde das Problem zuerst von Heumann[58]. Keggermann[59] hat dann mit Zustimmung Semlers die Zugehörigkeit von Kap. 16 zum übrigen Schreiben entschieden verneint. Auch innerhalb der konservativen Forschungsrichtung hat man seitdem die Integrität des Römerbrief-Ausgangs bestritten[60], während andererseits immer wieder kritische Forscher an der

---

55. Vgl. ebd. S. 89 ff.
56. Natürlich ist die Frage nach diesen Gründen interessant; ich habe sie in der Anm. 54 genannten Untersuchung, S. 185 ff., zu beantworten gesucht.
57. Vgl. Spitta (1901), S. 60 f.
58. A.a.O. S. 7 f.; 537 ff.; 645. Heumann hielt Kap. 16 für ein Postskript, das Paulus nach Abschluß des eigentlichen, bis 15,33 reichenden Briefes schrieb.
59. A.a.O., mit Erweiterungen Semlers abgedruckt bei Semler, a.a.O. S. 277–311.
60. Reuss, a.a.O. S. 102; Michaelis, a.a.O. S. 160 ff.; Leenhardt, a.a.O. S. 17 f.

Einheitlichkeit des Römerbriefes festgehalten haben[61].

David Schulz[62] hat zum ersten Male die Hypothese aufgestellt, Kap. 16 sei ursprünglich nach Ephesus gerichtet gewesen. Er erledigte damit die von Eichhorn[63] und Griesbach[64] geäußerte Vermutung, Kap. 16 habe eine korinthische Adresse getragen, sowie andere Adressatenangaben[65].

Seitdem streiten sich die Gelehrten um die Frage: römische Adresse oder ephesische Adresse. Die römische Adresse steht natürlich für alle Forscher fest, die an der Integrität des Römerbriefes nicht zweifeln. Aber auch für die selbständige briefliche Einheit wurden nicht selten römische Empfänger angenommen.

Schon Paulus[66] hatte Kap. 16 für ein selbständiges, an die Gemeindevorsteher gerichtetes Schreiben nach Rom gehalten.

Spitta[67], der freilich andere Teile des Römerbriefes mit 16,1–20 verbindet, läßt diesen Briefabschnitt nach der ersten römischen Gefangenschaft von Paulus im Osten geschrieben und nach Rom gerichtet sein, nachdem er viele Christen in Rom kennengelernt hatte.

Erbes[68] meint, 16,3–15 (sic) sei ein Grußbillet, das Paulus von Puteoli aus während seines siebentägigen Aufenthalts dort nach Rom vorausgesandt habe (Apg 28,13).

Harder[69] ist der Überzeugung, Kap. 16 sei eine selbständige Nachschrift zum Römerbrief speziell für jene römischen Christen, die aus den paulinischen Gemeinden des Ostens stammten; ihnen empfehle der Apostel die Phöbe.

Die genannten Forscher werden wesentlich von dem Bestreben geleitet, die sekundäre Verbindung von Kap. 16 mit dem übrigen Brief zu erklären; die gemeinsame römische Adresse soll solche Erklärung erleichtern. Aber wir sahen, daß es solcher Hilfshypothesen nicht bedarf, um die kompositionellen Eigenarten des Korpus Paulinum einschließlich der literarischen Verfassung des Römerbriefausgangs zu verstehen. Und die Frage, ob für das selbständige Schreiben 16,1–20 die römische oder die ephesische Adresse die wahrschein-

---

61. Hilgenfeld, a.a.O. S. 325 f.; Dodd, a.a.O. S. XXIV; Jülicher-Fascher, a.a.O. S. 110; Kümmel (1964), S. 227 ff.; Schille: Die urchristliche Kollegialmission, 1967, S. 48 ff.
62. A.a.O. S. 612. Er findet frühe Zustimmung; vgl. z.B. Ewald, a.a.O. S. 428; Reuss, a.a.O. S. 102; Laurent, a.a.O. S. 34; Ritschl (1866), S. 352.
63. A.a.O. S. 243–246.
64. A.a.O. S. 45 ff.
65. Keggermann, Semler, Schenkel; siehe oben S. 109 f., Anm. 11.
66. Siehe ebd.
67. (1901) S. 62 ff.; vgl. schon Ammon bei Koppe, a.a.O. S. 22 f. der Einleitung; ferner J. Frey: Die letzten Lebensjahre des Paulus, 1910.
68. A.a.O. passim; vgl. Albertz, a.a.O. S. 344.
69. A.a.O. S. 23; für eine selbständige Nachschrift des Paulus nach Rom wurde Kap. 16 früher oft gehalten. Siehe S. 109 f., Anm. 11, S. 136, Anm. 39.

lichere sei, läßt sich, wenn man nicht mit einem beträchtlichen Maß von Voreingenommenheit an sie herantritt, mit unbedingter Sicherheit zugunsten der ephesischen Adresse beantworten.

Die Grußliste[70] spricht ohne Frage für die ephesische Adresse von Röm 16,1–20[71]. Die Namen als solche freilich sollte man weder für die römische[72] noch für die ephesische[73] Adresse auswerten[74]. Die Namen können allesamt sowohl in Ephesus als auch in Rom in der christlichen Gemeinde begegnen. Das Übergewicht der griechischen Namen besagt wenig; die Zahl der typischen Sklavennamen gar nichts.

Bedenklich muß jedoch gegen die römische Adresse stimmen, daß Paulus so viele Bekannte in Rom gehabt haben soll[75]. Er nennt 26 einzelne Personen, die mit ihren Familien und den fünf genannten Hausgemeinden bzw. christlichen Gemeinschaften (5a. 10b. 11b. 14b. 15b) einen beträchtlichen und einflußreichen Kreis in der römischen Gemeinde gebildet haben müßten. Anscheinend handelt es sich bei allen namentlich Genannten zudem um persönliche Bekannte des Paulus[76], was bei nicht wenigen von ihnen den

70. Zu den Namen der Grußliste vgl. besonders Feine (1916) S. 404ff.; Schumacher, a.a.O. S. 79ff.; Roennecke, a.a.O. passim; Lietzmann (1933), S. 126f.; Riggenbach (1892), S. 505ff.

71. Spitta (1901), S. 66f., schreibt: Die Grußliste „ist uns in einem Schreiben an die Adresse der römischen Gemeinde überliefert. Nicht dafür, daß sie dieser gilt, ist der Beweis zu bringen, sondern dafür, daß sie dieser nicht gelten kann, und daß sie nach Ephesus gerichtet sein muß." Bei dieser methodischen Voraussetzung wird man immer noch hinreichend Gründe gegen die Aberkennung der römischen Adresse von Kap. 16 finden. Indessen hätte gerade Spitta, der sich nicht scheut, starke redaktionelle Arbeit im Korpus Paulinum anzunehmen, ein solche methodisches Vorurteil nicht fassen dürfen. Zu fragen ist allein nach der angemessenen Adresse für den literarisch selbständigen Abschnitt 16,1–20.

72. So Lightfoot, St. Paul's Epistle to the Philippians, 3. Aufl., 1873, S. 174ff.; Hilgenfeld, a.a.O. S. 325f.; Riggenbach (1892), S. 509ff.; Clemen (1904), S. 104ff.; ders. (1906), S. 43f.; Zahn (1906), S. 275f.; 298f.; Erbes, a.a.O. S. 138ff.; Lagrange, a.a.O. S. LXV; Roennecke, a.a.O. passim; Sickenberger (1932), S. 303f.; Lietzmann (1933), S. 125; Hans Wilhelm Schmidt, a.a.O. S. 253; 267; Michel, a.a.O. S. 382; Heinrich Julius Holtzmann (1874), S. 514.

73. So Laurent, a.a.O. S. 34; Feine (1916), S. 122f.; ders. (1930) S. 148.

74. So mit Recht z. B. Mangold (1884), S. 147ff.; Clemen (1894) S. 95f.; Jülicher (1906), S. 95; Kühl, a.a.O. S. 481; Deissmann, a.a.O. S. 238, Anm. 7: „Die Kennzeichnung der Personennamen von Röm 16 als spezifisch römischer auf Grund stadtrömischer Inschriften hat denselben Wert wie die Kennzeichnung der Namen Wilhelm, Friedrich, Luise als spezifisch berlinischer auf Grund Berliner Grabsteininschriften"; Michaelis, a.a.O. S. 161; Kümmel (1964), S. 227f.

75. Dies Bedenken äußern schon Semler, a.a.O. S. 293ff.; Ammon bei Koppe, a.a.O. S. 13 der Einleitung; Schulz, a.a.O. S. 609ff.; Heinrich August Schott, a.a.O. § 59.

76. Richtig Bernhard Weiß (1891), S. 36; Spitta (1901), S. 72ff.; Feine (1903), S. 154f.; ders.

Angaben des Paulus mit Sicherheit zu entnehmen ist. Jülicher[77] hat bekanntlich von einer Völkerwanderung aus den paulinischen Gemeinden des Ostens nach Rom gesprochen, die man annehmen müsse, wenn Kap. 16 nach Rom gerichtet sei, worauf andere[78] erwidert haben, alle Gegrüßten hätten in *einem* Schiff Platz gefunden.

In der Tat wird man es nicht für schlechterdings unmöglich ansehen können, daß Paulus relativ viele Bekannte in Rom hatte[79]. Es ist jedoch in dem von 16,3–15 geforderten Umfang äußerst unwahrscheinlich[80], weil man damit rechnen muß, daß die von Paulus gegründeten und ihm bekannten Gemeinden nicht aus Hunderten von Gliedern bestanden, sondern aus relativ wenigen Personen und einzelnen Hausgemeinden. Angesichts dessen hätte die in 16,3–15 genannte Schar, wenn man sie in Rom voraussetzt, einen nicht unbeträchtlichen Aderlaß der paulinischen Gemeinden bedeutet.

Lietzmann[81] urteilt: „Es genügte die ohnehin selbstverständliche Annahme, daß Aquila und Priscilla einen Teil ihrer Arbeitsgenossen bzw. ihres Gesindes mitnahmen." Mit solchen Notauskünften sollte man sich nicht behelfen. Die ‚Hausgenossen' des Ehepaares sind in V. 5 bereits genannt. Daß die anderen Grußempfänger Arbeitsgenossen der beiden sind, wird nirgendwo angedeutet und ist bei manchen von ihnen ausgeschlossen (V. 5b.7). Und daß Aquila und Priscilla Fabrikbesitzer waren, bleibt ebenso ungewiß wie die Annahme, daß sie ihren ganzen Betrieb mit Kind und Kegel in den Westen verlagerten, um bald wieder nach Ephesus zurückzukehren (2 Tim 4,19). Kaum vorstellbar ist auch, daß Aquila und Priscilla nur christliche Arbeiter angestellt haben sollten. Sachlicher ist demgegenüber das Urteil Deissmanns[82]: „Ist der Römerbrief, wie man meist annimmt, nicht sehr lange nachher (sc. nach 1 Kor 16,19) geschrieben, so müßten innerhalb dieser kurzen Zeit Akylas und Priska nicht bloß nach Rom gewandert sein, sondern auch sofort wieder die Röm 16,5 erwähnte Hausversammlung zusammengebracht und den Apostel von ihrer Gründung benachrichtigt haben" – was nicht eben sehr naheliegt.

Unverständlich wäre ferner, warum Paulus bei einem großen persönlichen Rückhalt in Rom mit jener Vorsicht und Zurückhaltung sein Recht auf

---

(1916), S. 400 f.; Kühl, a.a.O. S. 480; Feine-Behm, a.a.O. S. 169; Käsemann, a.a.O. S. 396. Anders Zahn (1906), S. 297; Schumacher, a.a.O. S. 75.

77. (1906), S. 95.
78. Lietzmann (1933), S. 129; Harder, a.a.O. S. 23; Gaugusch, a.a.O. S. 184.
79. de Wette (1847), S. 205; Neander, a.a.O. S. 347, Anm. 1; Mangold (1884), S. 147.
80. Spitta (1901), S. 70 ff.; Feine (1903), S. 155; ders. (1916) S. 399; v. Soden, a.a.O. S. 47; Goodspeed (1937), S. 74 f.; Michaelis, a.a.O. S. 160.
81. (1933), S. 129.
82. A.a.O. S. 238, Anm. 7; vgl. Lipsius, a.a.O. S. 200.

Predigt in der Reichshauptstadt begründet, wie er es in 1,8–15 tut. Durch nichts verrät Paulus, daß in Rom ein starker Freundeskreis auf ihn wartet und er längst in der Hauptstadt viel Frucht *hat* (1,13)[83]. Aus dem Proömium seines Schreibens muß man das Gegenteil erschließen. Unmöglich können doch die in 16,3–15 genannten Christen – man muß ihre Zahl auf rund 100 schätzen; allein V.14 nennt offensichtlich fünf Hausväter, V.15 drei weitere Häuser – eine unbedeutende Minderheit unter den Christen Roms gebildet haben. Wir sahen, daß der ganze Römerbrief mit einer Gemeindebildung in der Hauptstadt noch überhaupt nicht rechnet, erst recht nicht eine paulinische ἐκκλησία dort voraussetzt. Mit Kap.16 würde also der ganze Römerbrief zu einem unlösbaren Rätsel[84].

Dazu kommt, daß einzelne der namentlich Genannten mit Sicherheit nach Ephesus gehören.

Aquila und Priscilla (V. 3ff.) wohnten dort seit dem Ende der zweiten Missionsreise des Paulus (Apg 18,18.24ff.). Paulus bestellt später aus Ephesus Grüße von ihnen an die Gemeinde zu Korinth (1Kor 16,19), der die Eheleute früher angehört hatten (Apg 18,2f.); zwischen diesen Grüßen gegen Ende des ephesischen Aufenthalts des Paulus und dem Römerbrief liegt weniger als ein Jahr[85]. Dazu kommt, daß auch das Fragment 2Tim 4,19–22 Aquila und Priscilla in Ephesus voraussetzt (vgl. 2Tim 4,19 mit 1,15–18). Beider Anwesenheit zur Zeit des Römerbriefes in Rom ist also extrem unwahrscheinlich, ihr Aufenthalt in Ephesus nahezu sicher, es sei denn, man stimme Schumacher[86] zu, daß das Ehepaar (mitsamt seinem ‚Hause‘) „beliebig hin

---

83. Schon daran scheitert die amüsante Erklärung Credners (a.a.O. S. 386 f.), Paulus, der im Blick auf die kommende Missionierung des Westens „Rom in ein Antiochien für sich um . . . schaffen" wollte, habe viele ihm ergebene Christen veranlaßt, sich in Rom zu vereinigen (Kap. 16). Nachdem dies geschehen sei, habe er seinen Brief geschrieben. „Als der Apostel drei Jahre nach Absendung seines Briefes als Verhafteter nach Rom kam, waren seine Röm 16 erwähnten Freunde verschwunden (Apostelg. 28, 14ss). Der Zweck ihres Aufenthaltes in Rom hatte mit des Apostels Gefangenschaft zu Jerusalem sein Ende erreicht."

84. Vgl. Schulz, a.a.O. S. 611; Käsemann, a.a.O. S. 396.

85. Siehe meine Untersuchung über ‚Die Gnosis in Korinth‘, 3. Aufl., 1969, S. 104. Dabei setze ich hier die übliche Datierung des Römerbriefes am Ende der sogenannten dritten Missionsreise voraus. Bei früherer Datierung (siehe unten S. 180 ff.) befinden sich Aquila und Priscilla mit Sicherheit in Ephesus, als Paulus Röm 1–11 schreibt.

86. A.a.O. S. 80. Mit der Vermutung, daß Aquila und Priscilla ihr römisches Haus bei der Ausweisung durch Claudius nicht veräußerten, sondern durch einen Sklaven als *procurator* verwalten ließen und nach dem Tode des Claudius (13.10.54) nach Rom zurückkehrten, will Lietzmann (1933) S. 128 die Anwesenheit des Ehepaares in Rom erklären. Natürlich lassen sich derartige Hypothesen nicht widerlegen, doch häuft sich die Zahl solcher ebenso notwendiger wie vager Möglichkeiten zu sehr, wenn man an der römischen Adresse von Röm 16 festhalten will.

und her" reiste [87].

Epänetus (V. 5), den Erstbekehrten Asiens, sucht man natürlich auch in Ephesus eher als ausgerechnet in Rom [88].

Woher weiß Paulus, daß Maria (V. 6) viel für die *Römer* arbeitete? Die sekundäre Lesart ἡμᾶς statt ὑμᾶς wäre bei römischer Adresse jedenfalls einleuchtender. Jedoch ist V. 6, nach Ephesus gerichtet, zwanglos verständlich [89].

Andronikus und Junias sind als ehemalige Mitgefangene des Paulus in Ephesus ohne Schwierigkeiten zu suchen und zu finden; in Rom müßten sie erst zugezogen sein [90].

Auch Urbanos (V. 9), Mitarbeiter des Paulus, und des Rufus Mutter, seine Fürsorgerin (V. 13), sind als solche für den Osten sicher nachzuweisen und also ohne Schwierigkeiten in Ephesus zu beheimaten [91].

Allen diesen mehr oder weniger deutlich nach Ephesus weisenden Namen steht in der ganzen Grußliste nicht die geringste Spur gegenüber, die auf den römischen Aufenthaltsort eines der Genannten hinweist.

Man macht freilich geltend, in einem Brief nach Ephesus habe Paulus nicht einzelne Glieder der Gemeinde grüßen können; jedenfalls tue er dies nie in Briefen an von ihm gegründete Gemeinden. Dagegen sei es verständlich, wenn er in einem Brief an die ihm unbekannte Gemeinde in Rom Anknüpfungen suchte [92]. Dies Argument hat Gewicht und bedarf der Prüfung. Außer in Röm 16 läßt Paulus in den zweifellos echten Briefen nie Grüße an einzelne Gemeindeglieder ausrichten. Solche Einzelgrüße finden sich nur noch in Kol 4,15 und 2Tim 4,19 (vgl. Tit 3,15b).

Daß Paulus normalerweise keine Einzelgrüße bestellt, hängt nun freilich nicht damit zusammen, daß er das nur in Briefen an seine eigenen Gemeinden für unfein hält. Wenn „er keinen Unterschied machen und niemand

87. Richtig urteilen in der vorliegenden Problematik z. B. Schulz, a.a.O. S. 610; Reuss, a.a.O. S. 102; Mangold (1884), S. 148; Schultz, a.a.O. S. 108f.; Feine (1903), S. 155ff.; ders. (1916), S. 141ff.; Feine-Behm, a.a.O. S. 169; Deissmann, a.a.O. S. 238, Anm. 7; Michaelis, a.a.O. S. 160f.; Heinrich Julius Holtzmann (1874), S. 513.

88. Mangold (1884), S. 149; Bernhard Weiß (1886), S. 41; Reuss, a.a.O. S. 102; Feine (1903), S. 156f.; ders. (1916), S. 417; Feine-Behm, a.a.O. S. 169.

89. Vgl. Feine (1903), S. 155.

90. Reuss, a.a.O. S. 102.

91. Reuss, a.a.O. S. 102.

92. Dies ist das Hauptargument von v. Dobschütz (1912), S. 474 gegen die ephesische Adresse von Röm 16. Ähnlich argumentieren Hilgenfeld, a.a.O. S. 325; Zahn (1906), S. 273f.; Barth, a.a.O. S. 63f.; Althaus, a.a.O. S. 126; Preisker, a.a.O. S. 30; Hans Wilhelm Schmidt, a.a.O. S. 250.

zurücksetzen wollte"[93] – und dies wollte er gewiß nicht –, so wäre es in Briefen an fremde Gemeinden erst recht unfein, so zu verfahren, und unklug zudem; denn Paulus will doch gerade jenen Teil der Christenschar gewinnen, den er nicht persönlich grüßen kann, weil er ihn noch nicht kennt.

Tatsächlich aber kann Paulus in Briefen an *Gemeinden* bzw. an die Gesamtheit der Christen eines Ortes überhaupt nicht Grüße an einzelne Glieder der angeredeten Christenheit *bestellen*. Er könnte höchstens einzelne Christen besonders *grüßen* (ἀσπάζομαι); das tut er – mit gutem Grund, denn er will niemand bevorzugen – nie[94]. Aber die insgesamt angeredete Schar der Christen auffordern, einzelne ihrer Glieder, das heißt *sich selbst* in einzelnen ihrer Glieder zu grüßen, wäre paradox; das *kann* er nicht tun.

Die Aufforderung, sich einander mit dem heiligen Kuß zu grüßen (1Kor 16,20b; 2Kor 13,12a; 1Thess 5,26), ist natürlich sinnvoll; sie findet sich auch in Röm 16,16a (siehe unten). Paulus könnte auch die Gesamtgemeinde auffordern, einzelne ihrer abwesenden Glieder zu grüßen; aber das geschieht in Röm 16,3–15 nicht. So, wie dieser Abschnitt sich jetzt gibt, erhält „die Gesamtgemeinde ... vom Apostel den Auftrag, eine Reihe von Grüßen an Einzelne zu bestellen"[95]. Der Widersinn solchen Auftrags wird besonders dann deutlich, wenn man erkennt, daß die Grußempfänger die *Gesamtheit* der angeredeten Gemeinde darstellen. Diese Gesamtheit müßte demnach an sich selbst in ihren einzelnen Gliedern die Grüße ausrichten. Zu derartigen Grüßen gibt es zweifellos in der gesamten Briefliteratur keine Parallele!

So stehen denn auch 2Tim 4,19 (und Tit 3,15b) in Briefen an Einzelpersonen (ἄσπασαι): an beiden Stellen wird eine einzelne Person, der Adressat und Empfänger des Briefes, gebeten, andere Christen zu grüßen[96]. Ähnlich steht es in Kol 4,15[97]: Paulus trägt den angeredeten Christen Grüße an die Christen in Laodicea und an die Hausgemeinde der Nympha auf, die sich anscheinend abseits der christlichen Gemeinschaften zu Kolossä und Laodicea versammelt. Jedenfalls gehen auch diese Grüße nicht an die Adressaten des Briefes. Die Adressaten werden vielmehr gebeten, Grüße an Dritte auszurichten.

Die richtige Beobachtung, daß Paulus in Briefen an Gemeinden nie Grüße an einzelne Christen dieser Gemeinden ausrichtet, führt deshalb notwen-

---

93. Schumacher, a.a.O. S. 74.
94. „Übrigens widerspräche es auch durchaus einer festen Regel des Paulus, wenn er hier die *Gemeinde* aufforderte, *einzelne* zu grüßen" (Hartke, a.a.O. S. 24).
95. Jülicher (1908), S. 323.
96. Für diese Beobachtung ist es gleichgültig, ob die Briefschlüsse von 2Tim und Tit literarische Fiktionen sind oder, wie ich nicht zweifle, paulinische Billette.
97. Das Postskript des Kolosserbriefes halte ich für paulinisch, und die Adresse des Briefes dürfte für das Postskript zutreffen.

digerweise zu dem Schluß, daß die Grußliste 16,3–15 nicht an die römische Gemeinde adressiert sein *kann*[98]. Dies Urteil gilt sogar in verstärktem Maße, da Paulus in 1,7 nicht einmal eine ἐκκλησία in Rom als solche anredet, sondern alle einzelnen ‚Geliebten Gottes' und ‚berufenen Heiligen'; wie will er diese auffordern, sich selbst zu grüßen?!

Die Erkenntnis, daß die Grußliste Röm 16,3–15 nicht in ein an eine Gemeinde bzw. an die gesamte Christenheit einer Stadt adressiertes Schreiben gehören kann, halte ich für das durchschlagendste und unwiderlegbare Argument gegen die mit Röm 1,1–7 identische Adresse des Kap. 16.

Diese Erkenntnis erledigt auch die verbreitete These, Paulus werbe durch seine Grüße um Gemeinschaft mit den römischen Christen[99]. Um diese Gemeinschaft wirbt er mit dem *Brief*, der, gehörte Kap. 16 zum Schreiben nach Rom, in den zu Grüßenden gerade nicht die Empfänger des Briefes sehen könnte. Der richtig beobachtete werbende Charakter der Grußliste 16,3–15 paßt also ausgerechnet bei der Adresse Röm 1,1–7 nicht.

Geradezu absurd ist angesichts der Form der Grüße die seit alters vorgetragene Vermutung, der Römerbrief solle der Gemeinde vorgelesen werden und gegen Ende der Verlesung grüße sich die Gemeinde dann mit dem heiligen Kuß (16,16)[100]. Soll denn die versammelte Gemeinde die Einzelgrüße jeweils zunächst an sich selbst ausrichten? Das ἀσπάσασθε ἀλλήλους ἐν φιλήματι ἁγίῳ gilt wie jedes vorangehende ἀσπάσασθε den *bestimmten*

---

98. Diese Einsicht lag ausgesprochenermaßen bereits der These von Keggermann und Semler (siehe unten S. 109, Anm. 11) zugrunde, Röm 16 sei an die (unbekannten) Überbringer des Römerbriefes gerichtet und enthalte die Namen der Gastgeber, die von diesen Überbringern auf ihrer Reise nach Rom an verschiedenen (ungenannten) Orten aufgesucht und gegrüßt werden sollten. Gegen das starke Argument Semlers („Quibus igitur hanc scribit epistolam? Aliis haud dubie, quam his, quorum nomina hic (sc. Kap. 16) exstant") wendet Koppe, a.a.O., ein: „Constabat ecclesia quaevis (ideoque etiam Romana) fratrum duplici genere, aliis *inquilinis, qui tanquam natalibus ad eam pertinebant (ordentliche Mitglieder der Gemeinde),* aliis aduenis, qui conuentus ecclesiae, quoad ipsi in eadem urbe commorabantur, frequentabant *(besuchende Brüder). Istis* scripta erat Epistola, non *his;* iidem igitur etiam salutem dicere *his,* iuberi poterant" – eine reine Verlegenheitsauskunft, die aber das Argument Semlers ernst nimmt.
    Nicht weniger angemessen als Semler urteilt Paulus (1831), S. 317, wenn er von einem der Phöbe mitgegebenen „Blatt von Empfehlungen und Grüßen" spricht, welche die *Gemeindevorsteher* zu Rom und andernorts, die mit dem ἀσπάσασθε angeredet sind, im Namen des Apostels bekannt machen sollen.
    Diese richtigen *methodischen* Einsichten sind mit der (berechtigten) Abweisung der sachlichen Ergebnisse Semlers und Paulus' leider völlig verschüttet und vergessen worden.

99. Vgl. z.B. Althaus, a.a.O. S. 126.

100. Vgl. Rückert, a.a.O. S. 643 f.; R. Seeberg: Aus Religion und Geschichte, 1, 1906, S. 118 ff.; Lietzmann (1933), S. 127; Hans Wilhelm Schmidt, a.a.O. S. 255.

Briefempfängern, und soweit diese Aufforderung nicht bloß formelhaft verstanden werden muß (1Kor 16,20; 2Kor 13,12; 1Thess 5,26; 1Petr 5,14), möchte Paulus offenbar, daß *mit* seinen Grüßen und Mahnungen auch der heilige Kuß zu deren Bekräftigung weitergegeben wird – „damit nämlich keiner ohne Gruß – von dem Apostel – bleibe"[101]. Kühl paraphrasiert nicht ungeschickt: Ich „bitte euch, die Überbringer dieses Grußes zu sein, indem ihr im Andenken an mich den heiligen Bruderkuß miteinander wechselt"[102]. Daß dann 16,3–15 nicht an die ganze Gemeinde gerichtet gewesen sein kann, sondern nur an jene Glieder der Gemeinde, die den anderen die Grüße ausrichten sollen, sieht freilich auch Kühl nicht.

Die Grußliste kann nach allem Gesagten freilich an die *Gemeinde* von Ephesus so wenig wie an die römische Christenheit gerichtet gewesen sein. Eine derartig unpersönliche Anschrift darf man bei einem Empfehlungsbrief allerdings auch schon aus allgemeinen Erwägungen nicht annehmen. Ein Empfehlungsbrief pflegt an eine bestimmte Person bzw. an ein bestimmtes Haus adressiert zu werden. Das ist demnach auch für 16,1–20 vorauszusetzen und entspricht den antiken Parallelen.

Hartke, der das hier liegende literarische Problem meines Wissens als einziger in unserem Jahrhundert hinreichend deutlich erkannt hat, hat gemeint[103], den Empfänger des Empfehlungsbriefes der Phöbe unter den Christen in Ephesus noch genau bestimmen zu können. Der Adressat von 2Tim 4,19 wird aufgefordert, Aquila und Priscilla sowie das Haus des Onesiphoros zu grüßen[104]. Es ist die nächstliegende, ja, die einzig einleuchtende Annahme, daß damit die dem Paulus wichtigsten und nächststehenden christlichen Familien von Ephesus genannt sind. Über die Bedeutung von Aquila und Priscilla für die Arbeit des Paulus läßt Röm 16,3–5 keinen Zweifel bestehen; den ephesischen Wohnsitz und die enge Verbundenheit des ‚Hauses des Onesiphoros‘ mit Paulus bezeugt dagegen 2Tim 1,15–18, gleichgültig, ob wir es bei diesem Abschnitt mit einem authentischen Fragment zu tun haben oder nicht. Auffällig ist dann aber, daß ausgerechnet das Haus des Onesiphoros in 16,3–15 nicht genannt wird[105].

101. Jülicher (1908), S. 324.
102. A.a.O. S. 477.
103. A.a.O. S. 28 ff. Vgl. aber auch Käsemann, a.a.O. S. 396.
104. Hardtke, a.a.O. S. 13 ff., hält mit einleuchtenden Gründen 2 Tim 4,19–22 für ein Billett, das Paulus nach seiner ‚Flucht‘ aus Asien (2 Kor 1,8 ff.) von Troas aus nach Ephesus an Timotheus richtete, als er noch allein war. Der Weg nach Troas führte über Milet, wo er Trophimus zurücklassen mußte. Irgendwo hoffte er Erastos zu treffen, der aber noch nicht von Korinth abgereist war (vgl. Apg 19,22 und 2 Kor 12,18).
105. Auch Hans Wilhelm Schmidt, a.a.O. S. 267, vermißt wie schon vor ihm Erbes, a.a.O. S. 130, mit gutem Grund in der Grußliste Röm 16 den Namen des Onesiphoros. Beide

Die Erklärung Hartkes, daß folglich 16,1–20 an das Haus des Onesiphoros adressiert war, dünkt mich keine Hypothese, sondern ein zwingender Schluß zu sein. Diesem Haus und seiner Fürsorge wurde Phöbe demnach empfohlen, und Paulus benutzt die Gelegenheit, die ephesische Gemeinde in ihren einzelnen ihm bekannten Gliedern zu grüßen [106].

Natürlich kommt es für uns nicht darauf an, den Empfänger des Schreibens 16,1–20 genau zu bestimmen. Genug, daß eine *Gemeinde* als Empfängerkreis ausscheidet und daß damit das Empfehlungsschreiben für die Phöbe nicht ursprünglich mit dem Römerbrief verbunden gewesen sein kann, daß die ephesische Anschrift aber alle Wahrscheinlichkeit für sich hat und es naheliegt, in dem Haus des Onesiphoros die vermutlichen Adressaten zu sehen.

Der Sinn der Grußliste

Gegen die ephesische Adresse wendet man oft ein, die lobenden Prädikate, die Paulus bei sechzehn der sechsundzwanzig namentlich genannten Empfänger der Grüße anfügt, seien in einem Schreiben nach Ephesus unverständlich. Dort habe doch jeder um die Verdienste der Genannten gewußt [107]. Nun, diese Tatsache dürfte für Rom kaum weniger zutreffen, wenn die Betreffenden zur dortigen Christenheit gehörten, und in einem Brief nach Rom ist überdies eine derart lobende Herausstellung seiner Vertrauten ein gefährliches Unterfangen, wenn Paulus die Gemeinde als Ganze allererst für sich gewinnen will.

Man sollte allerdings auch nicht umgekehrt hinter den rühmenden Prädikaten leise Mahnungen an die Gemeinde suchen, die Leistungen ihrer Glieder nicht zu vergessen, sondern ihnen nachzueifern [108]; Landsmann des Paulus, sein Mitgefangener, Erstling in Asien und vor Paulus bekehrter Christ zu sein: das sind zwar Vorzüge, aber nicht solche, die man anderen als nachahmenswert und vorbildlich vorhalten kann.

Tatsächlich formuliert Paulus die verschiedenen lobenden Prädikate weder im Blick auf die Adressaten des Briefes noch im Blick auf die ganze Ge-

---

schließen daraus freilich zu Unrecht, Röm 16 sei nicht nach Ephesus gerichtet.

Wieso nach beider Meinung bei ephesischer Adresse von Röm 16 zudem noch „Stephanus, Fortunatus, Archaikus" (sic) hätten gegrüßt werden müssen (vgl. 1 Kor 16,17), verstehe ich nicht.

106. Wenn Hartke, a.a.O. S. 28 ff., Silas für den Sohn des bereits verstorbenen Onesiphoros hält, der mit seiner Mutter nach Ephesus gezogen sei, so handelt es sich dabei um eine zwar naheliegende, aber unnötige und gänzlich hypothetische Annahme.

107. Vgl. z. B. Gaugler, a.a.O. II, S. 399.

108. So Kühl, a.a.O. S. 478 ff.

meinde, die ohnedies von diesen lobenden Bemerkungen kaum Kenntnis nehmen konnte, sondern im Gedanken an die zu Grüßenden selbst!

Wird der Gruß des Apostels ausgerichtet, so zugleich auch seine Bemerkung über den betreffenden Empfänger des Grußes, Bemerkungen, die allesamt darauf angelegt sind, die innige Verbundenheit des grüßenden Apostels mit den gegrüßten Brüdern in Ephesus auszudrücken, die Bande zwischen beiden zu festigen und in den Gegrüßten die Freude darüber zu wecken, daß Paulus ihrer so herzlich gedenkt. „The list of names is not a monstrosity but an essential part of the communication." [109] „Die Prädikate, durch welche Paulus die meisten Grußempfänger auszeichnet, ... sollen ... gewiß die so Gerühmten zu neuem Eifer ansporren." [110] „Es sind die *Treuen* von Ephesus, die Paulus grüßt, die er bei Namen aufruft zu weiterer Bewährung. Wir erinnern uns daran, wie Cäsar das *appellare* übte, wie er an den Reihen entlang ritt und hier einen Offizier, dort einen gemeinen Mann mit Namen nannte und an frühere Tapferkeit erinnerte." [111]

Dazu dürfte freilich auch bei der Abfassung von 16,1–20 ein konkreter Anlaß vorgelegen haben. Das zeigt nicht nur der Umfang der Grüße, sondern auch ihre vorgezogene Stellung als zweites Stück des gewöhnlich fünfteiligen paulinischen Postskripts, in dem die Grüße sonst durchweg an vorletzter Stelle vor dem Schlußsegen stehen. Der konkrete Anlaß aber ist in V. 17–19 ausgesprochen – *nach* den Grüßen, so daß der Inhalt von V. 17–19 nicht primär den Empfängern des Briefes, sondern den Empfängern der Grüße gilt [112].

Ich habe früher versucht, den Nachweis zu erbringen, daß die Verse 16, 17–20 a auf gnostische Meinungen Bezug nehmen und vor gnostischen Agitatoren warnen [113]. Diese Ansicht wird von der vorliegenden literarischen Analyse des Römerbriefes bestätigt. Die Boten des gnostischen Enthusiasmus, mit denen Paulus sich auseinandersetzt, wanderten auf seinen Spuren durch Kleinasien und Europa. Sie beunruhigten, während er in Ephesus weilte, die

109. Goodspeed (1951), S. 57.

110. Jülicher (1908), S. 324.

111. Hartke, a.a.O. S. 25.

112. Hartke hat a.a.O. S. 25 völlig zu Recht darauf hingewiesen, daß der Brief nach Ephesus keineswegs nur aus Grüßen besteht, so daß „solche Grüße um *diese* Zeit an *diese* Gemeinde doch mehr Sinn als Ansichtspostkartengrüße haben".

Übrigens spricht auch die Tatsache, daß Paulus in 16,17.19 von dem überall bekannten Gehorsam der Adressaten gegenüber der „Lehre, die ihr gelernt habt", redet, entschieden dagegen, daß Röm 16 an eine nicht von Paulus gegründete Gemeinde gerichtet ist; vgl. Schultz, a.a.O. S. 105 f.; Bernhard Weiß (1886), S. 41.

113. Siehe meine Unteruschung über ‚Paulus und die Gnostiker', 1965, S. 159 ff. Die These als solche ist alt; vgl. Baur (1836), S. 114 ff.; Lucht, a.a.O. S. 154 f.; Heinrich Julius Holtzmann (1874), S. 514; Volkmar (1875), S. 69 ff.

Gemeinden in Galatien, Philippi, Thessalonich und Korinth. Die Epheser waren also genügend informiert über die Leute, ,welche die Spaltungen hervorrufen und die Ärgernisse gegen die Lehre, die ihr gelernt habt' (16,17). V.17–19 lassen auch keinen Zweifel daran, daß Paulus den Lesern nichts Neues mitteilt, sondern sie an Bekanntes erinnert und erneut zu rechtem Verhalten gegenüber der Irrlehre auffordert. Andernfalls konnten diese Sätze den Empfängern nicht verständlich sein.

Mir ist jedenfalls nicht begreiflich, wie man die Verse 17–20a als prophylaktische Warnung vor Leuten verstehen kann, die der angeredeten Gemeinde noch unbekannt sind[114]. Die Adressaten von V.17–20a müssen wissen, von wem Paulus spricht, wenn sie seine Worte als eine sie betreffende Ermahnung verstehen sollen – und das sollen sie doch! Eine derartige Ermahnung im Blick auf Leute, „deren der ganze Brief auch nicht einmal andeutend Erwähnung getan hat, und zwar von Irrlehrern, denen der Apostel mit der ganzen Wucht seiner Persönlichkeit und mit dringendem Mahnwort an die Gemeinde begegnet"[115], haben nicht wenige Forscher mit Recht befremdlich und unpassend genannt[116]. Der Versuch, in den Satansdienern von V.17–20a die ,Schwachen' von Kap.14,1–15,6 zu sehen[117], offenbart nur die Verlegenheit, die 16,17–20a im Römerbrief bereitet. Denn die teuflischen σκάνδαλα der falschen Lehre können nicht mit den von Paulus mild beurteilten Ansichten der ,Schwachen' über die Speisegebote zusammenfallen. Die Warnung von V.17–20a hat im ganzen Römerbrief keinen Anhalt[118].

In einem Brief nach Ephesus bekommen die Verse dagegen historisches Profil. Daß die gnostischen Gegner Ephesus nicht verschonen würden, mußte Paulus klar sein. Auch ihn hatte sein Weg von Korinth weiter nach Ephesus geführt. Ob er bei Abfassung seines Briefes die Irrlehrer schon in Ephesus am Werk sieht oder nicht, können wir nicht sicher sagen. Die Verse lassen beide Deutungen zu[119]. Auch im ersteren Fall würde V.17–19 als Mahnung normalerweise ausreichen; denn die Gemeinde in Ephesus war – anders als vorher die Gemeinden Europas – durch den Apostel selbst auf diese Irrlehrer

114. So zuletzt wieder Hans Wilhelm Schmidt, a.a.O. S. 256f. Dagegen schon (bei römischer Adresse) Schultz, a.a.O. S. 106.
115. Kühl, a.a.O. S. 482.
116. Bernhard Weiß (1886), S. 41; Moffatt, a.a.O. S. 136f.; Deissmann, a.a.O. S. 238, Anm. 7; Feine-Behm, a.a.O. S. 169; Heinrich Julius Holtzmann (1874), S. 514.
117. So Neander, a.a.O. S. 347, Anm. 1.
118. Vgl. Kühl, a.a.O. S. 482f.
119. Vgl. die Diskussion dieser Frage bei Schumacher, a.a.O. S. 96ff. (Lit.). V.17b und V.20a sprechen m. E. eher dafür, daß Paulus solche Irrlehrer in Ephesus bereits tätig sieht; vgl. Kühl, a.a.O. S. 482f.; Lucht, a.a.O. S. 153f.; Riggenbach (1892), S. 517f. Käsemann urteilt, der Gegner stehe „vor ihrer Tür" (a.a.O. S. 398).

und auf ihre Abwehr eingestellt; in Ephesus hat Paulus den größten Teil seiner diesbezüglichen Korrespondenz mit Galatien, Philippi, Thessalonich und Korinth abgewickelt.

Wie begründet die Sorgen des Paulus um sein Gemeinde in der Asia waren, zeigt übrigens mit erschreckender Deutlichkeit 2 Tim 1,15: in der Provinz Asien ist es zum großen Abfall gekommen. Auch an Apg 20,17 ff. denkt man in diesem Zusammenhang, und zwar vermutlich zu Recht. Paulus läßt die Ältesten der Gemeinde von Ephesus zu sich nach Milet kommen. Die Rede, die er dort hält, ist zweifellos nicht paulinisch. Ich halte sie freilich auch nicht für lukanisch, sondern für ein Stück des fälschlicherweise so genannten Itinerars, das historisch gut informiert ist. Deshalb ist es nicht zufällig, daß gerade in dieser vorlukanischen Rede ähnlich wie in den verwandten Pastoralbriefen vor den gnostischen Irrlehrern gewarnt wird: Apg 20,26 ff.

Aus dem Gesagten ergibt sich zugleich, daß die Grußempfänger die ephesische Gemeinde in ihrer Gesamtheit repräsentieren. Sollte Paulus einen der ephesischen Christen vergessen haben, wird auch er noch im Namen des Apostels mit dem heiligen Kuß gegrüßt (V.16a) [120]. 24 Personen werden mit Namen als Christen genannt; dazu kommen die Mutter des Rufus und die Schwester des Nereus. Bei Aquila und Priscilla wird ausdrücklich eine Hausgemeinde erwähnt. Die fünf in V.14 genannten Männer dürften Hausväter sein, die jeweils für eine größere Christenschar stehen (καὶ τοὺς σὺν αὐτοῖς ἀδελφούς). Entsprechendes gilt für das Ehepaar Philologus und Julia, für Nereus und seine Schwester – Paulus will sie nicht unerwähnt lassen, obschon ihm ihr Name anscheinend entfallen ist – sowie für Olympas, die gleichfalls mitsamt allen Heiligen σὺν αὐτοῖς gegrüßt werden (V.15). Dazu treten die Christen unter den Leuten des Aristobul und des Narzissus (V.10 f.). Die angesehenen Apostel Andronikus und Junias dürften mindestens je eine eigene Hausgemeinde um sich versammeln (V.7), und ähnliches darf man von jenen Personen vermuten, die ‚sich im Herrn mühen' (V.9.12). Auch das Haus des Briefempfängers, sei es nun das des Onesiphoros oder eines anderen Christen, war gewiß ein Zentrum der Gemeinde. Die namentlich genannten Personen vervielfachen sich also [121]; Paulus dürfte in seiner Grußliste auf mindestens 100 einzelne Glieder der Gemeinde blicken – ein ansehnlicher Bestand der Christenheit in Ephesus, zumal wenn man bedenkt, daß Paulus in den rund zwei Jahren seines Aufenthaltes dort seine Zeit nicht für die Hauptstadt reserviert, sondern auch in der Provinz mit

120. Vgl. Kühl, a.a.O. S. 481.
121. Man beachte auch, daß unter den namentlich genannten 24 Personen 17 Männer sich befinden, also unverhältnismäßig mehr als in der Gemeinde tatsächlich in Relation zu den Frauen vorhanden gewesen sein dürften; denn nach allem, was wir wissen, war die Zahl der weiblichen Gemeindemitglieder in den frühen Gemeinden weit in der Überzahl.

Erfolg missioniert hat. Erheblich größer kann die Schar der Christen in Ephesus jedenfalls kaum gewesen sein.

Damit wird noch einmal die Absicht deutlich, die Paulus mit seinen Grüßen und der dazugehörigen Paränese verfolgt: Er will alle Christen in Ephesus angesichts der sich ausbreitenden Irrlehre erneut und sehr persönlich an sich, den Apostel, und damit an sein Evangelium binden.

Röm 16,1–20 ist also in seiner literarischen Form, in seinen einzelnen Teilen sowie nach seinem Inhalt als Empfehlungsschreiben für die Phöbe nach Ephesus in einer ganz bestimmten Situation ohne Schwierigkeit verständlich [122]. Als Teil des Römerbriefes oder als gesonderter Brief nach Rom ist dieser Abschnitt dagegen auch dann nicht erklärbar, wenn man eine Einzeladresse in Rom voraussetzen wollte.

Abfassungsort und Abfasssungszeit des Empfehlungsschreibens für die Phöbe lassen sich nicht sicher bestimmen. *Terminus post quem* ist der ephesische Aufenthalt des Paulus. Da es sich bei dem in 16,1 genannten Kenchreä, wo Phöbe der Gemeinde als διάκονος dient, um die östliche Hafenstadt Korinths handeln dürfte (vgl. Apg 18,18), liegt es am nächsten, sich 16,1–20 in den drei Monaten geschrieben zu denken, in denen Paulus Apg 20,3 zufolge in Griechenland weilte. So ist die gewöhnliche Annahme [123]. Andere [124] haben die Abfassung des Empfehlungsbriefes in die römische Gefangenschaft des Paulus verlegt, eine These, die sich nicht absolut ausschließen läßt, die aber extrem unwahrscheinlich und keineswegs erforderlich ist, um das Zusammenwachsen von 16,1–20 mit dem übrigen Text des Römerbriefes zu erklären.

Fassen wir das bisherige, vorläufige Ergebnis der literarkritischen Analyse des Römerbriefes zusammen, so ergibt sich, daß unser Römerbrief aus einem Schreiben nach Rom (1,1–15,32 + 16,21–23 + 15,33), aus einem Empfehlungsbrief nach Ephesus (16,1–20) und der redaktionellen Doxologie (16, 25–27) besteht.

122. Dabei mag die Reise der Phöbe und die Empfehlung für sie der relativ unwichtige Anlaß für die eigentlich wichtigen ermahnenden Grüße gewesen sein. Wir kennen den Grund für die Reise nach Phöbe nicht. Man kann nicht ausschließen, daß sie vor allem nach Ephesus reiste, um im Auftrag des Paulus die Situation dort zu erkunden. Apg 20,16 ff. läßt zumindest für die nachapostolische Zeit erschließen, daß Ephesus dem paulinischen Evangelium untreu wurde (20,30). Vgl. auch 2 Tim 1,15 ff. und W. Bauer: Rechtgläubigkeit und Ketzerei im ältesten Christentum, 1934, S. 86 ff.

123. Clemen (1894), S. 96; Weizsäcker (1902), S. 322 f.; v. Soden, a.a.O. S. 49; Feine (1903), S. 128; Jülicher (1906), S. 97; Deissmann, a.a.O. S. 374.

124. Ewald, a.a.O. S. 429; Schultz, a.a.O. S. 129; Mangold (1884), S. 154; 163. Ammon (bei Koppe, a.a.O. S. 24) datiert gar in die Zeit *nach* der römischen Gefangenschaft.

Kapitel E: Die Integrität von Kap. 1–15

Nun hat man vor allem im vorigen Jahrhundert auch die Integrität von Kap. 1–15, besonders von Kap. 12–15 bestritten.

1. Römer 12–15 als literarisches Problem

Die Forscher vor Baur, die den ursprünglichen Römerbrief in 14,23 enden ließen, wurden S. 109, Anm 11 genannt; zu Baur selbst und seinen Nachfolgern siehe S. 111, Anm. 15. Insofern diese literaturkritischen Versuche[1] von der falschen Voraussetzung ausgehen, der ursprüngliche Römerbrief ende in 14,23, müssen sie unbeschadet der Richtigkeit von Einzelargumenten – bes. zu Röm 16 – als überholt gelten.

Interessanter sind deshalb für uns literarkritische Erwägungen, die der Stellung der Doxologie hinter 14,23 keine besondere Bedeutung zumessen.

Heumann[2] vermutete bereits, Kap. 12–15 stelle einen zweiten Brief nach Rom dar, der von Paulus dem ersten Schreiben angefügt wurde, als sich die Abreise der Phöbe verzögerte und als neue Nachrichten aus Rom eintrafen. Kap. 16 einerseits und die Doxologie andererseits bilden Heumanns Meinung nach ein durch den Nachtrag entstandenes doppeltes Postskript des Römerbriefes.

Über 14,23 zurück ging auch der literarische Eingriff von Straatman[3], nach dessen Meinung der Römerbrief nur 1,1–11,36a + 15,8–33 (ohne 15,30–32 und mit den S. 171, Anm. 68 genannten weiteren Änderungen) umfaßt. 12,1–15,6 + 16,1–27 gehört dagegen zu einem Epheserbrief des Paulus.

Unabhängig von ihm hielt Schultz[4] 1,1–11,36 + 15,7–16,3 + 16,21–24 für den ursprünglichen Römerbrief. 12,1–15,7 + 16,3–20 sollen dagegen das Fragment eines Epheserbriefes sein. Beide Briefe wurden in Rom zusammengefügt. Daß die Herausgeber „dabei die Fugen ein wenig bearbeiteten, ist begreiflich" (S. 130). Johannes Weiß schloß sich dieser Analyse im wesentlichen an[5].

---

1. Nachzutragen ist noch der Vorschlag von Hitzig a.a.O. passim, demzufolge der echte Schluß des Römerbriefs 15,15*.18*.19*.23*.25*.26.28.30–32; 16,21–24 umfaßt. 16,1–15 ist ein von Apollos in Korinth geschriebener und nach Ephesus gerichteter Brief. Die übrigen Stücke aus Kap. 15 und 16 wurden durch den Verfasser des Hebräerbriefes hinzugefügt, der den Römerbrief in Ephesus herausgegeben hat.
2. A.a.O. S. 537 ff.; 667 ff.
3. A.a.O. S. 24 ff.
4. A.a.O. S. 104 ff. Vgl. oben S. 100, Anm. 25.
5. (1893), Sp. 395; Renan (1869), S. LXIII ff.; (1935), S. 326 f., hielt den Römerbrief für ein

Spitta[6] gliedert den Römerbrief in 1,1–11,36 + 15,8–33 + 16,21–27 und in 12,1–15,7 + 16,1–20. Anders als Schultz hält Spitta auch den kleineren Brief für einen Römerbrief, der freilich erst *nach* einer ersten Gefangenschaft des Paulus in Rom geschrieben worden sein könne; Spitta gewinnt auf diese Weise ein Zeugnis für die Freilassung des Apostels aus der römischen Haft. Für die Doxologie vermutet er redaktionelle Herkunft.

Schon früher hatte Weisse[7] außer Kapitel 16 auch die Kapitel 9–11 einem Brief nach Ephesus zugeschrieben, wobei er freilich vieles, was seines Erachtens dem gedanklich präzisen ,Stil' der „gotterfüllten Persönlichkeit" des Apostels nicht entspricht, aus beiden Schreiben ausscheidet.

Van Manen[8] erkennt die (pseudopaulinische) Grundlage des Römerbriefes „ongeveer" in 1,1–8,39 + 15,14–33. Dieser Brief wuchs durch Hinzufügung anderer Stücke (9–11; 12–13; 14–15,7) langsam zu unserem Schreiben an. Kap.16 dient zur Abrundung des Briefes und besteht aus verschiedenen Stücken, „waarvan enkele hoogstwaarschijnlijk … hebben gestaan aan het einde van vroegere uitgaven" (S.114). Wieviel Ausgaben des Römerbriefes nacheinander entstanden sind und bei welcher Ausgabe die zahlreichen Interpolationen, die v.Manen zusätzlich annimmt, hinzugefügt wurden, läßt sich seiner Meinung nach nicht mehr feststellen.

Unsere Überlegungen auf S.22 ergaben, daß trotz unbestreitbarer formaler Probleme die Kap. 9–11 eine Einheit mit Kap.1–8 bilden.

Rundschreiben, das gegen Briefende für verschiedene Gemeinden verschieden ausgefertigt wurde:

1–11 + 15	nach Rom
1–14 + 16,1–20	nach Ephesus
1–14 + 16,21–24	nach Thessalonich bzw. Mazedonien
1–14 + 16,25–27	an eine unbekannte Gemeinde.

Indem Renan sich vorstellt, daß die vier Briefe später auf der Basis des Schreibens nach Rom zusammengefaßt wurden, hat er den Briefschluß des Römerbriefes einigermaßen erklärt und zugleich mit Hilfe der Circular-Hypothese das eigentliche historische Problem des Römerbriefes, das Auseinanderfallen von Briefinhalt und Adressaten, scheinbar gelöst. In unserem Zusammenhang ist seine Beobachtung wichtig, daß Kap.12–14 nicht nach Rom gerichtet seien.

6. (1893) passim; (1901) passim; (1913) passim.
7. (1867) S. 46 ff.
8. (1891) passim.

Indessen läßt sich nicht bestreiten[9], daß aus formalen wie inhaltlichen Gründen die literarische Einheit von Kap. 12–15 nicht unproblematisch ist[10].

Die Dublette 15,5 und 15,13

Wir beginnen mit einer formalen Beobachtung. 15,5f. ist eine Dublette zu 15,13, und zwar handelt es sich in beiden Fällen um ein formbestimmtes Stück des Briefrahmens[11], den zum Eschatokoll gehörenden fürbittenden Segenswunsch.

Die folgende Übersicht läßt erkennen, daß dieser Segenswunsch einen festen Bestandteil der paulinischen Briefschlüsse bildet.

Röm 15,5–6: ὁ δὲ θεὸς τῆς ὑπομονῆς καὶ τῆς παρακλήσεως δῴη ὑμῖν …, ἵνα … δοξάζητε τὸν θεὸν …

Röm 15,13: ὁ δὲ θεὸς τῆς ἐλπίδος πληρῶσαι ὑμᾶς πάσης χαρᾶς καὶ εἰρήνης … ἐν τῇ ἐλπίδι …

Röm 16,20a: ὁ δὲ θεὸς τῆς εἰρήνης συντρίψει …

9. Ich weiß sehr wohl, daß die Bestreitung der Integrität des Römerbriefes für manche protestantische Theologen dem Schlachten einer heiligen Kuh gleichkommt. Schon 1891 hat Charles M. Mead entsprechende Versuche seiner Zeitgenossen unter dem Pseudonym Carl Hesedamm und unter dem Titel ‚Der Römerbrief beurtheilt und geviertheilt‘ parodiert – ganz zu Recht übrigens, insofern er die methodisch wie sachlich unbegründete Arbeitsweise der radikalen Kritik imitiert und mit philosophischen und theologischen Gründen ‚beweist‘, daß der Römerbrief von vier verschiedenen Händen verfaßt wurde. Nur ist mit dieser gelungenen Parodie die Integrität des Römerbriefes, die wegen Kap. 16 des offenkundigsten Zweifels unterliegt, nicht überhaupt gesichert, und je wichtiger der Römerbrief als theologisches Dokument ist, um so wichtiger ist es, ihn auch historisch und literarisch zu verstehen, damit wir wirklich den Römerbrief theologisch verstehen.
10. Vgl. Johannes Weiß (1917), S. 279.
11. Vgl. Spitta (1901), S. 21; Heinrich Julius Holtzmann (1874), S. 512. Christoph Demke (Theologie und Literarkritik im 1. Thessalonicherbrief, in: Festschrift für Ernst Fuchs, hgg. von Ebeling, Jüngel, Schunack, 1973, S. 103–124) versucht vor allem im Hinblick auf dieses formale Stück des Briefausganges, für das Bjerkelund (a.a.O. S. 127) die Bezeichnung ‚Benediktion‘ oder ‚Klimax‘ vorschlägt, eine „Manipulation des Materials" durch meine knappe Zusammenstellung (in: Paulus und die Gnostiker, 1965, S. 93 ff.; jetzt überarbeitet in: Paul & the Gnostics, 1972, S. 129 ff.) zu erweisen. Er bestreitet nicht nur die Existenz dieser Benediktion als eines förmlichen Stückes des paulinischen Briefschlusses, sondern ein dem Paulus geläufiges Schema des Briefausgangs überhaupt. Diese in der Substanz unbegründete Kritik, die eine willkürliche und vage Aufteilung des 1 Thess in authentische und sekundäre Teile vorbereitet, wäre sachbezogener ausgefallen, wenn der rhetorischen Anstrengung Demkes eine ähnlich große analytische entsprochen hätte.

Phil (A) 4,19f.: ὁ δὲ θεός μου πληρώσει πᾶσαν χρείαν ὑμῶν . . . δόξα
εἰς τοὺς αἰῶνας τῶν αἰώνων· ἀμήν.

Phil (B) 4,7: καὶ ἡ εἰρήνη τοῦ θεοῦ . . . φρουρήσει τὰς καρδίας
ὑμῶν . . . ἐν Χριστῷ Ἰησοῦ.

Phil (C) 4,9b: καὶ ὁ θεὸς τῆς εἰρήνης ἔσται μεθ' ὑμῶν.

2Thess (A) 3,16: αὐτὸς δὲ ὁ κύριος τῆς εἰρήνης δῴη ὑμῖν τὴν εἰρήνην διὰ
παντὸς ἐν παντὶ τρόπῳ.

1Thess (B) 5,23f.: αὐτὸς δὲ ὁ θεὸς τῆς εἰρήνης ἁγιάσαι ὑμᾶς
ὁλοτελεῖς . . . ἐν τῇ παρουσίᾳ τοῦ κυρίου . . .

2Thess (C) 2,16f.: αὐτὸς δὲ ὁ κύριος ἡμῶν Ἰησοῦς Χριστὸς καὶ ὁ θεὸς . . .
ὁ . . . δοὺς παράκλησιν αἰωνίαν καὶ ἐλπίδα . . .

1Thess (D) 3,11–13: αὐτὸς δὲ ὁ θεὸς . . . κατευθύναι . . .· ὑμᾶς δὲ ὁ
κύριος πλεονάσαι . . . εἰς τὸ στηρίξαι ὑμῶν τὰς καρδίας ἀμέμπτους . . . ἐν
τῇ παρουσίᾳ . . .

2Kor 13,11: . . . εἰρηνεύετε, καὶ ὁ θεὸς τῆς ἀγάπης καὶ εἰρήνης ἔσται
μεθ' ὑμῶν.

1Kor 15,57 [12]: τῷ δὲ θεῷ χάρις τῷ διδόντι ἡμῖν τὸ νῖκος διὰ τοῦ
κυρίου ἡμῶν Ἰησοῦ Χριστοῦ.

1Petr 5,10f. [13]: ὁ δὲ θεὸς πάσης χάριτος . . . αὐτὸς καταρτίσει . . ., αὐτῷ
τὸ κράτος εἰς τοὺς αἰῶνας τῶν αἰώνων· ἀμήν.

Hebr 13,20f.: ὁ δὲ θεὸς τῆς εἰρήνης . . . καταρτίσαι ὑμᾶς ἐν παντὶ
ἀγαθῷ . . ., . . . διὰ Ἰησοῦ Χριστοῦ, ᾧ ἡ δόξα εἰς τοὺς αἰῶνας τῶν
αἰώνων· ἀμήν.

Der Aufbau der Formel ist deutlich. Gott wird bei geringen Modifikationen
als Subjekt genannt [14] und durch ein Genitivattribut(εἰρήνη; ἐλπίς; χάρις;
ἀγάπη) näher bestimmt. Darauf folgt gelegentlich ein Relativsatz mit
einer weiteren Prädizierung Gottes. Dann steht als Satzaussage eine Wunsch-
form, die eine Bitte zu Gott für den Leser enthält, oder eine Heilszusage.

12. Vgl. auch 2Kor 8,16 (gegen Ende des Freudenbriefs, Kor I) und 2Kor 9,15 (gegen Ende des
    Kollektenbriefs, Kor. H).
13. Die Briefschlüsse des Hebräerbriefes und des 1.Petrusbriefes halte ich für im Kern echte
    paulinische oder ihnen genau nachgebildete Eschatokolle.
14. In Phil (B) 4,7 heißt es ἡ εἰρήνη τοῦ θεοῦ statt ὁ θεὸς τῆς εἰρήνης offensichtlich nur
    deshalb, weil die folgende Apposition , ἡ ὑπερέχουσα πάντα νοῦν ' sachlich zu εἰρήνη
    gehört.

In den meisten Fällen findet sich dabei oder daneben ein doxologischer Abschluß, ein eschatologischer Ausblick oder eine andere Klimax.

Dieser fürbittende Segenswunsch steht nur in den Briefausgängen[15]. Er ist inhaltlich eng mit dem kurzen und zumeist christologischen Schlußsegen, der den Brief definitiv abschließt, verwandt. Ich vermute, daß der *christologisch* gestaltete Schlußsegen als eine christliche Schöpfung den älteren, *theologisch* bestimmten fürbittenden Segenswunsch des jüdischen Briefformulars vom Briefende verdrängt hat. In Röm 15,33 hat sich ein solcher theologischer Schlußsegen mit der für den fürbittenden Segenswunsch charakteristischen Eingangsformel ὁ δὲ θεὸς τῆς εἰρήνης . . . erhalten.

Der Platz des fürbittenden Segenswunsches ist gewöhnlich *nach* den persönlichen Bemerkungen, die zum Briefschluß überleiten, und *vor* Schlußparänese, Grußliste und Schlußsegen. Doch ist dieser Platz nicht unaufgebbar, wie gerade Röm 15,5f. (bzw. 13) vor den persönlichen Bemerkungen zeigt. In 16,20 folgen der fürbittende Segenswunsch und der Schlußsegen unmittelbar aufeinander, weil Paulus die Grüße aus den vorne S.147ff. genannten Gründen vorzieht und den fürbittenden Segenswunsch unmittelbar mit der Schlußparänese verbindet.

Eine der Situation des Galaterbriefes angemessene Umformung des fürbittenden Segenswunsches findet sich in Gal 6,16: καὶ ὅσοι τῷ κανόνι τούτῳ στοιχήσουσιν, εἰρήνη ἐπ᾽ αὐτοὺς καὶ ἔλεος . . .

Anscheinend gehört dieser Segenswunsch zu den unerläßlichen Stücken des paulinischen Briefschlusses. Er fehlt, soweit die literarische Verfassung des Korpus Paulinum ein Urteil zuläßt, in keinem der zweifellos echten Gemeindebriefe des Apostels. Zugleich begegnet er in den originalen Schreiben nie doppelt.

Kehren wir von diesen Beobachtungen zu Kap. 15 zurück, so kann kein Zweifel daran bestehen, daß sowohl in 15,5f. wie in 15,13 ein derartiger zum Briefschluß gehörender fürbittender Segenswunsch begegnet.

Eindeutige Dubletten formal festliegender Teile des Briefrahmens finden sich in den originalen Schreiben des Paulus jedoch nicht. Wo immer man auf solche Dubletten stößt, erweisen sie sich bei näherem Zusehen als Folge einer redaktionellen Briefkomposition. Dann muß aber auch für die Dublette in 15,5f. und 15,13 ebenso ein Redaktor verantwortlich sein wie für die Aufnahme des dritten entsprechenden Segenswunsches – 16,20a als Teil des Epheserbriefes – in unseren Römerbrief.

---

15. Zu vergleichen ist jedoch Eph 1,17ff.

Diese literarische Beobachtung wird sogleich durch eine inhaltliche unterstützt. Schon früh hat man erkannt, daß 15,8–13 keine organische Fortbildung von 14,1–15,7 darstellt; denn während es hier um den Gegensatz von Starken und Schwachen geht, wird dort das Verhältnis von Juden und Heiden erörtert. Das sind verschiedene Themen.

Wer die Starken als Heiden(christen) und die Schwachen als Juden(christen) ansieht, kann allerdings 14,1–15,13 inhaltlich als einheitliche Erörterung ansehen[16]. Aber in 14,1–15,6 ist keine Rede von Juden und Heiden, in 15,8–13 begegnen die Starken und Schwachen nicht. Außerdem haben wir gesehen, daß der Gegensatz von Starken und Schwachen in 14,1–15,6 keineswegs der von Heiden und Juden ist (siehe Kapitel B).

Darum muß man, will man an der Einheit von 14,1–15,13 festhalten, 15,8–13 als *Beispiel* für das von Paulus gewünschte Verhalten in Rom ansehen: so wie Christus die Heiden und die Juden angenommen hat, so sollen sich Starke und Schwache gegenseitig annehmen[17]. Das Beispiel wäre dann freilich sehr ungeschickt gewählt: der Dienst Christi an den Juden (15,8) ist doch etwas wesentlich anderes als die Annahme der Schwachen durch die Starken[18]. Vor allem aber wird der Abschnitt 15,8–13 gar nicht als *Beispiel* eingeführt und erläutert[19].

Lietzmann[20] schreibt zu V.7: „,Reicht euch die Hand, so wie Christus Jude

---

16. Siehe S. 95 f.
17. Siehe S. 95 f. Vgl. Mangold (1884) S. 96; Lietzmann (1933), S. 118; Klein, a.a.O. S. 136 f.
18. Vgl. Spitta (1913), S. 110.
19. Käsemann (a.a.O. S. 368) beobachtet die Diskrepanz von 15,7–13 zum Vorhergehenden recht gut. Ihm „fällt auf, daß die Spannungen und Auseinandersetzungen gerade jetzt, wo man ihren Angelpunkt erreicht zu haben meint, völlig aus dem Blickfeld verschwinden. Der Text kann an ihnen nicht orientiert werden … Dem entspricht der Umbruch des Stils aus der in 7 noch gegebenen Paränese in die Doxologie, die durch 6 bereits angedeutet wurde". Er löst das Problem mit Hinweis auf die Rechtfertigungslehre des Paulus, die er als Briefthema ansieht und die auch die Paränese trägt. „Daß Christus uns angenommen hat, bekundet sich zutiefst und in kosmischer Weite darin, daß Gott sich der Heiden erbarmte. Wo quer durch alles Irdische die Gottlosen zu Gotteskindern werden, kann nichts die Glieder der Gemeinde mehr unüberbrückbar trennen, ist gegenseitige Annahme unabweisbar, sind die Differenzen zwischen Starken und Schwachen nur Kinderspiel." Indessen werden diese Konsequenzen in 15,8–13 gerade nicht gezogen; Käsemann trägt sie in schöner Erbaulichkeit in den Text ein. Außerdem sprechen diese Verse so wenig wie der Römerbrief sonst von der Rechtfertigung der Gottlosen allgemein, sondern von dem im Römerbrief thematisierten besonderen Aspekt der Rechtfertigungslehre, nämlich von der unterschiedslosen Annahme der Juden und Heiden, d. h. von der Aufhebung des Unterschieds zwischen beiden.
20. (1933), S. 119.

wurde und eben damit euch Heiden die Hand gereicht hat zum Heile.' Daß die ‚Wahrhaftigkeit' ... und ‚Barmherzigkeit' Gottes dadurch bezeugt werden, ist ein vielleicht aus den Ausführungen von Cap. 11 nachklingender Gedanke, der aber hier nur ornamental zu wirken bestimmt ist ..." Aber abgesehen davon, daß Paulus überhaupt nicht davon redet, Christus sei ein Jude geworden, verliert V. 8–13 als ornamentaler Nachklang von Kap. 11 faktisch auch noch den Beispielcharakter zu 14,1–15,6.

Tatsächlich gehört der Abschnitt 15,8–13 überhaupt nicht zu den Ausführungen über die Starken und Schwachen in 14,1–15,6. Beide Stücke haben, läßt man ihre Zusammenstellung außer Betracht, nichts miteinander zu tun[21].

Baur[22] und andere[23] haben neben anderen Beobachtungen diese Einsicht zum Anlaß genommen, mit anderen Abschnitten auch 15,8–13 als unpaulinisch und von conciliatorischer Tendenz bestimmt auszuscheiden. Dabei hat der gleichfalls unpaulinische Abschnitt 15,1–7 die Funktion, zu den conciliatorischen Versen 15,8–13 überzuleiten.

Demgegenüber haben unabhängig voneinander Straatman[24] und Schultz[25] festgestellt, daß der Abschnitt 15,8–13 die unmittelbare Fortsetzung von 9,1–11,36 bildet, eine Ansicht, die Friedrich Spitta[26] ausführlicher begründete. Dabei bildet freilich, wie besonders Spitta gesehen hat, V. 7 ein Problem. Schultz verband ihn mit V. 8, eine redaktionelle Verarbeitung von V. 7 nicht ausschließend. Straatman[27] glaubt, „dat vs. 7 eenvoudig is te houden voor het werk van de afschrijver, die het later gevonden en met vs. 8 beginnende fragment zoo goed mogelijk met het voorafgaande zocht te verbinden".

---

21. „Paulus hat schon 14,1–15,6 versucht, den konkreten Fall des Streites zwischen Starken und Schwachen ins Grundsätzliche zu erheben. In 15,7 ff. geht er noch einen Schritt weiter und geht auf das Grundproblem der Kirche seiner Zeit, nämlich das Verhältnis Juden und Heiden, ein" (Nababan, a.a.O. S. 111; vgl. schon S. 6). Nababan sieht richtig, daß in 14,1–15,6 und in 15,7–13 zwei verschiedene Probleme angesprochen und zwei unterschiedliche Gruppierungen gemahnt werden, sich anzunehmen. Aber weder hebt Paulus in 15,7–13 die Argumentation von 14,1–15,6 ins Grundsätzliche, noch geht er gar einen Schritt darüber hinaus. Zwischen beiden Abschnitten besteht vielmehr kein ersichtlicherweise von Paulus intendierter Zusammenhang.

22. (1845), S. 398–416.

23. Weisse (1867), S. 44 (scheidet V. 8–12 aus); Volkmar (siehe oben S. 111 f., Anm. 15); Lucht, a.a.O. S. 174 ff.; Heinrich Julius Holtzmann (1874), S. 515.

24. A.a.O. S. 51 f.

25. A.a.O. S. 118 f.

26. (1893), S. 16–30; (1901), S. 29–46; (1913), S. 109–112. Vgl. auch v. Manen (1891), S. 92 ff.; 113; Völter (1890), S. 41 ff. Dodd bezieht 15,7–13 nicht speziell auf 14,1–15,6, sondern auf alles seit 1,7 Geschriebene (a.a.O. S. 222).

27. A.a.O. S. 51.

1901 vermutete Spitta[28], daß 15,7 vom Redaktor durch die Einfügung der Worte *καθὼς καὶ ὁ Χριστὸς προσελάβετο ὑμᾶς* für die Überleitung von 14,1–15,6 zu 15,8–13 präpariert worden sei. Diese These nimmt er 1913[29] zurück: „Der 7. Vers kann überhaupt nicht zum achten überleiten, denn 1.) das *προσλαμβάνεσθαι*, das V.7 von Christus, 14,3 von Gott ausgesagt, 14,1 von den Starken, 15,7 von allen Christen gefordert wird ..., ist das gerade Gegenteil von der Tätigkeit des Dieners, von der in 15,8 in bezug auf Christus die Rede ist ... ; 2.) der V. 8 erwähnte Vorgang, daß der in gottartigem Herrlichkeitszustande präexistierende Gottessohn, indem er aus Israel das Fleisch annahm (9,5), zum Diener der Beschneidung wurde, ist zwar an sich nicht ungeeignet, zum Vorbild für menschliches Verhalten gebraucht zu werden ..., wohl aber bezüglich des Zwecks (*εἰς τὸ βεβαιῶσαι τὰς ἐπαγγελίας τῶν πατέρων*), auf den hier das ganze Gewicht fällt. Zum Festmachen göttlicher Versprechungen kann das gegenseitige Sichaufnehmen der Christen nicht dienen; 3.) das *προσλαμβάνεσθαι* Christi in V.7 bezieht sich auf alle Christen, das Dienen Christi in V.8 auf die Juden, mögen sie an Jesus geglaubt haben oder nicht. – Wie kann unter diesen Umständen V.7 eine Vorbereitung auf V.8 sein?"

Diese Argumentation überzeugt. V.7 gehört demzufolge ganz der voraufgehenden Argumentation an. Das *προσλαμβάνεσθε* greift unmittelbar auf 14,1, das *ὁ Χριστὸς προσελάβετο ἡμᾶς* auf 14,3 zurück, so daß sich mit 15,7 der Ring der Argumentation deutlich schließt: Die Starken sollen die Schwachen annehmen, dem Beispiel Christi folgend. Das entspricht dem Duktus der ganzen Gedankenführung von 14,1 an, speziell dem Argumentationsgang von 15,1 ff.: Die Starken sollen nicht sich selbst zu Gefallen leben, sondern die Schwachheiten der Schwachen tragen (15,1 f.). Ebenso hat Christus nicht sich selbst zu Gefallen gelebt, sondern, wie die Schrift sagt, sogar unberechtigte Schmähungen getragen (15,3). ‚Was die Schrift sagt, ist aber zu unserer Belehrung geschrieben worden; deshalb nehmt einander an, wie auch Christus uns angenommen hat, zur Ehre Gottes' (V.4a + 7).

Die jetzige Stellung von V.7 im Anschluß an den fürbittenden Segenswunsch 15,5 f., der zum Eschatokoll gehört, ist ganz unmöglich, seine Stellung im Anschluß an V.4a dagegen harmonisch, ja zwingend, und auch zu V.5 f. ist der stichwortartige Übergang (... *εἰς δόξαν τοῦ θεοῦ. ὁ δὲ θεός* ...) fugenlos.

Die Schwierigkeiten, die V.7 bereitet und die Spitta richtig empfunden hat, entstehen also dadurch, daß der Redaktor V.7 umgestellt hat, um einen unter den gegebenen Voraussetzungen nicht ungeschickten Übergang zu

28. (1901) S. 43.
29. S. 110.

15,8–13 herzustellen. Die dadurch zwischen 4a und 5 entstehende Lücke hat der Redaktor durch V.4b – seine eigene Bildung – ausgefüllt. Es ist noch keinem Exegeten gelungen, V.4b sinnvoll dem Zusammenhang einzuordnen. Während man nach V.4a unbedingt jene Folgerung erwartet, die erst in V.7 steht, folgt jetzt tatsächlich ein erbaulicher Spruch ohne jeden Bezug zum konkreten Thema. Das Material für V.4b stammt vor allem aus dem folgenden Segenswunsch, wird aber ganz anders als dort verwertet. ὑπομονή und παράκλησις „bezeichnen in V.5 die Tugenden, welche die Starken in der Nachfolge Christi zum Besten der Schwachen ausüben sollen, in V.4 die Voraussetzungen für die christliche Hoffnung, wobei die Reihenfolge der Begriffe in V.4 durch V.5 bestimmt ist, obwohl nach der Logik des Gedankens die παράκλησις τῶν γραφῶν vor die ὑπομονή gehörte"[30].

Der Schluß ist zwingend: V.4b ist ein redaktioneller Satz[31]. Der Redaktor meinte mit gutem Grund, daß nach V.4a die intendierte und durch die Umstellung von V.7 nun fehlende Schlußfolgerung nicht ganz ausfallen dürfe; er schafft deshalb aus dem Material von V.5f. einen formal befriedigenden, inhaltlich aber notwendigerweise unzureichenden Ersatz, da er ja V.7 nicht vorwegnehmen konnte. Dieser Ersatzcharakter von V.4b als solcher bestätigt aber, daß 15,7 ursprünglich auf V.4a folgte und an seiner jetzigen Stelle die Funktion einer sekundären, redaktionellen Überleitung erfüllt. 15,8–13 gehört also in der Tat in keinen *ursprünglichen* Zusammenhang mit 14,1–15,7 *.

Der ursprüngliche Zusammenhang mit Kap.9–11 ist dagegen gegeben, und zwar sowohl in formaler wie in inhaltlicher Hinsicht.

Was das Formale angeht, so sahen wir vorne (siehe S.21f.), daß Kap.9–11 einen exkursartigen Nachtrag zu einem im übrigen bereits vollständigen Briefkorpus darstellen. Schließt man nun 15,8–13 an 11,36 an, erhalten wir mit 15,13 auch ein Stück des Eschatokolls des Briefes 1,1–11,36 +15, 8–13, der sich damit insoweit auch formal als eine abgerundete Einheit präsentiert. Was auf 15,13 noch folgte und vom Redaktor gestrichen wurde, läßt sich nicht sicher sagen. Da die persönlichen Bemerkungen bereits im Proömium dieses Briefes stehen, vermissen wir von den festen Teilen des Briefschlusses nur noch Grüße, Schlußparänese und Schlußsegen. Da die Grüße und die Schlußparänese an die unbekannte Gemeinde Roms kaum sehr umfangreich gewesen sein dürften, fehlen uns von dieser Epistel nach

---

30. Spitta (1913), S. 111; ders. (1893), S. 24f. Schon Heinrich Julius Holtzmann (1874, S. 515) nannte die Gedankenverbindung „ungehörig, weil die Aufforderung zur hoffenden Geduld in Leiden, von welchen weder vorher, noch nachher die Rede war, zum 15,1.2 angeschlagenen Thema nicht paßt ...".

31. Vgl. schon Weisse (1867), S. 44; Lucht, a.a.O. S. 168f.; Heinrich Julius Holtzmann (1874), S. 515.

Rom vermutlich nur noch wenige Schlußsätze.

Was das Inhaltliche betrifft, so muß man beachten, daß Paulus die Erörterungen über den Unglauben Israels, des Verheißungsträgers, die aus dem Thema des ganzen Briefes herauswuchsen (vgl. 3,1–6), in 11,32 wieder in dies beherrschende Thema des Römerbriefes einmünden läßt: ‚Denn Gott hat sie *alle* unter den Unglauben beschlossen, um sich über *alle* zu erbarmen.' Daran schließt sich der traditionelle Lobpreis 11,33–36 an, der, für sich genommen ein Preis der Allmacht und Allwissenheit Gottes, im jetzigen Zusammenhang den in V. 32 genannten Heilsratschluß Gottes rühmt, daß Juden und Heiden der gleichen Gnade Gottes ihr gemeinsames, alle Unterschiede aufhebendes Heil verdanken. Daß der Redaktor den Gedankengang gerade in 11,36 unterbricht, versteht man leicht. Allerdings entsteht dadurch der Eindruck, mit dem Ende des Überlieferungsstückes in V. 36 ende auch der Gedankengang des Paulus. Das ist so wenig der Fall wie an den verwandten Stellen Röm 1,25; 3,26a; 9,5.

Mit dem λέγω γάρ (15,8) nimmt Paulus vielmehr den nach 11,32 unterbrochenen Faden direkt wieder auf[32]: ‚Ich sage also: ...' Und zwar sagt Paulus abschließend, was das Generalthema des ganzen Briefes war und was in 11,32 noch einmal kurz formuliert wurde: es gibt, von der heilsgeschichtlichen Differenz abgesehen, keinen Unterschied mehr zwischen Juden und Heiden[33]. Ähnlich wie er den ‚negativen' Beweisgang in 3,10ff. mit einer Sammlung von Schriftzitaten abschloß, so jetzt den ‚positiven' Beweisgang, der in 3,21 einsetzte. 15,8–13 greifen also wie schon 11,32 nicht nur auf den Exkurs Kap. 9–11 zurück, sondern wollen den *ganzen* Brief vollenden. Mit Recht bezieht Dodd[34] 15,7–13 auf alles seit 1,17 Geschriebene und urteilt: „It alludes to themes which have occupied the reader in earlier chapters, and draws the thought of the whole together to a conclusion." Von da aus wird auch verständlich, daß die Betonung in diesem Schlußabschnitt anders als in Kap. 9–11 auf der *Erwählung der Heiden* liegt (15,9–12). Allerdings zeigt die Priorität, die Paulus in 15,8 Israel auf Grund der Verheißungen zugesteht, daß Kap. 9–11 unserem Schlußabschnitt unmittelbar vorausgehen[35].

32. Vgl. Spitta (1893), S. 24, Anm. 3; (1901), S. 51. Straatmans Vorschlag (a.a.O. S. 52), die Doxologie 11,36b zu streichen, ist überflüssig. Eine ähnliche Redefigur findet sich in Gal 4,1 (vgl. Gal 5,16; 1 Kor 1,12), wo Paulus nach der formelhaften Einlage 3,26ff. den Gedanken von 3,23–25 mit einem ‚Ich wollte sagen ...' bzw. ‚Es geht mir aber um folgendes ...' fortsetzt.

33. Daß die Zitate in 15,9–12 „alle die befreite Haltung der Freude, des Gotteslobes und der Hoffnung beschreiben" (E. Schweizer: Neues Testament und heutige Verkündigung, Bibl. Stud. 56, 1969, S. 83), ist eine ganz unzureichende Sinnbestimmung der Zitate, denen es um die Tatsache geht, daß den *Völkern* das Heil zuteil wird.

34. A.a.O. S. 222. 35. Vgl. Schultz, a.a.O. S. 118.

Bilden einerseits 1,1–11,36 + 15,8–13 einen geschlossenen[36] und im wesentlichen abgeschlossenen Zusammenhang, andererseits 16,1–20 ein ebenfalls im wesentlichen vollständiges Empfehlungsschreiben für die Phöbe nach Ephesus, so bleibt 12,1–15,4a.7.5f. + 15,14–32 + 16,21–23 + 15,33 als ein drittes Schreiben übrig, an dessen römischer Adresse angesichts von 15,14ff. kein Zweifel bestehen kann[37]. Handelt es sich hier um einen gleichfalls leidlich vollständigen Brief, der eine gegenüber dem größeren Schreiben nach Rom veränderte Situation voraussetzt?

Diese Frage muß aus formalen und inhaltlichen Gründen bejaht werden.

Bereits Heumann[38] hielt Kap. 12–15 für ein besonderes Schreiben, das Paulus verfaßte, als sich die Abreise der Phöbe verzögerte und neue Nachrichten aus Rom eintrafen. Michelsen[39] urteilt, Kap. 1–11 und Kap. 12–14 seien willkürlich zusammengefügt. In Kap. 12–14 suchen wir seiner Meinung nach vergeblich einen Bezug auf Kap. 1–11. Das erste Stück „staat geheel op zich zelf", während das οὖν in 12,1 erschließen läßt, daß 12–14 Fragment einer anderen Schrift sei. Ähnlich hält Steck[40] Kap. 12–14 für eine selbständig bestehende Abhandlung über die christliche Pflichtenlehre[41].

Das Wahrheitsmoment in diesen (kritisch freilich meist überzogenen) Beobachtungen darf nicht übersehen werden: die Kap. 12–16 haben abgesehen von 15,8–13 keine deutliche Beziehung zu Kap. 1–11!

---

36. Vgl. aber unten S. 197 ff. zu 5, 1–11.

37. Spitta hat bei seiner Teilung des Römerbriefs in bloß zwei Schreiben (A: 1, 1–11, 36 + 15,8–33 + 16,12–27; B: 12, 1–15,7 + 16,1–20) zu viele Schwierigkeiten in Kauf nehmen müssen, als daß seine Analyse Beifall hätte finden können, darunter die Schwierigkeit, daß er Brief B *nach* einer ersten römischen Gefangenschaft des Paulus geschrieben sein läßt, und zwar nach Rom. Die Beobachtung Spittas, daß die Kap. 12–16 eine nähere Bekanntschaft mit den Adressaten voraussetzen als Kap. 1–11, ist zwar richtig; aber nichts spricht im übrigen in Kap. 12–16 für die auch ansonsten rein hypothetische Annahme, daß Paulus aus der Gefangenschaft in Rom noch einmal frei gekommen ist.

Anfangs (1893, S. 23, Anm. 1) hatte Spitta auch noch 1,7–12 als Eingangsstück zu Brief B gezogen und nur 1,1–7.13ff. dem Brief A als Protokoll belassen. Diese Operation nimmt er (1901) S. 56ff mit Recht zurück. Tatsächlich ist es ebenso schwierig, die Einheit von Röm 1 zu zerreißen, wie die Situationsangaben von Röm 1 mit denen von Röm 15 in demselben Schreiben zu vereinen (siehe gleich). Die Aufteilung des Römerbriefes auf drei Schreiben löst diese Schwierigkeit.

38. A.a.O. S. 537 ff. Vgl. unten Anm. 47.

39. A.a.O. S. 197.

40. A.a.O. S. 362.

41. Vgl. v. Manen (1891), S. 87 f.; Schenkel, a.a.O. S. 112.

1. 12,1 bildet den Beginn des uns erhaltenen Teiles des zweiten Briefes nach Rom. Da der Redaktor der paulinischen Briefsammlung die originalen Briefe möglichst vollständig zu bewahren sich bemüht und nur die überschüssigen Rahmenstücke wegschneidet, steht zu erwarten, daß in 12,1 das Briefkorpus beginnt. Diese Erwartung bestätigt ein Vergleich mit 1Kor1,10. Dort beginnt das Briefkorpus in derselben förmlichen Weise wie in 12,1:

Röm 12,1	1Kor 1,10
παρακαλῶ οὖν ὑμᾶς,	παρακαλῶ δὲ ὑμᾶς,
ἀδελφοί,	ἀδελφοί,
διὰ τῶν οἰκτιρμῶν	διὰ τοῦ ὀνόματος
τοῦ θεοῦ . . .	τοῦ κυρίου ἡμῶν . . .

Zum Vergleich ist auch 2Kor 10,1 heranzuziehen, der Beginn des Briefkorpus des ‚Tränenbriefes‘:‚. . . παρακαλῶ ὑμᾶς διὰ τῆς πραΰτητος καὶ ἐπιεικείας τοῦ Χριστοῦ . . .‘

Wir haben also mehrmals dieselbe Formation zu Beginn des paulinischen Briefkorpus, womit auch 12,1 als ein solcher Beginn ausgewiesen wird, zumal eine derartige Formation (παρακαλῶ mit folgendem διά + Genitiv und Absichtssatz) sich bei Neuansätzen *innerhalb* eines paulinischen Briefes nicht findet und überhaupt nur noch einmal vorkommt, nämlich in Röm 15,30 zu Beginn der Schlußparänese desselben Briefes, dessen Korpus mit 12,1 beginnt: Paulus dürfte also in 15,30, bewußt den Ring des Briefes schließend, auf 12,1 zurückgreifen.

Bjerkelund[42] hat nachgewiesen, daß παρακαλῶ (und das synonyme ἐρωτῶ) ausgesprochen brieflichen Charakter tragen und nicht selten in der hellenistischen Briefliteratur nach der Danksagung das Briefkorpus einleiten. Im Neuen Testament sind dafür Phlm 8f. und 2Thess 2,1 (Thess C)[43] weitere Belege. Bjerkelund hebt mit Recht hervor, daß beide Begriffe nicht term. techn. der Paränese sind, „sondern die Briefschreiber verleihen mit παρακαλῶ und ἐρωτῶ dem Ausdruck, was sie in der jeweiligen Briefsituation bewegt, ob es nun Fragen des praktischen oder des geistlichen Lebens sind" (S. 58). Die Wichtigkeit dieser formkritischen Beobachtung für das Verständnis von Röm 12,1 leuchtet ohne weiteres ein. Bjerkelund kommt auf Grund seines Vergleichsmaterials zu dem Schluß (S. 156–173), daß man die Debatte um Indikativ und Imperativ bei Paulus nicht vor dem Hintergrund von Röm 12–15, sondern von Röm 6 aus führen muß, eine richtige Erkenntnis, wenn

42. A.a.O. passim.
43. Vgl. meine Untersuchung über ‚Paulus und die Gnostiker‘, 1965, S. 139 ff.

auch die dafür beigebrachten exegetischen Argumente Bjerkelunds wenig überzeugen, weil er an der literarischen Einheit des Römerbriefes festhält und es *darum* besonders schwer hat, den Neuansatz in 12,1 zu erklären, weil er in 12,1 mit Recht nicht den ‚paränetischen' Teil des ganzen Schreibens beginnen läßt.

2. Das folgende οὖν in 12,1 gibt im vorliegenden Text keinen Sinn. Im Anschluß z. B. an 8,39 wäre es tragbar[44], nach Kap. 9–11 oder nach 11,33–36 bleibt es unmotiviert. Man vergleiche dagegen z. B. 1Kor 4,16. Dieser Anstoß ist schon manchmal empfunden worden[45]; er wird von den meisten Kommentatoren freilich ignoriert oder bagatellisiert[46].

οὖν ist entweder eine redaktionelle Überleitungsfloskel, die ein unsprüngliches δέ ersetzt und eine notdürftige Verbindung zu Kap. 1–11 herstellen soll, oder es bezieht sich auf Aussagen des ursprünglich vorangehenden und vom Redaktor gestrichenen Proömiums[47].

44. Völter schließt im Rahmen seiner umfassenden Literarkritik (1889, S. 274f.) 12,1 an Kap. 8, später (1905, S. 171) an Kap. 6 an.

45. Heumann, a.a.O. S. 537ff.; Bruno Bauer, a.a.O. S. 66f.; vgl. Michelsen, a.a.O. S. 197; Völter (1890), S. 38.

46. Bezeichnend ist eine unscharfe Formulierung wie die folgende: „Das οὖν schließt sich zunächst an 11,36 an, in sofern aber dieser Vers eine Zusammenfassung der ganzen frühern Deduktion, namentlich von Cap. 9 an ist, schließt es sich auch an das Vorhergehende überhaupt an" (Olshausen, a.a.O. S. 401; ähnlich z.B. Jatho, a.a.O. S. 2).

47. Heumann schreibt zu 12,1: „Da man dieses Capitel vor die Fortsetzung dieses Briefes gehalten hat, so hat man den Zusammenhang desselben mit dem vorhergehenden Capitel suchen müssen. Es wurde schwer, denselben zu finden. Daher machete einer diesen, der andere einen andern Zusammenhang. Andere aber sahen, daß keine Meynung wahrscheinlich, sondern alles gezwungen war: macheten derowegen einen general-Zusammenhang, daß nemlich Paulus, nachdem er in den vorigen Capiteln von Glaubens-Lehren gehandelt habe, nunmehr Lebens-Regeln vorschreibe. Lutherus konte auch keinen Zusammenhang mit dem vorhergehenden Capitel finden: hielt deswegen das οὖν vor einen in der Griechischen Sprache nicht ungewöhnlichen überflüßigen Zusatz, und drückete es in der Ubersetzung gar nicht aus. Als auch in den Zusammenhang lange gesuchet, und doch nicht gefunden hatte, mit dem general-Zusammenhange aber eben so wenig, als Lutherus, zufrieden seyn konte, kam ich endlich auf die Gedanken, es müsse das zwölfte Capitel nebst den folgenden ein neuer Brief seyn . . . Dieser andere Brief an die Römischen Christen wird auch Cap. XV. 33 mit Amen beschlossen" (a.a.O. S. 537f.). Nach Abschluß von 1,1–11,36 und vor der Abreise der Phöbe habe Paulus Briefe aus Rom empfangen, die ihm zeigten, „daß auch den Römischen Christen das *Credere* leichter sey, als daß *Facere*" (S. 539). Deshalb schrieb er ein zweites Schreiben (12,1–15,33), das Phöbe gleichfalls samt dem Postskript Kap. 16 mit nach Rom nahm.

3. Die persönlichen, Absender und Adressat verbindenden Bemerkungen gehören bei Paulus gewöhnlich in den Briefschluß. Daß sie im Römerbrief am Anfang stehen, erklärt sich leicht aus der Tatsache, daß Paulus in diesem Schreiben zum ersten Male Kontakt mit den römischen Christen aufnimmt und dies Vorhaben begründen muß. Als ungewöhnlich muß man dagegen bezeichnen, daß Paulus im Briefschluß erneut denselben Fragenkomplex aufgreift. Diese Dublette wäre auch dann auffällig, wenn zwischen beiden Abschnitten keine sachlichen Differenzen bestünden. Für eine derartige Dublette gibt es im Korpus Paulinum, die Literarkritik der Briefe vorausgesetzt, keine Parallele. Das dadurch aufgegebene Problem löst sich leicht[48], wenn 1,9 ff. und 15,14 ff. zu verschiedenen Schreiben des Apostels nach Rom gehören.

4. In 15,14 erklärt Paulus bei der Überleitung zu den zum Briefschluß gehörenden persönlichen Bemerkungen, er sei überzeugt, die Römer könnten sich auch selbst gegenseitig *ermahnen* (νουθετεῖν). Da 15,8–13 zwar redaktionell durch 15,7 in die vorhergehende *Ermahnung* der ‚Starken‘ einbezogen wird, tatsächlich aber den *dogmatischen* Gedanken von 11,32 entfaltet (siehe S. 157 ff.), bestätigt V. 14 zunächst, daß V. 8–13 an ihrem jetzigen Ort nicht ursprünglich sind.

Wichtiger ist in unserem Zusammenhang die Beobachtung, daß die Bemerkung, Paulus habe die Gemeinde mit seinem Schreiben – teilweise reichlich kühn (V. 15) – *ermahnt*, nur schlecht zu dem Brief als ganzem paßt. Da Paulus aber mit 15,14 f., den Briefschluß einleitend, unzweifelhaft

48. Keine Lösung bringt dagegen der originelle Lösungsvorschlag von Funk (a.a.O. S. 267 f.), der auf die mit Recht gestellte Frage: „Why did Paul anticipate the apostolic *parousia* in a general way in the thanksgiving and reserve a particular treatment of the same theme for the end of the letter?" antwortet, das Proömium des Römerbriefes gehöre zu einem Rundbrief, dem die persönlichen Bemerkungen in 15,14 ff. im Blick auf die römische Adresse angehängt wurden. „Rom. 1,1–15,13 may well have been conceived by Paul as a general letter, to be particularized and dispatched, as the occasion demanded, to other well-known churches which he had not founded or visited. The double treatment of the apostolic *parousia* and th‹ position of the particularized form (15,14–33) at the end of the letter lend considerabl› weight to this suggestion, in my opinion: Paul needed only to fill in the address and, if tl occasion required it, add a personalized form of the apostolic *parousia* at the end, in order be able to dispatch this generalized summary of his gospel to yet another church" (S. 26 Daß der Römerbrief kein Rundschreiben ist, haben wir gesehen. Auch leitet Röm 1,‹ keinen ‚general letter‘ ein, sondern den einzigartigen Brief nach Rom. Aber Funk hat Problem der doppelten ‚Parusie‘-Bemerkungen richtig beobachtet, das den Forschern Gegenwart sonst im allgemeinen gar nicht mehr bewußt ist. Die Lösung muß man aller‹ mit vielen der älteren Ausleger auf dem Wege der Literarkritik suchen: Die persönl Bemerkungen in 1,8 ff. und 15,14 ff., je in sich vollständig und kontingent, sind Dublett

auf das *ganze* vorangehende Schreiben zurückblickt – ἔγραφα ὑμῖν –, schwanken die Ausleger verständlicherweise, ob sie aus sachlichen (Ermahnung!) Gründen V. 14 f. als Epilog vornehmlich des Abschnitts 12,1 ff. bzw. 14,1 ff.[49] oder aus formalen Gründen als Abschluß des ganzen Schreibens von 1,1 an[50] verstehen sollen.

Diese Schwierigkeit entfällt, wenn Paulus in 15,14 f. auf *jenen* vollständigen Brief zurückblickt, der in 12,1 beginnt und der rückblickend unter das νουθετεῖν gestellt werden kann. Die Bemerkung in V. 15, er habe stellenweise (ἀπὸ μέρους) reichlich kühn (τολμηροτέρως) geschrieben, dürfte Paulus dann vor allem auf die konkreten Ermahnungen an die ‚Starken' beziehen, die wir in 14,1 ff. lesen.

Daß wir *nur* so verstehen dürfen, zeigt sich zur Genüge daran, daß Paulus mit διὰ τὴν χάριν τὴν δοθεῖσάν μοι ἀπὸ τοῦ θεοῦ (15,15) direkt das διὰ τῆς χάριτος τῆς δοθείσης μοι von 12,3 aufnimmt; beide Bemerkungen rahmen das Briefkorpus ähnlich ein wie 12,1 und 15,30.

5. Bemerkenswerter noch dünkt mich das ἐπαναμιμνῄσκων (V. 15) zu sein. Der lexikalische Befund ist eindeutig: ἐπ . . . bezeichnet die Wiederholung, nicht die Hinzufügung. Paulus hat sich erdreistet, die Gemeinde *wiederum*, *noch einmal*, *erneut* zu erinnern. Die Verlegenheit der Exegeten diesem Begriff gegenüber ist groß. Sie übersehen in ihrer Auslegung durchweg[51] das ἐπ . . ., auch wenn sie es richtig übersetzen[52], oder sie deuten es falsch[53].

Das ἐπαναμιμνῄσκων zwingt, nimmt man es genau, dazu, 15,14 f. samt den Ausführungen, worauf diese Verse sich beziehen, also das in 12,1 beginnende Schreiben insgesamt, als einen *wiederholten* Brief des Paulus nach Rom anzusehen[54].

6. Nicht nur weist die Dublette der persönlichen Nachrichten in 1,9 ff. und 15,17 ff. als solche beide Abschnitte verschiedenen Briefen zu. Diese Abschnitte spiegeln auch eine zwar verwandte, nicht aber identische Situation des Briefschreibers wider.

49. Mangold (1884), S. 103 f.
50. Z.B. de Wette (1847), S. 190; H. A. W. Meyer, a.a.O. S. 614; Bernhard Weiß (1886), S. 642; Lipsius, a.a.O. S. 194; Kühl, a.a.O. S. 468; Roosen, a.a.O. S. 465; Schlier, a.a.O. S. 169 f.
51. Vgl. Lipsius, a.a.O. S. 194; Michel, a.a.O. S. 364: „geläufige kirchliche Belehrung".
52. Vgl. de Wette (1847), S. 191; Kühl, a.a.O. S. 468: „bestätigende Erinnerung".
53. „. . . eine besondere Erinnerung . . ." (Baur, 1845, S. 404); „*in memoriam revocare*" (Bernhard Weiß, 1886, S. 644); Mangold (1884) S. 108.
54. Es sei denn, man nimmt es als Beleg dafür, daß die römischen Christen durch einen Pauliner, „vermuthlich mit Wissen und im Auftrage des Apostels selbst, bekehrt worden sind" (so Kneucker, a.a.O. S. 13) – eine durch den Römerbrief insgesamt ausgeschlossene Möglichkeit.

Paulus kündigt in 15,23 eine konkrete Reise an. Er befindet sich im Aufbruch, um über Jerusalem nach Rom zu fahren (15,25)[55]. Das Werk der Kollekte ist abgeschlossen (15,26f.). Aus 16,21–23 (siehe S.127f.) geht hervor, daß sich mindestens drei der Begleiter des Paulus auf seiner Jerusalemer Reise bereits bei ihm befinden: Timotheus, Lukios = Lukas[56], Sosipatros = Sopatros aus Beröa (Apg 20,4). T.M.Taylor meint gar, Paulus befinde sich schon auf der Reise nach Jerusalem[57]. Jedenfalls ist im Osten des Reiches seines Bleibens nicht mehr länger (15,19–23), seine Wirksamkeit dort hat ihr Ende gefunden; er braucht nur noch die Kollektenangelegenheit abzuschließen (15,28). Paulus meldet sich in Rom an (15,22–24).

Das alles war im Proömium, liest man es nicht von Kap.15 her, noch nicht im Blick. Zwar redet Paulus von seinen mancherlei Vorsätzen. Indessen steht dem entgegen: ἐκωλύθην ἄχρι τοῦ δεῦρω – und das kann man nur so verstehen, daß die Verhinderung noch anhält[58]. 15,22 ff. zufolge *war* Paulus an der Reise nach Rom verhindert *gewesen*; dem Proömium zufolge *wird* er daran gehindert. Eben deshalb schreibt Paulus auch seinen ersten Brief, der den *immer noch* verhinderten Besuch nicht so sehr vorbereiten als vielmehr vorläufig ersetzen soll[59]. Das νυνὶ δέ von 15,23.25 ist im Proömium noch außer Blick; dort gilt das ἐκωλύθην ἄχρι τοῦ δεῦρω. Kap.1 entstammt also einer wesentlich früheren Situation als Kap.15.

7. Wichtiger noch ist eine andere Beobachtung zur Situationsverschiebung.

Im Proömium spricht Paulus in aller Deutlichkeit zu wiederholtem Male aus, er wolle das Evangelium auch in Rom predigen: V.11.13–15 (siehe S.10,53 ff.). Dies Anliegen des Paulus wird dadurch besonders delikat, daß er nicht etwa in Rom nur Mission treiben möchte und zu diesem Zweck um die wohlwollende Billigung der dortigen Christen wirbt. Vielmehr will er *unter den Christen* Roms einige Frucht haben (siehe ebd.). „Ganz gewiß kann und sollte sich diese Verkündigung an die römischen Christen (vgl. V.12) in erster Linie richten"[60], wie denn ja Paulus auch diesen Christen

55. Willibald Beyschlag, a.a.O. S. 657; Grafe, a.a.O. S. 49 ff.; Mangold (1884), S. 303; Lipsius, a.a.O. S. 75 f.; Zahn (1906), S. 310 ff.; Jülicher (1908), S. 218; Preisker, a.a.O. S. 30.
56. Vgl. Deissmann, a.a.O. S. 372 ff.
57. A.a.O. S. 288 ff.; vgl. Jülicher (1906), S. 92.
58. Paulus bittet darum, ,daß es mir wohl endlich einmal gelingen wird zu kommen' (1,10). *Ob* es ihm einmal gelingen wird, ist ihm durchaus ungewiß. „In other words, although the Roman Christians would learn in ch. I that Paul very much wanted to come to them, they would not have known till ch. XV that he was actually coming" (Knox, a.a.O. S. 192).
59. Vgl. Spitta (1901), S. 8; Klostermann, a.a.O. S. 4–13.
60. Jülicher (1908), S. 225.

mit seinem Brief in gezielter Weise predigt und in dieser Predigt deutlich verrät, worum es ihm geht: Er möchte die römischen Christen definitiv dem Einfluß der Synagoge entziehen und ganz auf das gesetzesfreie Christentum, das den paulinischen Gemeindebildungen zugrunde liegt, festlegen.

Aus solcher Absicht erklärt sich die wiederholte Feststellung des Apostels, er fühle sich seit langem intensiv mit Rom bzw. mit den dortigen Christen verbunden (siehe S. 10,53 ff.). Paulus *will* sagen: Rom stand schon lange vor meinen Augen und galt mir als Ziel meiner Predigt. Ich mische mich nicht in eine fremde Gemeinde ein, ich baue nicht auf fremdem Grund. Sind auch bereits Christen in Rom zugezogen, so kann das doch meine längst gefaßte und nur durch äußere Umstände verhinderte Absicht, in Rom *mein* Evangelium zu predigen, nicht vereiteln.

Die Vorsicht, mit der Paulus sein Vorhaben absichert, dient dazu, dies Vorhaben als solches zu ermöglichen (siehe S. 10,53 ff.). Die Verse 8–15 erklären sich vollständig und einheitlich nur aus dem Versuch des Apostels, unter den römischen Christen Fuß zu fassen und Einfluß in der römischen Christenheit zu gewinnen. Darum schreibt er diesen Brief, darum stellt er seinen persönlichen Besuch in Aussicht.

Von einer Durchreise durch Rom und einer Weiterreise nach Spanien wird nichts angedeutet; Rom selbst ist das Ziel des Apostels.

Liest man nun 15,15 f., so fehlt zunächst die im Proömium herrschende Vorsicht und Zurückhaltung gänzlich. Er habe, so sagt Paulus, die Gemeinde kräftig ermahnt und habe dies auf Grund seiner Stellung als berufener Heidenmissionar getan. Er spricht als Apostel *auch der römischen Christen* und läßt in keiner Weise durchblicken, daß dies Recht irgendwelchen Zweifeln und Anfechtungen unterliegen könnte. Sein Recht scheint anerkannt[61]!

---

61. Vgl. Spitta (1893), S. 22: „Die ganze Ausdrucksweise ist in c. 12 mit Einem Schlage eine andere als in den vorhergehenden Kapiteln, und man hat es mit Recht auffallend gefunden, daß Paulus hier auf einmal in befehlendem Tone Ratschläge giebt und in das innere Leben einer Gemeinde eingreift, die er nicht gegründet hat." Baur (1845, S. 402 f.) und andere (vgl. z. B. Holsten [1885], S. 199) fanden in dieser Diskrepanz zwischen Proömium und den persönlichen Bemerkungen in Kap. 15 ein wesentliches Argument für die These, Kap. 15 gehöre nicht zum Römerbrief; vgl. auch Lucht, a.a.O. S. 206 ff. Dieselbe Beobachtung gab bereits H. E. G. Paulus Anlaß, Kap. 15 nur an die ‚Aufgeklärten' der römischen Gemeinde gerichtet sein zu lassen (siehe oben S. 110). Straatman, a.a.O. S. 40 ff. 50 hat vor allem deshalb die Kap. 12–14 mit Kap. 16 zu einem Epheserbrief verbunden, weil diese Kapitel im Unterschied zu Röm 1–11 an eine *Gemeinde des Paulus* gerichtet sind. Ritschl räumt in seiner Rezension von Baurs ‚Paulus' (Hallische Literaturztg., 1847, S. 993 ff.) den Widerspruch ein, erklärt ihn aber mit einem Stimmungswechsel des Paulus; solche psychologischen Erklärungen der literarischen Probleme der Paulusbriefe sind dann bei den liberalen Theologen in Mode gekommen und bis heute lebendig geblieben.

Aber weiter. In V. 20 erklärt Paulus vorbehaltlos, er setze seine Ehre darein, nicht zu predigen, wo der Name Christi bereits bekannt werde. Dieser Grundsatz steht in solcher Spannung zum Proömium, wo Paulus mit Energie um das Recht kämpft, in der römischen Gemeinde predigen zu können, daß man beide Stellen in demselben Brief unmöglich vereinen kann.

Der Grundsatz von V. 20 findet sich zudem nicht nur beiläufig und im Hinblick auf die Gemeinden des Ostens, sondern wird im folgenden im Blick auf die römische Gemeinde festgehalten und durchgeführt: Da Paulus nunmehr im östlichen Reichsteil kein Wirkungsfeld mehr offen sieht, sucht er ein neues Missionsgebiet – in Spanien! Von einer Predigt in Rom wird in Widerspruch zu 1,11–15 nicht mehr gesprochen. Im Gegenteil! Nur auf der Durchreise hofft Paulus die Römer sehen und sich bei ihnen erholen zu können. „Die Worte sind wieder so gewählt, daß jede Muthmaßung, als könne P(aulus) in Rom kraft seines Apostelrechtes als Lehrer auftreten wollen, abgeschnitten wird. Er reist nur durch, will die Römer nur schauen, will nur ihr Geleit, will nur von ihnen gesättigt werden."[62] Sie sollen ihn für die Reise nach Spanien ausrüsten bzw. dorthin begleiten[63]. Er be-

---

62. Lipsius, a.a.O. S. 197. Vgl. Heinrich Julius Holtzmann (1874), S. 517 f.; ders. (1886), S. 272; Lucht, a.a.O. S. 220 ff.: „... man beachte, daß, wie im Eingange nichts von einer Reise nach Spanien gesagt ist, so hier, im Epilog, die Absicht, die Paulus nach dem Eingang bei seinem Kommen nach Rom hatte, ganz unbemerkt gelassen wird. Nach dem Eingange des Briefes wollte Paulus nach Rom kommen, um in Rom zu wirken. Das eigentliche Ziel seiner Reise also war Rom, und der Zweck seines Kommens nach Rom, dort das Evangelium zu verkündigen. In unserem Stück aber, im Epilog, wird dem Apostel der Grundsatz beigelegt, das Evangelium nicht dort zu verkündigen, wo das Christenthum schon verbreitet war, und da dieses nur mit Bezug auf Rom gesagt sein kann, so wird ihm hier die Absicht abgesprochen, in Rom für das Evangelium thätig zu sein ... Der Verfasser läßt ... den Paulus nach Spanien gehen wollen, weil er ihn in Rom nicht bleiben lassen konnte" (S. 225). Vgl. auch Zahn (1910), S. 21.
Klein, a.a.O. S. 134 f., leitet aus 15,15 f. eine „Verkündigungspflicht" des Paulus auch in Rom ab. Damit aber werden die Konturen des Textes verwischt. 15,15 f. bezieht sich, wie auch Klein feststellt, auf die *voranstehenden* Ausführungen. Paulus behandelt die römische Gemeinde also wie bzw. als eine von ihm gegründete und stellt ihr das Zeugnis aus, alle christliche Erkenntnis zu besitzen (15,14). Deshalb kommt eine Missionspredigt in Rom *nicht mehr* in Frage. Die Situation hat sich gegenüber dem Proömium, in dem er solche Predigt in Aussicht stellt (1,11.13.15), grundlegend gewandelt.
63. Nicht von ungefähr bestimmt z. B. H. E. G. Paulus (1831) passim die Situation des Römerbriefes ganz von 15,14 ff. her: Der Apostel sei des Streites mit den Judenchristen im Osten müde. Deshalb ziehe es ihn auf ein Missionsgebiet, auf dem er von den beschneidungssüchtigen Glaubensbrüdern nicht mehr bedrängt wird: nach Spanien. Die Römer sind nicht sein Ziel; in Rom will er nur durchreisen. Die Erklärung, die H. E. G. Paulus unter diesen im wesentlichen angemessenen Voraussetzungen für den Römerbrief gibt, ist notgedrungen eine Verlegenheitsauskunft: Der Apostel schreibe den Römern so viel und nur so viel,

handelt die römische Christenheit also wie eine von ihm gegründete und insofern fest gegründete Gemeinde – ein Zustand, der im Proömium als erhofftes, aber zweifelhaftes Ziel seines Kommens ins Auge gefaßt war.

Lipsius[64] läßt Paulus in V. 20 allerdings den Vorsatz aussprechen, „die Predigt des Evglms in Rom zu unterlassen, weil Rom fremdes Missionsgebiet sei". Aber diese Beachtung trifft nicht zu. Paulus spricht nicht davon, daß *Rom* fremdes Missionsgebiet sei. Dann hätte er auch nach Rom nicht schreiben dürfen, gar unter dem in 1,13ff. ausgedrückten Vorzeichen, in Rom sogar predigen zu wollen. In dem Brief, zu dem 15,20 gehört, beansprucht Paulus Rom gerade als *sein* Arbeitsgebiet (vgl. 15,15f.). Wenn er 15,20ff. zufolge in Rom im Unterschied zum Proömium 1,8ff. nicht predigen wird, so deshalb nicht, weil dort inzwischen eine christliche (paulinische!) Gemeinde lebt und wirkt.

Die Situation hat sich in Kap. 15 also gegenüber dem Proömium insofern gewandelt, als Paulus in der Zwischenzeit in den Stand versetzt wurde, die Gemeinde in Rom *als seine Gemeinde* ansehen und anreden zu können. Er ermahnt sie wie seine Gemeinden (12,1ff.; 15,14), weiß sich als λειτουργός Christi bei den römischen Christen (15,15f.), nimmt sie für seine weitere Missionsarbeit in Anspruch (15,24), erwartet ihre Fürbitte für seinen Dienst (15,30f.). Der erste Brief des Apostels muß also den erwünschten Erfolg gezeitigt und dem Apostel eine Gemeinde in Rom beschert haben, die das Evangelium in seinem Sinn versteht und die ihn als ihren Apostel anerkennt. Dieser *seiner* Gemeinde, der er nicht mehr missionarisch in dem in 1,15 gemeinten Sinne das Evangelium zu verkündigen *braucht,* schreibt er den zweiten Brief.

Man sollte die Spannungen zwischen dem Proömium und 15,14–29 nicht bagatellisieren, wie es in fast allen modernen Kommentaren und Einleitungen geschieht, die das früher intensiv beobachtete und bedachte Problem übersehen und übergehen. Mit Recht wendet sich jüngst Jervell[65] dagegen, daß „die Kommentare oft verschleiern", wie widersprüchlich Paulus argumentiert. „Bald spricht er davon, daß er vorhat zu verkündigen, Missionsarbeit in der Welthauptstadt zu betreiben, 1,3–15 ... oder er spricht davon, daß er auf der Durchreise ist ... und daß er wünscht, weitergeleitet zu werden, also keine Missionsarbeit – 15,23–24.29.32b." Jervells angeblich „einfachste Erklärung" dieses richtig beobachteten Sachverhalts, Paulus wisse selbst noch nicht, was er wolle, läßt zwar die Integrität des Römerbriefes unverletzt, verletzt aber die Integrität des Apostels.

---

daß sie ihm nicht ihren Dienst für die Spanienreise verwehren. Die Aussagen des Proömiums übergeht H. E. G. Paulus bezeichnenderweise mit Stillschweigen.

64. A.a.O. S.196.
65. A.a.O. S.66f.

Nicht angemessen ist aber auch Lietzmanns[66] Feststellung zu 15,20: „Streng genommen ist der Satz (sc. V.20) mit 1,13 ff. allerdings unvereinbar … aber gerade hier paßt er durchaus hin, da Pls Rom beständig nur als Durchgangsstation bezeichnet: er denkt jetzt nicht mehr daran, daß er am Beginn des Briefes (der doch nicht an einem Tag fertig geworden ist!) gesagt hat, er wolle καὶ ὑμῖν τοῖς ἐν Ῥώμῃ εὐαγγελίσασθαι." Aber es ist nicht nur eine zweifelhafte Methode, literarische Probleme mit der Vergeßlichkeit des Paulus zu erklären, sondern es spielt auch für die eigentliche Spannung zwischen Proömium und Kap.15 keine Rolle, wieviel Zeit zwischen der Abfassung des Briefeingangs und des Briefschlusses liegt. Denn die wichtigste Differenz zwischen Anfang und Ende des Römerbriefes bezieht sich auf die hier und dort jeweils vorausgesetzte unterschiedliche *Situation*, an die Paulus sich nicht zu erinnern brauchte, weil er in ihr stand: Will er die Gemeinde gewinnen oder ist sie gewonnen? Will er in Rom predigen oder will er nur durchreisen? Wird er immer noch an der Reise gehindert oder steht er unmittelbar vor der Abreise?

Auf diese Fragen geben Proömium und Briefschluß jedesmal verschiedene Antworten; sie setzen also eine jeweils andere Situation voraus. Man muß dies Phänomen tatsächlich so stark wie Lipsius empfinden, der in V. 20f. οὐχ ὅπου bis ἀλλά und V. 23–24 ganz streicht[67], obschon er doch sonst keineswegs zu den wilden Glossenjägern gehört. Freilich läßt sich kein einsichtiger Grund für eine derart gezielte Interpolation angeben, und unpaulinisch ist in den ausgeschiedenen Versen nichts. Lipsius löst die von ihm und anderen Zeitgenossen richtig beobachtete Aporie also auf Kosten einer anderen[68]. Tatsächlich führt seine Einsicht in den literarischen Charakter des Römerbriefes auch in diesem Fall dazu, verschiedene Briefe des Paulus nach Rom annehmen zu müssen.

---

66. (1933) S.121.
67. A.a.O. z.St.
68. Pfleiderer (1902), S.174, folgt Lipsius im wesentlichen und scheidet 15,19–24.28b aus. Auch seiner begründeten Meinung nach „ist der V. 20–24 ausgesprochene Vorsatz, Rom nur vorübergehend, auf der Durchreise nach Spanien, zu besuchen, nicht aber dort dauernd zu wirken, weil er nicht auf fremdem Boden arbeiten wolle, offenbar im Widerspruch mit 1,13–15, wo Paulus seine Absicht, auch in Rom das Evangelium zu verkündigen, mit seiner Verpflichtung als Heidenapostel begründet und mit keiner Silbe andeutet, daß er die römische Gemeinde als einen ‚fremden Boden' betrachte, den er nur vorübergehend auf der Durchreise betreten wolle". Straatman, a.a.O. S. 52ff., begnügte sich damit, ‚Spanien' in V.24.28 in ‚Italien' zu ändern und V.24b sowie in V. 28 das δι᾿ ὑμῶν zu streichen; die Streichung von V.20b stellte er anheim, die von V. 30–32 empfiehlt er. Damit erreicht er, daß Rom selbst wie im Briefeingang so auch im Briefschluß das Ziel des Apostels bleibt.

8. In diesem Zusammenhang ist eine frühere Beobachtung aufzunehmen (siehe S. 106 f.). In 14,1–15,7* setzt Paulus voraus, daß die römische Gemeinde mehrheitlich aus ‚Starken‘ besteht, das heißt aus Christen, die in der für Paulus entscheidenden Frage, der Stellung zum alttestamentlichen Gesetz bzw. zur Synagoge, so unbedingt den paulinischen Standpunkt einnehmen, daß der Apostel sie zur Rücksichtnahme auf die ‚Schwachen im Glauben‘ ermahnen muß. Diese Starken sind die eigentlichen Adressaten des ganzen zweiten Briefes nach Rom (siehe unten). Unmöglich aber hat Paulus diesen Adressatenkreis bei der Abfassung von Kap. 1–11 im Auge gehabt. Sein Ziel in diesem Hauptteil des Römerbriefes war es gerade, eine derartige ‚paulinische‘ Christenheit in Rom allererst zu gewinnen. Röm 12*–15* zeigt, daß er dies Ziel erreicht hat. Aus eben diesem Grunde aber muß es sich bei diesen Kapiteln um ein späteres Schreiben nach Rom handeln [69].

9. Damit ist freilich das Problem nicht gelöst, wieso Paulus sein erstes Schreiben nach Rom mit dem zwar nicht in diesem Brief, aber auch nicht nur in 15,20, sondern gleichfalls in 2 Kor 10,15 ausgesprochenen Grundsatz [70] vereinbaren kann, nicht auf fremdem Grund zu bauen [71]. Sind 1,14 f. und 15,20 auch in *einem* Brief ganz unvorstellbar, so erleichtert die Aufteilung beider Briefe auf zwei Schreiben möglicherweise zwar eine Erklärung dieses Widerspruchs, macht den Widerspruch als solchen aber noch nicht zunichte.

Semler, Baur und ihre Nachfolger bis hin zu Lipsius [72], die Kap. 15 ganz

69. Hans Martin Schenke (ThLZ 92, 1967, Sp. 884) hat diese Problematik richtig beobachtet. Er bemerkt zu dem Abschnitt 14,1–15,13: „Es ist, besonders innerhalb der Paränese, das auffälligerweise einzige Stück, in dem Paulus wirklich konkret redet. Die anderen Teile des Römerbriefes machen hingegen den Eindruck, daß Paulus die römische Gemeinde gar nicht kennt.“ Schenke will deshalb 14,1–15,13 zu dem Epheserbrief 16,3–20 zählen. Aber das Empfehlungsschreiben für die Phöbe ist in sich ein vollständiger Brief, und 14,1–15,7 kann man nicht von 12,1 ff. abtrennen (siehe unten).

70. Schon die Parallele in 2 Kor 10,15 verbietet die Erklärung Mangolds (1884) S. 125, das φιλοτιμούμενον sei lediglich eine Näherbestimmung zu πεπληρωκέναι: „Paulus spreche demnach nicht einen allgemein gültigen Grundsatz aus . . . ; er berichte nur historisch, daß es in der Zeit, welche mit πεπληρωκέναι ihre Vollendung in der Gegenwart gefunden hat, sein stehender Grundsatz gewesen sei, nicht auf fremdem Grund zu bauen, sondern neue Gemeinden zu stiften.“

71. Suhl, a.a.O. S. 129 f., will die Schwierigkeit neuerdings mit der Auskunft beheben, im Proömium spreche Paulus von einer beabsichtigten Predigt in der römischen *Gemeinde*, in 15,20 ff. von dem Verzicht auf *Heidenmission* in Rom. Aber davon deutet Paulus nichts an, der Unterschied von ‚Gemeindepredigt‘ und ‚Missionspredigt‘ ist für die damalige Situation überdies ein künstlicher, und daß ein Apostel sich der Gemeindepredigt befleißigen, die Missionspredigt aber unterlassen könnte, leuchtet unter keinen Umständen ein.

72. A.a.O. S. 195 f.

oder teilweise dem Apostel absprachen oder von Kap. 14 lösten, hatten in diesem Widerspruch ein starkes Argument für ihren literarkritischen Eingriff. Ihre Gegner taten sich dagegen mit einer Erklärung des Widerspruchs schwer, und Klein weist mit Recht darauf hin[73], daß die neueren Exegeten den vorliegenden Sachverhalt durchweg bagatellisieren[74] oder gar nicht erwähnen[75] bzw. unerklärt stehen lassen[76].

Es ist verdienstvoll, daß Klein wieder auf die vorliegende Problematik aufmerksam gemacht hat. Er löst das Problem mit der Auskunft, erst wo die Apostolizität der Gemeinde gegeben sei, erkenne Paulus eine „fundamentierte Christenheit" an (S. 140). Die Apostolizität wird Klein zufolge durch die „apostolische Gründung" gewährleistet. Da sich die römische Gemeinde nicht einem planmäßigen Missionswerk verdanke, halte Paulus sich für berechtigt, in Rom zu predigen.

Diese Argumentation[77] führt freilich zu der eigenartigen Konsequenz, daß

---

73. A.a.O. S. 138.

74. Lietzmann (1933), S. 121 (vgl. S. 29): Der Gemeinde in der Welthauptstadt gegenüber wird Paulus dem Proömium zufolge zum erstenmal seinem Prinzip untreu; in 15,20 habe er das Proömium vergessen. (Tatsächlich freilich müßte er auch den Brief vergessen haben!) Vgl. auch Hans Wilhelm Schmidt, a.a.O. S. 246. „Die Abfassung des Römerbriefes ist kein Widerspruch zu dem von Paulus ausgesprochenen Grundsatz, nur dort zu predigen, wo Christus noch nicht genannt war, weil sie keine Predigt im eigentlichen Sinne ist und jener Grundsatz nur von seiner Tätigkeit als Missionar gilt. Ebensowenig verstößt der Apostel mit seiner Absicht nach Rom zu kommen (1,11–13) gegen die Regel, nicht auf fremden Grund zu bauen. Er redet ja außerordentlich bescheiden von seiner Missionsarbeit in Rom, und wie er es dem Apollos gestattete, seine korinthische Pflanzung zu begießen, so konnte er auch selbst die römische Gemeinde besuchen. Im ganzen Zusammenhang aber ist keine Rede davon, daß er in Rom seinen Sitz aufschlagen wollte, um dort unter den Heiden zu missionieren. Vielmehr will der Apostel sich gar nicht lange in Rom aufhalten, sondern seine Reise fortsetzen" (Schumacher, a.a.O. S. 42). Aber wie bescheiden auch immer: in 1,13 ff. spricht Paulus in klaren Worten von seiner Absicht, in Rom zu missionieren; und seinen Brief eine ‚uneigentliche' Predigt zu nennen, ist pure Verlegenheit.

75. Jülicher (1908), S. 224 f.; 321; Kühl, a.a.O. S. 471.

76. Vgl. Michel, a.a.O. S. 51; 367, Anm. 3.

77. Vgl. schon Schultz, a.a.O. S. 115: „Ebensowenig aber liegt in diesem Abschnitte ein Widerspruch mit 1,10.11 vor . . . wenn Paulus seinen Grundsatz erwähnt, nicht auf fremden Grund zu bauen (20), so will er damit nicht motivieren, weshalb er nicht nach Rom gekommen sei – wo ja gar kein fremder Grund vorlag –, sondern er will seine Aussage, daß er den ganzen Orient apostolisch bearbeitet habe, durch diese Worte der Wahrheit gemäß dahin beschränken, daß er überall, wo noch keine apostolische Wirksamkeit vorlag, gepredigt habe." Auch Godet argumentierte schon ähnlich: Das „apostolische Fundament . . . fehlte gerade der Gemeinde der Welthauptstadt . . . Die Botschaft war hier dem amtlichen Boten vorausgeeilt; das Gebäude hatte sich vor Ankunft des rechtmäßigen Erbauers erhoben" (1892/93), S. 72. Vgl. ferner Philippi, a.a.O. S. XIII, nach dessen Meinung Paulus sich

173

Paulus es in Rom mit Adressaten zu tun hat, von deren Glauben gilt, daß er „zwar außer Frage steht, der apostolischen Signatur aber noch entbehrt" (S. 141). Als ob für Paulus nicht der rechte Glaube als solcher die apostolische Signatur trüge (vgl. 1Kor 15, 1 ff.; Phil 1, 18)! Daß der in 1, 12 und in 15, 14 den Römern bescheinigte Glaube durch die Autorität eines Apostels allererst legitimiert werden müsse, ist eine nicht nur für Paulus unvollziehbare Vorstellung. Und aus 1Kor 3, 10 läßt sich entgegen der Argumentation von Klein (S. 139 f.) keineswegs entnehmen, daß nur ein Apostel eine Gemeinde gründen könne. Paulus zweifelt doch nicht an der ‚Apostolizität' der von seinen Gemeinden gegründeten Tochtergemeinden; *indirekt* verdankt aber auch die römische Christenheit ihre Existenz nicht weniger der apostolischen Predigt[78]. Auch wenn die Erklärung Kleins nicht so unpaulinisch wäre, wie sie faktisch ist, könnten die römischen Adressaten sie überdies schwerlich zwischen den Zeilen des paulinischen Briefes lesen, wie Klein es ihnen (und uns) abfordert; denn Paulus deutet nirgendwo an, daß seine Autorität die in Rom noch fehlende *apostolische* Autorität sei oder daß „die kirchengründende Proklamation des Evangeliums" in Rom noch aussteht (S. 142).

Hätte Klein seine Erklärung nicht so unglücklich auf einen engen Begriff von ‚Apostolizität' zugespitzt, könnte man ihr freilich folgen. Die Feststellung οὕτως δὲ φιλοτιμούμενον εὐαγγελίζεσθαι οὐχ ὅπου ὠνομάσθη Χριστός, ἵνα μὴ ἐπ' ἀλλότριον θεμέλιον οἰκοδομῶ (15, 20) besagt im Zusammenhang mit 1Kor 3, 5 ff. und 2Kor 10, 15 f., daß Paulus sich bemüht, dort nicht zu predigen, wo bereits planmäßig eine im *weitesten* Sinne ‚apostolische', das heißt rechtgläubige Mission getrieben, eine Gemeinde gegründet wurde. μὴ ἐπ' ἀλλότριον θεμέλιον meint: nicht auf dem von einem Anderen gelegten Grund (vgl. Röm 14, 14). Paulus meint dagegen nicht, daß er dort nicht predigen dürfe, wo schon einzelne Christen leben. Sonst hätte er ja auch in Korinth keine Missionsarbeit aufnehmen dürfen, wo er bereits auf das christliche Ehepaar Aquila und Priscilla traf, oder in Ephesus, wo er bei seiner Ankunft offenbar von den dortigen Christen zu längerem Bleiben aufgefordert wurde (Apg 18, 20; V. 19 b ist lukanischer Zusatz) und später zwei Jahre lang wirkte (Apg 19, 10).

aufgefordert fühlte, „dem unter seinem geistigen Einflusse erzeugten Glauben der römischen Gemeinde gleichsam sein apostolisches Siegel aufzudrücken und sie so durch zusammenhängende Entwicklung der evangelischen Lehre gewisser Massen aufs Neue zu gründen".

78. Kritisch zu Klein äußern sich z. B. Bornkamm (1971), S. 128 f.; 138 f.; Kümmel (1973), S. 274; Kuss (1971), S. 196 ff.; Wilckens, a.a.O. S. 114. Positiver urteilen Stuhlmacher in: ZThK 67, 1970, S. 25 f. (Anm.), und Wengst in: ZThK 69, 1972, S. 158.

Unter diesen Umständen *kann* Paulus bei der Abfassung seines ersten Briefes nach Rom voraussetzen, daß er in Rom nicht auf fremdem Grund baut; denn [79] die römischen Christen sind von auswärts zugezogen. Es gibt weder einen Gemeindegründer in Rom noch eine planmäßige Mission in der Hauptstadt noch eine organisierte Gemeinde (siehe S. 63 ff.).

Daß Paulus diese Situation *tatsächlich* voraussetzt – ob mit Recht oder Unrecht bleibe dahingestellt –, zeigt die Adresse seines Briefes: Er schreibt nicht an eine römische Gemeinde, erst recht nicht an einen Gemeindeleiter oder einen führenden Missionar, sondern an Christen in Rom, an die ‚Geliebten Gottes, die berufenen Heiligen‘ (1,7) [80]. Wenn er sich ihnen als ‚berufener Apostel‘ vorstellt, der mit dem Evangelium betraut ist (1,1), so geht er davon aus, daß er mit seinem Schreiben nicht einem anderen Missionar oder Gemeindegründer, sei er nun Apostel oder nicht, in die Quere kommen wird.

Inwieweit er *zu Recht* von solcher Voraussetzung ausgeht, ist eine andere Frage. Paulus zeigt im Proömium, wie delikat er selber sein Unterfangen ansieht, in der römischen Gemeinde Einfluß zu gewinnen (siehe S. 52 ff.). Er beugt den Einsprüchen der römischen Christenheit nach Möglichkeit vor. Wer es sich verbitten sollte, daß Paulus mit seinem Evangelium in Rom Fuß fassen will, oder wer sich längst als ‚Pauliner‘ versteht, wird mit der Auskunft besänftigt, es gehe ja nur um die Stärkung der Römer und um den Austausch gemeinsamer Glaubenserfahrung, um ein Geben und Nehmen (1,12) [81]; und wer darauf verweisen wollte, daß Paulus zu spät kommt, weil

79. Vgl. Spitta (1893), S. 19.
80. Vgl. Klein, a.a.O. S. 142 f.; siehe S. 67 ff.
81. Klein, a.a.O. S. 141, spricht mit Recht von einer „höchst zwiespältige(n) Argumentation, welche die Römer einmal wie christliche Brüder, dann wie Missionsobjekte erscheinen läßt". Kleins Erklärung dieses Sachverhaltes, die Römer seien christliche Brüder wegen ihres Glaubens, Missionsobjekte aber wegen der fehlenden apostolischen Signatur dieses Glaubens, wurde soeben zurückgewiesen; sie hat im Text keinen Anhalt und setzt voraus, daß Paulus dieselben römischen Christen zugleich unter einander ausschließenden Aspekten ansieht. Tatsächlich läßt Paulus im Proömium in der Schwebe, ob er die Römer noch als Missionsobjekte ansehen muß oder schon als (s)eine Gemeinde ansehen darf.
Der innere Widerspruch in Kleins Erklärung hängt damit zusammen, daß Klein das für die Auslegung des Römerbriefes zentrale Problem, die Frage nach den Adressaten, nicht thematisiert und deshalb fälschlicherweise „die Lehre von der Rechtfertigung des Gottlosen" als solche für den „zentrale(n) Inhalt des Römerbriefes" (S. 144) hält. Angesichts dessen muß Klein seiner Deutung zuliebe einerseits annehmen, der Glaube der römischen Christen ermangele dieses zentralen Gegenstandes, so daß die „apostolische Gründung" der Gemeinde (S. 140) bzw. „die kirchengründende Proklamation des Evangeliums" (S. 142) noch nachgeholt werden müsse. Andererseits will und kann er aber nicht bestreiten, daß Paulus eben dieser einer *solchen* „apostolischen Fundamentierung" (S. 143) noch bedürftigen Gemeinde den Glauben zuerkennt.

die Christen Roms sich längst ohne ihn zu einem Gemeindeverband zusammengeschlossen haben, der erfährt, daß Paulus auf eben diese Gemeinde nicht ohne Anspruch sei, weil er die Verbindung mit der römischen Christenheit in seiner Weise schon früher aufgenommen hatte (1,8ff.) und seit langem und oft vorhatte, Rom zu besuchen, woran ihn nur äußere Umstände gehindert haben (1,10–13).

Sein zweiter Brief nach Rom bezeugt uns allerdings, daß die Bedenken des Paulus kaum begründet waren, auch wenn die Christenheit Roms schon stärker organisiert gewesen sein sollte (vgl. 12,6–8), als er zur Zeit seines ersten Schreibens anzunehmen geneigt war. Die Christen Roms standen stets oder stellen sich jetzt zumindest in ihrer Mehrheit auf den Boden des paulinischen Evangeliums. Seinen zweiten Brief an die römische Christenheit schreibt Paulus deshalb an eine Gemeinde, die er auf dem von *ihm* (direkt oder indirekt) gelegten Grund stehend ansieht, so daß in seinem zweiten Brief die Bemerkung, er wolle nicht auf fremdem Grund bauen, bei dem Leser keinerlei Verwunderung mehr hervorrufen konnte: in Rom baut Paulus nicht mehr auf fremdem Grund, ob er dorthin schreibt oder ob er dort predigen will. Er darf die Gemeinde als seine Gemeinde ansehen.

Es besteht also auch in der paulinischen Sicht – und zwar mit Grund – kein Gegensatz zwischen der Bemerkung in 15,20 und der Ankündigung seiner Predigt in 1,11ff. In 1,11ff. sieht er die Gemeinde *noch nicht* als ἀλλότριον ϑεμέλιον, das heißt als Arbeitsgebiet eines anderen Missionars an; darum schreibt und predigt er ihr. In 15,20 sieht er sie nicht mehr als ἀλλότριον ϑεμέλιον an.

Im selben Brief, das heißt in der gleichen Situation, wird man indessen beide Stellen nicht gerne lesen, wie immer man ihr Verhältnis zueinander bestimmt. Denn dann würde Paulus jener Gemeinde, der er 1,8ff. zufolge sein Evangelium predigen will, *zugleich* schreiben, er predige sein Evangelium nicht, wo der Name Christi bereits angerufen wird (15,20) – eine törichte und unbegründete Deklassierung der römischen Christen, zu der

Sieht man dagegen, daß Paulus nur einen bestimmten Aspekt der Rechtfertigungsbotschaft vorträgt, nämlich die Aufhebung des nationaljüdischen Vorrechts, und daß er damit keineswegs generell eine apostolische Fundierung des römischen Glaubens intendiert, sondern die konkrete Absicht verfolgt, die Christen Roms als eine paulinische Gemeinde, d. h. außerhalb der Synagoge, zu organisieren, entfällt jener Widerspruch. Daß für manche Christen Roms der Anschluß an eine paulinische Gemeinde eine Modifizierung des Glaubens bedeuten konnte, soll damit natürlich nicht in Zweifel gezogen werden. Im Gegenteil. Paulus wollte mit seinem Brief eine bestimmte Entscheidung und somit auch gegebenenfalls eine Scheidung innerhalb der römischen Christenheit provozieren. Eben deshalb aber mußte er die Frage offen lassen, ob sein Evangelium die römischen Christen zum rechten Glauben führen werde oder an bereits Glaubende ausgerichtet wird; diese Frage war für ihn selbst offen.

kein Anlaß besteht, und die in schroffem Gegensatz dazu steht, daß er eben diesen Christen ihren Glauben bestätigte (1,8)[82]. Tatsächlich aber schreibt Paulus 15,20 an jene römische Gemeinde, bei der er nicht mehr zu predigen gedenkt, weil er ihr den vollen Glauben bescheinigt (15,14f.) und deren Hilfe er für seine Missionsarbeit in Spanien erhofft (15,23f.).

10. Die bisherigen Beobachtungen werden durch einen grundsätzlichen inhaltlichen Vergleich der beiden Briefe nach Rom unterstützt.

Zuerst muß auffallen, daß das Thema des früheren Briefes (A) in dem späteren (B) nicht mehr begegnet, ja, nicht einmal mehr angedeutet wird. Dies könnte freilich auch verwunderlich erscheinen, wenn Kap.12–15 (ohne 13,8–13) einem späteren Schreiben angehören; denn wäre nicht auch dabei eine inhaltliche Bezugnahme auf die vorangegangene große Epistel zu erwarten gewesen, zumal die Rahmenstücke (1,8ff. und 15,14ff.) sich deutlich aufeinander beziehen? Indessen erklärt sich die Ausblendung des ersten Schreibens im zweiten gerade durch die veränderte Situation: Der missionarische erste Brief hat Erfolg gehabt. Die Christen Roms sind bereit, auf Paulus zu hören; sie verstanden sich möglicherweise schon vor dem Empfang des ersten Briefes in ihrer Mehrheit als Pauliner. Den ersten Brief hatte also die wirkliche Situation überholt. An ihn nicht im einzelnen zu erinnern, war tunlich und steht mit der Tatsache in Übereinstimmung, daß Paulus in seinem zweiten Brief von der ursprünglich beabsichtigten Predigt seines Evangeliums in Rom schweigt. Zudem liegen zwischen Röm A und Röm B ein bis zwei Jahre (siehe S.180ff.), in denen es kaum an jeglichem Kontakt zwischen Paulus und der römischen Gemeinde gefehlt haben dürfte, so daß auch insofern Brief A nicht mehr aktuell war.

In *demselben* Schreiben aber wäre es ganz unerhört, daß der Apostel das beherrschende Thema von Kap.1–11, die Einheit von Juden und Heiden angesichts des Glaubens, von Kap.12 an völlig ausblendet und daß man auch sonst in Kap.12–16 überhaupt nicht mehr an Kap.1–11 erinnert wird[83]. 15,8–13 kann, wenn man die Stelle im jetzigen Zusammenhang beläßt, diesem Manko nicht abhelfen; denn dieser Abschnitt steht unvermittelt in einem Briefteil, der im übrigen von 12,1 an keinen Versuch macht, sich

---

82. Diese Deklassierung bleibt bei jeder Erklärung, die nicht literarkritisch vorgeht, bestehen, also auch bei der von Klein.

83. Diese auffällige Tatsache haben sich die radikalen Kritiker seit Bruno Bauer (a.a.O. S. 66ff.) gerne und nicht ohne Grund zunutze gemacht. Die Beobachtung als solche findet sich häufig (vgl. z. B. Lyonnet, 1951/52, S.304f.), freilich durchweg, ohne daß irgendeine Konsequenz aus dieser Beobachtung gezogen wird außer der falschen (siehe S.178f.), Kap.12–15 enthielten den ethischen Teil des Römerbriefes; vgl. beispielhaft Michel, a.a.O. S.288. Vergeblich versucht Feine (1903), S.149ff., eine innere Verbindung zwischen Kap.1–11 und Kap.12–14 herzustellen.

mit dem Thema von 1–11 irgendwie zu vermitteln; in seinem jetzigen Kontext darf man also auch 15,8–13 nicht von 1–11 her, sondern nur im Zusammenhang mit 14,1–15,7* verstehen.

Rechnet man dagegen mit zwei Schreiben des Paulus nach Rom, wird umgekehrt auch verständlich, wieso die besondere Problematik von 14,1–15,7* in Kap. 1–11 nicht einmal andeutungsweise begegnet: Wie wir schon zu 8.) sahen, stand dieser Streit zur Zeit von Röm A noch nicht im Gesichtskreis des Apostels. Damit erweisen sich übrigens auch die ebenso verlockenden wie haltlosen Versuche (siehe S. 48 f.), das Rätsel des Römerbriefes dadurch zu lösen, daß man Kap. 1–11 von Kap. 14–15 her versteht und in Kap. 1–11 eine heidenchristliche Mehrheit und eine judenchristliche Minderheit angeredet sieht, definitiv als unmöglich und zugleich als unnötig.

11. Dazu gesellt sich eine weitere formale Beobachtung. Deissmann[84] hat mit Grund ‚Brief' und ‚Epistel' unterschieden und die Paulusbriefe zu den Briefen gerechnet. Dabei macht ihm der Römerbrief Schwierigkeiten, bei dem „die Brieflichkeit" nicht mit „Händen zu greifen" sei. Indem er den Römerbrief von den echt brieflichen Partien in Kap. 14–15 her liest, entscheidet Deissmann sich allerdings schließlich doch für den brieflichen Charakter des Römerbriefes (S. 202 f.).

Richtiger urteilt dagegen aufs Ganze gesehen Roosen: „L'épître aux Romains n'est pas à prendre comme une lettre dans l'acception Deissmannienne du terme, mais comme une prédication d'évangile, accompagnée d'une lettre en guise d'appendice."[85] Bei Röm A haben wir es in der Tat mit einer den Römern aus gegebenem Anlaß übersandten *Epistel* zu tun, die zwar nicht ‚das' Evangelium predigt, wohl aber einen für die Römer bedeutsamen Aspekt des paulinischen Evangeliums entfaltet. Röm B dagegen ist ein echter *Brief* wie die übrigen erhaltenen Schreiben von der Hand des Paulus.

Die literarische Verquickung von Epistel und Brief dürfte auch außerhalb des Korpus Paulinum ohne Analogie sein – ein deutlicher Hinweis auf den sekundären Charakter dieser Verbindung.

12. Nun hat man freilich gerne Kap. 12–15 als den paränetischen Teil von dem dogmatischen Hauptteil Kap. 1–11 abgehoben und so mit ihm gerade zu einer Einheit verbunden.

Doch geht diese Gliederung von dem Irrtum aus, der Römerbrief sei eine Art Kompendium der paulinischen Lehre und handele nacheinander von der Sünde, von der Erlösung und von dem neuen Gehorsam. Tatsächlich steht es aber so, daß Röm 1–11 ein spezielles (dogmatisches) Thema abhandeln

---

84. A.a.O. S. 193 ff. Vgl. zum Problem Wood, a.a.O. S. 211 f.
85. A.a.O. S. 471.

– die Einheit von Juden und Heiden –, dessen ethischer Aspekt in 6,1–7,6 ausführlich und abschließend diskutiert wird. Und auch der ‚abstrakte‘ dogmatische Abschnitt 7,17–8,39 (siehe S. 18 ff.) thematisiert, wie es paulinischem Denken entspricht, die ethische Frage innerhalb seiner selbst (8,12 ff.). Der paränetische Teil 12,1 ff. hängt also gerade unter ‚dogmatischem‘ Aspekt keineswegs organisch mit Kap. 1–11 zusammen.

Dazu kommt, daß Kap. 12–15 ebensowenig eine paulinische ‚Ethik‘ entwickeln wie Röm 1–11 eine paulinische ‚Dogmatik‘[86]. Es geht in Kap. 12–15 um *ein besonderes* Problem, das man nicht einmal eng als ‚ethisches‘ bezeichnen darf und das in Kap. 12–13 vorbereitet wird (siehe unten), nämlich um die Rücksichtnahme der Starken auf den ‚Glauben‘ der Schwachen.

Daß außerdem formkritische Erwägungen verbieten, in 12,1 den paränetischen Teil eines Briefes beginnen zu lassen, sahen wir bereits unter 1.

Dazu kommt die schon beschriebene ganz unterschiedliche geschichtliche Situation beider Abschnitte, die es nicht zuläßt, Kap. 1–11 als dogmatischen und Kap. 12–15 als ethischen Teil *eines* Briefes anzusehen. Kap. 1–11 sind im ganzen wie im einzelnen nicht an eine Gemeinde des Paulus gerichtet; diese Kapitel unternehmen den Versuch, eine solche Gemeinde in Rom zu begründen. Sie tragen insofern missionarischen Charakter und sind von den anderen Paulusbriefen grundsätzlich unterschieden. Kap. 12–15 (ohne 13, 8–13), entsprechen dagegen der sonstigen Korrespondenz des Paulus. Dies Schreiben dient der Gemeinde*leitung*. Die Parallelität von 14,1–15,7* mit 1 Kor 8–10 macht das besonders eindrücklich deutlich; der Apostel schreibt an *seine* Gemeinde.

13. Barnikol zitiert (1931, S. 10) Jülicher (1908, S. 218): „Die interessanteste Frage bleibt für uns: Zu welchem Zweck schreibt eigentlich Paulus an die römischen Christen einen so langen Brief, wenn er sie doch bald selber zu besuchen hoffte? Konnte er die ihm erwünschte Mitteilung einer ‚geistlichen Gabe‘ an sie nicht noch etwas länger aufschieben, bis das persönliche Zusammentreffen eine solche bequem ermöglichte, nachdem er sie trotz seines heiden-apostolischen Pflichtgefühls so viele Jahre schon aufgeschoben hatte?" – und fährt mit eigenen Worten fort: „In der Tat, die für sofort geplante Rom-Reise schließt eigentlich den angeblichen Rom-Brief als vollkommen überflüssig aus, zumal einen solchen schwer verständlichen ‚Dogmatik-Brief‘ an eine wildfremde Gemeinde von untheologischen Messiasgläubigen, die doch den unteren Schichten angehörten. War denn nicht der Briefschreiber Paulus nach seinem für ihn maßgebenden Reisevorhaben fast ebenso schnell da wie dieser Brief? Die Römer hatten ja kaum Zeit, ihn zu studieren und zu

---

86. Vgl. Spitta (1901), S. 46 ff.

begreifen, bis der maßgebende Exeget und Kommentator eintraf und mündlich alles viel besser darlegen konnte. Warum diese Eile?"

Das leuchtet im wesentlichen ein, so abwegig der daraus resultierende Versuch Barnikols ist, den ‚Römerbrief' (in unbestimmtem Umfang) von Paulus nach Antiochien gerichtet sein zu lassen. Mit dem Rahmen 15,14ff. ist Röm. 1–11 ein ebenso großes Rätsel wie mit dem Rahmen 1,8ff. verständlich; denn Ausführungen wie Kap. 1–11 macht man, wenn der beabsichtigte und nötige Besuch ausbleibt, nicht, wenn die Behinderungen beseitigt sind und der Besuch endlich bevorsteht. Dann folgt freilich, daß Röm. 1–11 nicht erst kurz vor der letzten Jerusalem-Reise des Paulus geschrieben worden sein kann.

3. Abfassungszeit und Anlaß von Römer A und Römer B

Wir ziehen das vorläufige Fazit.

1,1–11,36[87] + 15,8–13 bilden den bis auf das unvollständige Eschatokoll anscheinend ungekürzt erhaltenen ersten Brief des Paulus nach Rom. Paulus schreibt diesen Brief, um sich Rom für *sein* Evangelium und seine weitere Missionsarbeit im Westen zu sichern.

Zeit und Ort der Abfassung dieses Briefes lassen sich nicht genau bestimmen. Da Paulus seine römischen Reisepläne in Röm A (1,8ff.) nur unter dem Gesichtspunkt ihrer bisherigen Verhinderung in den Blick nimmt, liegt die Annahme, Paulus habe Röm A noch in der Provinz Asien geschrieben, näher als die Vermutung, der Apostel sei bereits nach oder gar durch Griechenland unterwegs[88]. Auch deutet in Röm A noch nichts darauf hin, daß Paulus vorhat, vor seiner Romreise erneut Jerusalem zu besuchen, eine Möglichkeit, die in der uns aus der Zeit der dritten Missionsreise erhaltenen Korrespondenz zum erstenmal in dem ‚Antwortbrief' 1Kor (C) 16,4 erwogen wird.

Die Gründe für die Verhinderung der Romreise sind in 1,8ff. nicht ausgesprochen.

Sie können mit dem massiven Einbruch der Irrlehre in die Gemeinden des Paulus zusammenhängen, und man könnte dann weiter vermuten, daß Paulus angesichts der Krise in den Gemeinden seines Missionsgebietes besonders interessiert ist, die einflußreiche und wichtige Christenheit Roms als neuen Träger seiner Arbeit zu gewinnen.

Indessen deutet in Röm A nichts auf die Wirren in den europäischen Gemeinden des Paulus hin, die von den Briefen nach Thessalonich, Philippi

---

87. Ohne 5,1–11; siehe unten S. 197ff.
88. Vgl. Duncan, a.a.O. S. 164f.

und Korinth bezeugt werden. Röm A ist auch frei von Spuren expliziter antienthusiastischer Theologie. Darum liegt es näher, Röm A *vor* diesen europäischen Wirren, das heißt in der ersten Hälfte des Aufenthaltes des Paulus in Ephesus anzusetzen.

Weizsäcker[89] erwägt mit Grund, ob nicht bereits der Weg der paulinischen Mission ‚zurück' nach Ephesus eine Verzögerung der römischen Reisepläne des Apostels bedeutete, die schon am Ende der zweiten Missionsreise von Korinth direkt über Jerusalem nach Rom zielten. In der Tat läßt sich Apg 18,18ff. am leichtesten so verstehen, daß Paulus, seine Arbeit in Achaia beendend, einen Abschiedsbesuch in Jerusalem macht und auf dem Wege dahin Ephesus berührt. Dort, wo bereits Christen leben, sollen Aquila und Priscilla die Missionsarbeit im Sinne des Paulus weiterführen. Paulus selbst läßt offen, ob er noch einmal Ephesus besuchen wird (Apg 18,20f.; 18,19b ist lukanischer Einschub). Auf seiner Reise in den Westen wird der Apostel dann jedoch zwei Jahre lang und mehr in der Provinz Asien festgehalten (Apg 19,10). Die genauen Gründe dafür sind uns nicht bekannt; erst aus dem späteren Abschnitt des ephesischen Aufenthaltes erfahren wir einiges über die Verhinderungen und Verpflichtungen des Apostels (1Kor 15,32; 16,5ff.; 2Kor 1,8ff). Davon weiß Röm A indessen anscheinend noch nichts. Deswegen dürfte dieser erste Brief des Paulus nach Rom in der Anfangszeit seines Aufenthaltes in Ephesus geschrieben worden sein, als Paulus entgegen seiner zu vermutenden Absichten auf seiner Reise nach Rom jahrelang in Asien festgehalten wird. Vgl. im übrigen noch S.90f.

Da Paulus etwa zur gleichen Zeit den Galaterbrief geschrieben haben muß[90], erklären sich die engen Beziehungen zwischen Galaterbrief und Römerbrief leicht.

Nach allem Gesagten läßt sich als *aktueller* Anlaß für die Abfassung von Röm A vermuten, daß Paulus seine im Blick auf die römische Christenheit gehegten Pläne, die er seit langem gefaßt hatte (1,8ff.), in doppelter Weise gefährdet sieht: Durch seinen ungewollten Aufenthalt in der Provinz Asien verschiebt sich die römische Reise bis auf weiteres, und Paulus muß fürchten, daß er je später desto weniger in Rom wird Fuß fassen können, zumal angesichts des selbstgefaßten Vorsatzes, nicht bereits organisierte Gemeinden an sich zu reißen. Zugleich zeigt ihm die aktuelle Auseinandersetzung mit den galatischen Gemeinden, daß Kräfte am Werk sind, ihm sogar eigene Gemeinden abspenstig zu machen und sie – so beurteilt Paulus die galatische Situation – in den Schoß der Synagoge zurückzuführen. Wieviel mehr Recht und Möglichkeit zur Einflußnahme haben diese restaurativen Kräfte dann

89. (1902), S. 401.
90. Siehe die Einleitungen und Kommentare zum Galaterbrief.

in der römischen Christenheit, die Paulus seit langem für sein gesetzesfreies Evangelium gewinnen wollte.

Darum *ersetzt* der Apostel *jetzt* seinen noch weiter hinausgeschobenen Besuch durch die Epistel Röm A.

Das Echo auf dieses Schreiben war positiv[91]. Wie es konkret aussah, können wir nicht mehr feststellen. Wenn Brief B die erste Reaktion des Paulus auf das Echo aus Rom gewesen sein sollte, sind die darauf bezüglichen Bemerkungen des Apostels, die im Proömium des in diesem Fall zweiten Schreibens des Paulus nach Rom gestanden haben müssen, vor Kap. 12 in Fortfall gekommen, als der Redaktor die Schreiben kombinierte. Aber zwischen Röm A und Röm B können bereits mancherlei andere Kontakte mit Rom bestanden haben. Weil Paulus bei der Behandlung der römischen Probleme in Kap. 12–15 nicht auf einen Brief aus Rom Bezug nimmt, darf man allerdings annehmen, daß dem Brief B nur oder vor allem mündliche Botschaften aus Rom vorausgingen, hinter denen zwar nicht unbedingt alle, wohl aber maßgebliche Christen Roms gestanden haben müssen, die sich als Glieder einer ‚paulinischen' Gemeinde verstanden. Die Situation zur Zeit von Röm B entspricht also im wesentlichen bereits der von Apg 28,15, als die ‚Brüder' aus Rom dem Apostel bis Forum Appii und Tres Tavernae entgegenreisten.

Paulus kündet in Röm B ausführlich seine Reise nach Rom an und teilt mit, welche Unterstützung er von den Christen Roms erwartet. Bei dieser Gelegenheit nimmt er Stellung zu inneren Schwierigkeiten der römischen Christenheit und mahnt die Starken, sich den ‚Schwachen' gegenüber großzügig zu verhalten, wie es dem Evangelium des Paulus entspricht.

Dieser spätere Brief nach Rom (Röm B) scheint vom Beginn des Briefkorpus an vollständig erhalten geblieben zu sein; er umfaßt nach unserer bisherigen Analyse 12,1–15,7[92] + 15,14–32 + 16,21–23 + 15,33.

Ob Paulus bei der Abfassung dieses Schreibens noch mit der offenbar erst im letzten Moment fallengelassenen Seereise nach Jerusalem rechnete oder ob er schon im Begriff war, nach Mazedonien aufzubrechen bzw. bereits nach dort aufgebrochen war (Apg 20,3), ist nicht zu entscheiden. Ebensowenig läßt sich Sicheres über den Abfassungsort des Briefes B sagen. Meist wird Korinth genannt[93]. Aber es ist nicht gewiß, ob der drei Monate

---

91. Das ermöglichte oder erleichterte zweifellos den Entschluß des Paulus, noch ein weiteres Mal Jerusalem zu besuchen und erst von dort aus nach Rom zu reisen. Zur Zeit von 1Kor 16,4 war diese in Röm 15,14ff. entschiedene Frage – aus welchen Gründen auch immer – noch offen.

92. Mit den redaktionellen Eingriffen in 15,4–7, also genau 15,1–4a.7.5f.

93. Mit allen guten Gründen dafür schon de Wette (1848), S. 273.

während Aufenthalt in Hellas (Apg 20,3) überhaupt ein Aufenthalt in Korinth war[94]; 1Kor 16,6 und 2Kor 1,15 können schwerlich etwas über das spätere faktische Verhalten des Apostels beweisen. Den in Röm 16,23 genannten Gaius kann man mit dem in 1Kor 1,14 genannten Christen gleichen Namens aus Korinth nicht ohne weiteres identifizieren; denn der Name Gaius ist einer der verbreitetsten Namen jener Zeit[95]. Natürlich spricht auch nichts gegen Korinth, jedoch hat man auch Philippi[96] und Athen[97] vorgeschlagen oder eine Stadt Illyriens[98]. Andere Vorschläge wären ebenso möglich[99]. Entscheiden kann und braucht man in dieser Frage nichts; genug, daß Paulus Röm B in dem Moment schreibt, da er nach Jerusalem aufbricht.

4. Die Integrität von Römer B

Die Integrität des zweiten Schreibens nach Rom bedarf freilich noch einer genaueren Untersuchung.

Das Briefkorpus beginnt mit einem Appell an die Römer, dessen Ziel es ist, die Christen Roms zu praktischer Einsicht in den Willen Gottes zu führen (12,1–2).

Dieser Appell erfolgt in vier sachlich parallellaufenden Sätzen, die jeweils eine besondere, religionsgeschichtlich vorgegebene Sprache sprechen: ein kunstvoller Aufbau.

Wer sich selbst zum lebendigen, heiligen, Gott wohlgefälligen Opfer darbringt (Sprache des alttestamentlichen Opferkultes);

wer in dieser Weise den ,vernünftigen' Gottesdienst feiert (stoische Sprache);

wer sich diesem Äon nicht gleichstellt (Sprache der Apokalyptik);

wer sich durch Erneuerung des ,Nous' verändert (Sprache der Mysterienfrömmigkeit) –

---

94. Gehört Tit 3,12 zu einem echten paulinischen Brief, wie anzunehmen ist, so spricht vieles dafür, daß Paulus die genannte Zeit wenigstens zum Teil in Nikopolis verbracht hat; vgl. Hartke, a.a.O. S. 10 ff.

95. „Allein aus dem NT kennen wir noch mehrere (Apg 19,29; 20,4; 3Joh 1)" (Michaelis, a.a.O. S. 164). Zum Verständnis von 16,23a vgl. Michaelis, Die Gefangenschaft des Paulus in Ephesus, 1925, S. 93.

96. Michaelis, a.a.O. S. 165 f.; vgl. ders. (siehe Anm. 95) S. 96 ff.; Taylor, a.a.O. S. 281 ff.

97. L. P. Pherigo: Paul and the Corinthian Church, JBL. 68, 1949, S. 341 ff., bes. 347.

98. Paulus (1801) und (1831), S. 342, und zwar wegen 15,19. (1801) sieht Paulus den Apostel auf der Reise nach Korinth begriffen und irgendwo in Illyrien das adriatische Meer vor sich liegen. Der Apostel möchte gerne über die Adria nach Rom reisen und schreibt, da seine Sehnsucht noch nicht in Erfüllung gehen kann, den Römerbrief.

99. Extrem unwahrscheinlich und mit 15,13 ff. nicht zu vereinen ist allerdings die Ansicht von Richards, a.a.O., Kap. 14 sei noch in Ephesus vor dem 1Kor geschrieben worden.

der wird erfahren, was Gottes Wille ist; was τὸ ἀγαθὸν καὶ εὐάρεστον καὶ τέλειον sei.

Es geht Paulus in Brief B also um eine konkrete Einweisung in (ein) rechtes christliches Verhalten [100].

Der erste Abschnitt dieser Einweisung umfaßt 12,3–8. Paulus warnt vor Überheblichkeit. Jeder Christ hat *seine* Gabe; damit ist er *nur Glied* am ‚Leibe Christi'. Jeder soll *seine* Gabe ausüben und sich nicht für das Ganze halten.

Es bedarf keiner Frage, daß Paulus bereits hier direkt die ‚Starken' von 14,1–15,6 im Blick hat [101]; 14,1 könnte unmittelbar an 12,8 anschließen. Schreibt Paulus auch παντὶ τῷ ὄντι ἐν ὑμῖν, so doch ἑκάστῳ ὡς ὁ δεὸς ἐμέρισεν μέτρον πίστεως (V. 3), also speziell den Starken, die in der Gefahr der Überheblichkeit stehen (V. 3) und die in 14,1 ermahnt werden, die *Schwachen* τῇ πίστει aufzunehmen. Der in 12,3.6 verwendete Begriff πίστις entspricht ganz dem in 14,1 f.22 f. gebrauchten; abweichend vom vorherrschenden Glaubensbegriff bei Paulus meint er an diesen Stellen einheitlich die im Glauben gegründete (quantifizierbare) *Einsicht*. Auch das μὴ ὑπερφρονεῖν παρ' ὃ δεῖ φρονεῖν, ἀλλὰ φρονεῖν εἰς τὸ σωφρονεῖν wird in dem das Briefkorpus abschließenden Segenswunsch im Rückblick auf die Starken und Schwachen in der Gemeinde wieder aufgenommen: ὁ δὲ θεὸς ... δῴη ὑμῖν τὸ αὐτὸ φρονεῖν ἐν ἀλλήλοις κατὰ Χριστὸν Ἰησοῦν, ἵνα ὁμοθυμαδὸν ἐν ἑνὶ στόματι δοξάζητε τὸν θεόν ... Und bei seinem

---

100. Dabei steht ihm offensichtlich von vornherein die Erörterung des Verhältnisses der Starken und der Schwachen zueinander vor Augen, wie die entsprechende Wiederaufnahme der Begriffe ἀγαθός und εὐάρεστος in 14,16.18 und in 15,2 zeigt.

101. Richtig Marxsen (1963), S. 89.
Lütgert, a.a.O. S. 98 ff., folgert aus einem Vergleich mit 1Kor 12; 2Kor 5,11 ff.; Phil 3,17 ff. und anderen antienthusiastischen Stellen der Paulusbriefe für Röm 12,3–8: „Zu dieser Warnung muß also die römische Gemeinde besonderen Anlaß gegeben haben ... Wir haben hier also die Warnung vor einer enthusiastisch überspannten Prophetie. Im ganzen ist die Situation also dieselbe, wie in der korinthischen Gemeinde. Mit diesem Hochmut hängt nun ganz wie in Korinth die Gefahr der Lieblosigkeit zusammen. Deswegen erfolgt eine Einschärfung des Liebesgebotes, welche mit der Mahnung zur Demut schließt." Ähnlich Spitta (1901), S. 108 ff.; Michel a.a.O. S. 9; Friedrich, a.a.O. Sp. 1137; 1141 f. Aber einmal gibt es in Röm 1–15 keine sonstigen Anzeichen für enthusiastische Strömungen in Rom. Zum andern weist auch in Röm 12,3–8 im Unterschied zu den verwandten Stellen in den Schreiben nach Korinth und Philippi nichts darauf hin, daß Paulus Enthusiasten im Blick hat. Die für Korinth kennzeichnenden ekstatischen Charismen werden bemerkenswerterweise überhaupt nicht genannt! Der *konkrete* Anlaß für unseren Abschnitt, an dessen Vorhandensein allerdings nicht gezweifelt werden darf, muß also anderswo als in einem römischen Enthusiasmus gesucht werden, und er läßt sich unschwer in den folgenden Ausführungen des Paulus über die Starken und Schwachen finden.

Rückblick auf die konkreten Ermahnungen in 14,1–15,7 greift Paulus in 15,15 zugleich direkt 12,3 auf.

Bevor der Apostel zu den in 12,3–8 anvisierten konkreten Mahnungen kommt, geht es Paulus freilich angesichts der von ihm vollzogenen ‚Relativierung' *aller* Gnadengaben einschließlich des als ‚Einsicht' verstandenen Glaubens darum, ein eindeutiges, nicht relativierbares Kriterium für das Verhalten der Starken anzugeben. Dies Kriterium ist wie in 1Kor 8–10 und in 1Kor 12–14 (vgl. bes. Kap.13), also wie in einer ähnlichen Situation, die ἀγάπη. 12,9–21 bildet mit 13,8–10 einen zusammenhängenden Abschnitt, der mit dem Begriff ἡ ἀγάπη beginnt und schließt und mit Hilfe traditionellen Materials das Wesen der Liebe sowohl exemplarisch wie grundsätzlich entfaltet. Der so vorbereitete Begriff ἀγάπη wird in der Anrede an die Starken dann als Schlüsselbegriff verwendet (14,15), und zwar (unter Aufnahme von 13,8–10) als Liebe τῷ πλησίον[102]. Speziell im Blick auf den im Glauben Schwachen (14,1) gilt schon in 13,10, daß die Liebe *dem Nächsten* nichts Böses tut.

12,1–2 + 12,3–8 + 12,9–21 + 13,8–10 sind also eine in sich geschlossene Hinführung zu 14,1–15,7; 13,1–7 und 13,11–14 bilden in diesem geschlossenen Zusammenhang eine sinnlose Unterbrechung[103].

Im Blick auf 13,1–7 darf dazu Otto Michel als unvoreingenommener Zeuge zitiert werden: „Es steht fest, daß Röm 12,21 in 13,8 seine Fortsetzung hat. Man kann diese Beziehung der abgeschlossenen Sprüche zu 13,8 äußerlich auch an dem gleichlautenden μηδενί (12,17; 13,8) erkennen; in beiden Fällen leitet es eine Paraphrase des Gebotes der Nächstenliebe ein. Röm 13, 1–7 ist also eine *selbständige Einlage* ... Die Selbständigkeit der Paränese Röm 13,1–7 läßt eine künstliche Überleitung nicht zu. Es ist bezeichnend, daß wir es in Röm 12,9ff. und 13,8ff. mit der Einschärfung der Liebe zu tun haben, und daß in der Einlage Röm 13,1–7 gerade dieser Klang fehlt." [104] Diese Argumentation[105] überzeugt schlechterdings[106]. Die formale Ver-

---

102. „Die Worte 15,2: ἕκαστος ἡμῶν τῷ πλησίον ἀρεσκέτω εἰς τὸ ἀγαθόν, spielen um so gewisser an 13,10: ἡ ἀγάπη τῷ πλησίον κακὸν οὐκ ἐργάζεται an, als sich ὁ πλησίον, von Eph 4,25 abgesehen, bei Paulus nur zweimal Röm 13,9. Gal 5,14 und zwar im Zitat des Gebotes von der Nächstenliebe findet" (Spitta, 1901, S. 32, Anm. 2).

103. Wenn man dies erkennt, kann man sich nicht mehr mit dem an sich berechtigten Urteil begnügen: „Völlig unvermittelt tritt der Apostel nach den allgemeinen Ermahnungen der vorigen Kapitel in die Behandlung einer ganz speziellen Frage ein, die in Rom brennend geworden war" (Kühl, a.a.O. S. 444).

104. A.a.O. S. 312 f.

105. Vgl. Barnikol (1961), S. 74; E. Nestle: Die Krisis des Christentums, 1947, S. 144, Anm.; „Die Stelle könnte ... ein Einschub sein"; C. D. Morrison: The Powers that Be, 1960,

bindung von 13,8 mit dem Ende von Kap. 12 ist sogar noch enger als Michel angibt: das *μηδενὶ μηδέν* in 13,8 *summiert* offensichtlich das fünffache *μή* bzw. *μηδενί* von 12,16–21 [107].

S. 104; Hans Wilhelm Schmidt, a.a.O. S. 218; J. Kallas, in: NTS 11, 1964/65, S. 366; Kuss (1963), S. 247; Gaugler, a.a.O. II, S. 270 f.; Leenhardt, a.a.O. S. 181.

106. Sie wird durch die offenkundige Verlegenheit fast aller Exegeten bestätigt, die das *literarische* Problem von 13,1–7 überspielen, indem sie nur nach einem möglichen Anlaß dieses Abschnittes in der römischen Christenheit fragen, der indessen in keiner Weise angedeutet ist (siehe unten).

Die Erklärung, Paulus verweise auf den Staat, weil er in 12,17 ff. die Selbstrache verboten habe (z. B. Starke, Synopsis, 1872, Bd. V, S. 205; Tholuck, a.a.O. S. 678; de Wette (1848), S. 173; Lagrange, a.a.O. S. 310; Sanday-Headlam, a.a.O. S. 366), bedarf keiner Widerlegung, ebensowenig die Meinung von Hans Wilhelm Schmidt, a.a.O. S. 218: „... die vorangegangenen Ausführungen über das Wesen der Agape drängten unausweichlich zu der Frage nach der Stellung des Christen zum Staat hin ...!" Dann leuchtet die Auskunft von Olshausen, a.a.O. S. 410, schon eher ein: „Das feindliche Element, gegen welches Paulus das Verhalten des Christen in *Privat-Verhältnissen* bis daher bestimmt hatte, trat in der apostolischen Zeit gleichsam concentrirt der Kirche in der *Staatsgewalt des Römischen Reichs* entgegen." Indessen hat Paulus in 12,14 ff. nicht angedeutet, daß die Feinde, die man zu lieben habe, speziell die Feinde der Christen bzw. des Christentums seien; außerdem war zur Zeit des Paulus der Staat noch keineswegs Inbegriff des Antichristen.

Viele Ausleger argumentieren wie Althaus, a.a.O. S. 109: „Ein Wort über die Stellung des Christen zum Staate konnte in der apostolischen Unterweisung nicht fehlen." Auch solche Äußerungen umgehen das *literarische* Problem, das Röm 13,1–7 aufwirft. Sie gehen außerdem von der falschen Voraussetzung aus, der Römerbrief enthielte eine möglichst allgemeine und eine möglichst vollständige apostolische Unterweisung; sie ignorieren also den Charakter des Römer*briefes* überhaupt und verwechseln das Schreiben des Paulus mit einem (in diesem Fall schlecht gegliederten) dogmatischen Leitfaden.

Andere Versuche, Röm 13,1–7 ‚dogmatisch‘ mit dem vorhergehenden Abschnitt zu verbinden, findet man bei Godet (1893), S. 260; Spitta (1901), S. 114, angeführt.

107. Redaktionelle Nähte, die als solche nicht erkannt werden, geben immer Anlaß zu lebhafter und oftmals skurriler Diskussion des von Paulus vermeintlich intendierten Zusammenhangs. Von solchen Versuchen, mit dem literarischen Problem von Röm 13,1–7 fertigzuwerden, sei der ebenso originelle wie groteske Vorschlag von Richter, a.a.O. S. 227 ff., erwähnt, weil er dies literarische Problem als solches ernst nimmt. Richter verbindet 13,8–10 eng mit 13,1–7, indem er unter *νόμος* in V. 8–10 das bürgerliche Gesetz versteht, V. 7 mit zu V. 8–10 rechnet und Paulus demzufolge die Römer in 13,8–10 ermahnen läßt, die Staatsgesetze zu beachten (ähnlich bereits Godet, 1893, S. 260 f.; ders, 1894, S. 219). Diese Konstruktion bedarf keiner Widerlegung, aber aus der Begründung Richters ist erwähnens- und erwägenswert: „Nur bei dieser Auffassung ist eine straffe Disposition des paränetischen Teiles möglich. Die, welche in *νόμος* hier das mosaische Gesetz sehen, müssen annehmen, daß P. hier noch einmal zu dem in Kap. 12 abgehandelten Gegenstande von der christlichen Nächstenliebe zurückkehre, nachdem er zwischendurch ein ganz anderes Thema besprochen hat" (S. 232 f.).

Die Einlage von 13,1–7 erfolgte vermittels eines künstlichen Stichwort-anschlusses[108]. Dieser Anschluß ist im Übergang von V. 7 zu V. 8 besonders deutlich: ἀπόδοτε πᾶσιν τὰς ὀφειλάς (V. 7) – μηδενὶ μηδὲν ὀφείλετε (V. 8). Aber auch im Bereich des vorderen Anschlusses ist 12,21: νίκα ἐν τῷ ἀγαθῷ τὸ κακόν mit 13,3: . . . οὐκ εἰσὶν φόβος τῷ ἀγαθῷ ἔργῳ ἀλλὰ τῷ κακῷ zu vergleichen. Für beide Anschlüsse ist bezeichnend, daß die gleichen Begriffe in jeweils ganz verschiedenen Bedeutungen begegnen: ein deutliches Zeichen für eine sekundäre, redaktionelle Verklammerung selbständiger Einheiten, wie sie auch sonst im Korpus Paulinum zu beobachten ist[109].
Kurzum: der Abschnitt 13,1–7 ist, literarisch betrachtet, eine Interpolation[110].

13,11–14 erweist sich formal nicht ebenso deutlich als Einlage wie 13,1–7; sachlich aber bildet dieser Abschnitt ohne Frage einen Fremdkörper im Kontext.

Man vgl. im übrigen zu den Schwierigkeiten, 13,1–7 im Zusammenhang zu verstehen, noch Schrage, a.a.O. S. 53 ff.; Kähler, a.a.O. S. 183 ff. Marxsen (1955), S. 230 ff., übersetzt 13,8 b: ‚Wer liebt, hat das andere Gesetz erfüllt‘ – nämlich das mosaische Gesetz im Unterschied zu den staatlichen Forderungen von 13,1–7 (ähnlich schon v. Hofmann; Zahn). Das ist eine offenkundige Verlegenheitslösung des richtig beobachteten literarischen Problems von Röm 13,1–7.

108. Vgl. Dibelius: Rom und die Christen in ersten Jahrhundert, in: Botschaft und Geschichte II, 1956, S. 182.
109. Vgl. z. B. 1Kor 4,20/5,2; 1Kor 5,13/6,1 f. und dazu W. Schenk: Der 1. Korintherbrief als Briefsammlung, in: ZNW 60, 1969, S. 219 ff.; W. Schmithals: Die Korintherbriefe als Briefsammlung, in: ZNW 64, 1973, S. 263–288.
110. Wenn Käsemann (in: ZThK 56, 1959, S. 367) die „Annahme einer späteren Interpolation" „verzweifelt" nennt, so ist dies Urteil richtig, sofern mit Hilfe solcher Annahme das theologische Problem von Röm 13,1–7 gelöst werden soll. Aber Röm 13,1–7 bildet zunächst ein literarisches Problem, und literarisch gesehen muß die Annahme der Integrität von Röm 12–13 ‚verzweifelt‘ genannt werden. Auch Käsemann stellt andernorts (Exeget. Versuche und Besinnungen II, S. 207) fest: Die „Versuche, unsern Versen den Charakter eines Fremdkörpers zu nehmen, indem man sie stärker mit ihrem Rahmen verklammert, haben sich, weil offensichtlich gezwungen, im allgemeinen nicht durchgesetzt . . . Röm 13,1–7 ist tatsächlich ein in sich geschlossenes Stück, das als solches weder mit dem Gebot der Feindesliebe in 12,20 f. noch mit der summierenden Liebesforderung in 13,8–10 noch mit dem eschatologischen Schluß der allgemeinen Mahnung in 13,11 ff. direkt verbunden werden darf, geschweige denn von da aus Ort und Leitmotiv empfängt." Da Käsemann indessen den Zusammenhang von 12,1 an nicht untersucht, kann er an der Integrität von Kap. 12–13 festhalten, weil die paulinische Paränese angeblich „durch Koordination, nicht durch Subordination und Deduktion, durch Assoziationen, nicht aber durch Logik gestaltet wird" (ebd.). Zumindest für den logischen und geschlossenen Zusammenhang 12,1–21 + 13,8–10 + 14,1 ff. gilt das Gegenteil.

Die Exegeten bestimmen den Zusammenhang verschieden. Zahn[111] urteilt: „Die mit 12,1 begonnene Anweisung zu einer christlichen Lebensführung ... ist mit den vielumfassenden Grundsätzen in V. 8–10 (cf. 8,4) zu einem Abschluß gediehen, über welchen hinaus für Anweisungen in bezug auf ein besonderes Lebensgebiet kein Platz mehr zu sein scheint." Daß trotzdem eine solche Anweisung folgt, erklärt Zahn aus dem Bestreben, „einen passenden Übergang" zu Kap. 14 zu gewinnen – als ob 13,11–14 diesen Übergang nicht gerade unterbräche! Ganz anders darum Kühl[112]: „In V. 8–10 war der Apostel augenscheinlich zum Höhepunkt und Abschluß seiner Ermahnungen gelangt. Darüber hinaus erwarten wir keine Einzelermahnung mehr. Wenn nun doch eine solche folgt, so könnte sie als Übergang zum folgenden gedacht sein (Zahn). Indessen liegt es ungleich näher, sie als Epilog zu den Ermahnungen von 12,1 ab zu fassen ..." Michel nennt die Verse dementsprechend „eine Art *Unterschrift* unter den ganzen Zusammenhang Röm 12,1–13,10"[113], während de Wette[114] urteilte: „Zu diesen Ermahnungen fügt P(aulus) a) einen *Beweggrund* Vs.11.12 a und als Folgerungen daraus b) eine *neue Ermahnung* Vs.12b–14."

Die Verbindung zum Folgenden stellt z.B. Olshausen[115] e contrario her: von den Ausschweifungen kommt Paulus auf die Askese; Zahn dagegen meint[116], der Anfang von V.13 und der Schluß von V.14 wiesen *vorbereitend* auf Kap.14 hin[117].

Andere Ausleger vermerken das literarische Problem überhaupt nicht[118].

Tatsächlich läßt sich 13,11–14 auf keine Weise einsichtig in den Zusammenhang einordnen[119]. Die *Begründung* für die Paränese von Kap.12–15 bringt Paulus in 12,1f. Der in 13,11–14 ausgesprochene eschatologische Zeitfaktor spielt weder vor noch nach diesem Abschnitt selbst irgendeine Rolle. Die in 13,11–14 genannten ‚Werke der Finsternis' sind ohne jeden Bezug zum weiteren Kontext. Umgekehrt fehlt der diesen Kontext beherrschende Ge-

111. (1910), S.564.
112. A.a.O. S.441; ähnlich Oskar Holtzmann, a.a.O. S.668; Hans Wilhelm Schmidt, a.a.O. S.223f.
113. Michel, a.a.O. S.327.
114. (1847), S.176.
115. A.a.O. S.419.
116. A.a.O. S.568.
117. Ganz unglücklich, aber sehr bezeichnend überschreibt Jatho, a.a.O. z.St. Kap.13 insgesamt mit „Das Verhalten der Christen als Staatsbürger" und unterteilt „α) Das Verhalten gegen die Obrigkeit als gegen Gottes Ordnung. V. 1–6" und „β) Die Vorschriften im Einzelnen für die Christen als Staatsbürger. V. 7–14".
118. Rückert, a.a.O. S.580ff.; Lipsius, a.a.O. S.184f.; Lietzmann (1933), S.113f.
119. „Sprache und Vorstellungskreis von 13,11–14 weichen erheblich von ihrer Umgebung ab, haben offenbar ... eine alte und eigene Tradition" (Michel, a.a.O. S.289).

danke der Liebe bzw. der Rücksichtnahme auf den Bruder in 13,11–14 ebenso wie die spezifische Ausrichtung der Paränese seit 12,1 auf die ‚Starken'. Ausschweifungen irgendwelcher Art, wie sie in 13,11–14 zurückgewiesen werden, treten in Röm B im übrigen gar nicht in den Blickkreis des Apostels. 14,1 schließt sich sachlich unmittelbar an 13,10 an, nicht an 13,14 [120]. Auch formal sperrt sich 13,11–14 gegen seine Einordnung in den Kontext. Zwischen 13,14 und 14,1 besteht keinerlei Verbindung. Daß Paulus durch die Feststellung in 13,14: ‚Ziehet an den Herrn Jesus Christus, und sorgt für das *Fleisch* nicht derart, daß Begierden erwachen' auf das folgende Thema, die asketische Enthaltung vom *Verzehr des Fleisches*, geführt wird [121], ist eine Verlegenheitsauskunft, die sich nicht einmal auf einen Stichwortanschluß berufen kann.

Entsprechend schwierig ist der Übergang von 13,10 zu 13,11. καὶ τοῦτο bezieht sich bei Paulus und im klassischen Griechisch stets auf das Voranstehende. Die Exegeten ergänzen deshalb durchweg im Blick auf V. 8–10: καὶ τοῦτο (ποιεῖτε) εἰδότες τὸν καιρόν. Aber abgesehen davon, daß man die Auslassung des Inperativs ποιεῖτε nicht verständlich machen kann – der wichtigste Begriff fehlt! –, findet sich in 13,8–10 gar kein Imperativ, auf den sich das καὶ τοῦτο ποιεῖτε beziehen könnte; denn 13,8–10 bringen eine *Erörterung über* das Gebot der Nächstenliebe als der Summe des Gesetzes, nicht aber eine Aufforderung zur Nächstenliebe. Die Imperative in V. 13 f. konkretisieren außerdem das Gebot der Nächstenliebe überhaupt nicht, sondern warnen vor ‚fleischlichen' Ausschweifungen aller Art, offensichtlich im Blick auf hellenistische Gastmahle. Auch deshalb muß man zwischen V. 10 und V. 11 eine redaktionelle Naht vermuten.

Man kann dabei καὶ τοῦτο εἰδότες als ursprüngliche Überleitung zu 14,1 auffassen und gewönne so einen gefälligen Übergang von der Erörterung in 13,8 b–10 zu dem Imperativ in 14,1: πλήρωμα οὖν νόμου ἡ ἀγάπη· καὶ τοῦτο εἰδότες τὸν ἀσθενοῦντα τῇ πίστει προσλαμβάνεσθε [122]. Der Abschnitt 13,11–14 könnte dann ursprünglich z. B. mit οἴδατε τὸν καιρόν, ὅτι . . . (vgl. 1Kor 16,15; 2Kor 9,2; 12,2 f.; 1Thess 2,1) begonnen haben.

Ob es sich so verhält oder anders: 13,11–14 bildet nicht anders als 13,1–7 einen Fremdkörper im ursprünglichen Zusammenhang und Gedankengang des zweiten Briefes.

Röm B umfaßt deshalb nur 12,1–21 + 13,8–10 + 14,1–15,4a.7.5–6 + 15,14–32 + 16,21–23 + 15,33.

---

120. Vgl. Spitta (1901), S. 32.
121. Grafe, a.a.O. S. 92; vgl. Spitta (1901), S. 33.
122. Vgl. 2Kor 5,11; Gal 4,8.

Kapitel F: Die „Einlagen" im Römerbrief

Die ‚Einlagen' in Röm B (13,1–7 und 13,11–14) bedürfen ebenso noch einer besonderen Betrachtung wie der in unserer Untersuchung bisher ausgesparte Abschnitt 5,1–11. Dazu kommen einzelne Glossen.

1. 13,11–14

Es gibt keinerlei Grund, an der paulinischen Herkunft dieses Stückes zu zweifeln, dessen Aufbau durchsichtig und dessen Inhalt deutlich ist. V.11 bis 12a geben den eschatologischen Standort der Gemeinde an; V.12b–14 ziehen daraus grundsätzlich und im einzelnen die Konsequenz für das ‚anständige' Leben des Christen in diesem Kairos. Zu vergleichen sind im Korpus Paulinum vor allem 1Thess 5,1–11, sodann Phil 4,5; 2Kor 6,1f.; Eph 6,1ff. Alle diese Stellen finden sich gegen Ende des jeweiligen Briefes, im Übergang zum Briefschluß oder im Briefschluß selbst. Vgl. jetzt auch Friedrich in: ZThK 70, 1973, S. 305ff.

Deshalb dürfte auch Röm 13,11–14 aus der Umgebung eines Briefschlusses stammen. Weder in Röm A (im Anschluß an 15,13) noch in Röm B (im Anschluß an 15,32) noch in dem Empfehlungsbrief für die Phöbe (im Anschluß an 16,20) scheint mir der Abschnitt sinnvoll untergebracht werden zu können, zumal sich in diesen Fällen auch eine Umstellung schwerlich begründen ließe.

Den inhaltlichen Aussagen nach paßte das Stück 13,11–14 z.B. gut in einen der frühen Briefe nach Korinth[1]. Kor B endet mit I 15,1–34 + 16,13–24. Röm 13,11–14 ließe sich an I 16,14 anschließen, etwa mit τὸ λοιπόν, ἀδελφοί, οἴδατε τὸν καιρόν eingeleitet. Aber damit wäre der Briefschluß von Kor B überladen, da die Schlußparänese in I 16,15ff. steht. Besser paßte der Abschnitt deshalb, ebenso eingeleitet, als Schlußparänese zu Kor C im Anschluß an I 16,1–12. Man vermag allerdings nicht zu erkennen, was den Redaktor in diesem Fall dazu bewegt haben möchte, die Verse aus dem ursprünglichen Kontext zu entfernen. Auch die weitgehend in Verlust geratenen Briefschlüsse von Kor D (I 1,1–4,21) und Kor E (II 2,14–6,2) bieten sich als ursprünglichen Ort für 13,11–14 an. Während in den relativ vollständig erhaltenen Briefschlüssen der Korrespondenz mit Philippi[2] ein

---

1. Zur literarkritischen Analyse der Korintherbriefe vgl. Schenk: Der 1. Korintherbrief als Briefsammlung, in: ZNW 60, 1969, S. 219ff.; Schmithals: Die Korintherbriefe als Briefsammlung, ZNW 64, 1973, S. 263–288.
2. Vgl. dazu meine Untersuchung über ‚Paulus und die Gnostiker', 1965, S. 47ff.

guter Platz für Röm 13,11–14 nicht zu finden ist, könnte der Abschnitt ursprünglich auch gut am Ende von Thess D (I 2,13–4,1)[3] gestanden haben, etwa mit οἴδατε γὰρ τὸν καιρόν . . . eingeleitet. Mit οἴδατε γάρ . . . beginnt auch jetzt der erst redaktionell angeschlossene Vers 4,2. In diesem Fall wäre zugleich die Abtrennung von ‚Röm' 13,11–14 wegen der Dubletten in 1Thess 4,2–5 und 5,1–11 einigermaßen motiviert. Inhaltlich griffe ‚Röm' 13,11–14 als Teil der Schlußparänese von Thess D die in Thess B (I 4,2–5,28) ausführlich angesprochene Situation in der Gemeinde noch einmal auf. Die direkte Anrede der Leser in ‚Röm' 13,11–14, mit der Paulus offensichtlich „konkrete Mißstände" in der angeredeten Gemeinde treffen will[4], bekäme so aktuellen Sinn, während sie im Römerbrief unmotiviert begegnet.

Da in der frühesten redaktionell verfertigten Briefsammlung[5] ‚fliegende Blätter' im übrigen nicht festzustellen sind, gehört Röm 13,11–14 m. E. mit Sicherheit in einen der vom Redaktor gestrichenen Briefschlüsse der Schreiben nach Korinth oder Thessalonich, und unter dieser Voraussetzung dünkt mich die Zuordnung des Abschnittes zu Thess D die meiste Wahrscheinlichkeit für sich zu haben.

Mehr läßt sich m. E. allerdings nicht sagen.

2. 13,1–7

Die Aussage von Röm 13,1–7, die Obrigkeit sei von Gott, deshalb müsse man ihr untertan sein[6], begegnet im frühchristlichen Schrifttum nicht selten, wenn auch meist in der Form der Fürbitte für die Obrigkeit[7].

Es bedarf keiner Frage, daß auch in der Synagoge für die fremden Herrscher gebetet und zum Gehorsam ihnen und den lokalen Behörden gegenüber aufgefordert wurde[8]. Die Juden im römischen Reich konnten es an ständigen Beweisen ihrer Loyalität um so weniger fehlen lassen, als sie den allgemein

---

3. Vgl. ebd. S. 89 ff.   4. Hans Wilhelm Schmidt, a.a.O. S. 225.

5. Vgl. meine Anm. 2 angegebene Untersuchung, S. 185 ff.

6. Die seltsame These, bei den ‚Mächten' in Röm 13 handele es sich nicht um irdische Machthaber, sondern um Engelmächte (vgl. dazu den zusammenfassenden kritischen Bericht bei Käsemann, ZThK 56, 1959, S. 351 ff.), wäre schwerlich aufgekommen, wenn Röm 13,1–7 aus seinem Kontext einen deutlichen Sinn empfinge.

7. Vgl. Mk 12,13–17; 1Petr 2,13–17; 1Tim 2,1 f.; Tit 3,1; Pol Phil 12,3; 1Clem 60 f.; Mart Pol 10,2; Justin Apol I 17; Tert Apol 28–33; 39; ders. ad Scapulam 2; Acta Apollonii 6; Acta Cypriani 1,2; Acta Dionysii, bei Euseb KG VII 11,8; Melito von Sardes, ebd. IV 26.

8. Vgl. Sap Sal. 6,1–11; Esra 6,9 f.; Baruch 1,10 f.; syr. Bar 82,9; äth. Hen 46,5; 1Makk 7,33; Aristeasbrief 45; 184 f.; 6Es 15,46 ff.; 16,69 ff.; Rabb. Stellen bei Billerbeck III, S. 303 ff.; Philo leg. ad. Gaium 133; 157; 232; 317; 356 u. ö.; ders. in Flaccum 48 f.; Jos. Bell. II, § 140; 410 ff.; c. Apion II 6.

geforderten Kaiserkult unterließen und nur im Tempel zu Jerusalem täglich zwei Lämmer und einen Stier für den Kaiser und das römische Volk opferten (Jos. Bell. II 197). Die Notwendigkeit von Ermahnungen im Sinne von Röm 13,1–7 wird durch den jüdischen Aufstand und die nachfolgenden Unruhen in der Diaspora (Jos. Bell. VII 407 ff.; 337 ff.) hinreichend belegt[9].

In Röm 13,1–7 findet sich nichts spezifisch Christliches[10]. Der Abschnitt könnte wörtlich aus einer Synagogenpredigt stammen, ähnlich wie das meiste aus den Anm. 7 angegebenen frühchristlichen Parallelen. Da Röm 13,1–7 und 1Petr 2,13–17 schwerlich voneinander abhängig sind[11], führen uns beide besonders eng verwandten Texte auf einen geläufigen, relativ fest formulierten Topos der Synagoge. Im Ersten Petrusbrief gehört die Ermahnung unmittelbar zu einer Haustafel, die aus jüdisch-hellenistischer Überlieferung stammt[12]. „Im Stil jüd.-hellenistischer Weisheitslehre behandelt Paulus C. 13 das ... Problem der Stellung zum Staat."[13] Es liegt deshalb auch kein Grund vor[14], Röm 13,1–7 mit guten Erfahrungen zu begründen, die Paulus mit den römischen Behörden gemacht habe[15], gleich-

9. Vgl. z.B. Mangold (1884), S. 234; Schürer: Geschichte des jüdischen Volkes, I, 3. Aufl. (1901), S. 483; II, 4. Aufl. (1907), S. 359 ff.; Knopf: Das nachapostolische Zeitalter, 1905, S. 83 ff.; ders. zu 1Clem 60 f. im Ergänzungsband zum HNT, S. 146; Harnack: Mission und Ausbreitung des Christentums, I, 3. Aufl. (1915), S. 238 ff.; Johannes Weiß (1917), S. 461; Bousset, a.a.O. S. 431; Lietzmann (1933), S. 111; Dibelius, Rom und die Christen im ersten Jahrhundert, in: Botschaft und Geschichte II, 1956, S. 177–228; Eck: Urgemeinde und Imperium, 1940, S. 81–104; Kuss (1963), S. 258 f.; Schrage, a.a.O. S. 20 ff.

10. Vgl. Dibelius (siehe vorige Anm.), S. 183 f. Der Versuch von Neugebauer, a.a.O. S. 151 ff., einen spezifisch christlichen Charakter des Stückes nachzuweisen, ist nicht gelungen. Auch ein eschatologischer Vorbehalt fehlt, und angesichts der literarischen Verfassung von Kap. 12 f. darf man auch in 13,11–14 nicht einen eschatologischen Vorbehalt zu 13,1–7 ausgesprochen finden; gegen Dibelius S. 184; v. Campenhausen: Zur Auslegung von Röm 13, in: Festschrift für A. Bertholet, 1950, S. 97–113, bes. S. 107 ff.; Bartsch: Entmythologisierende Auslegung, Theol. Forschung 26, 1962, S. 114. Natürlich ist für den Christen ein eschatologischer Vorbehalt stets gegeben, aber in Röm 13,1–7 wird er nicht ausgesprochen.

11. Für Abhängigkeit aber Knopf in: MeyerK 12[7], S. 105; Seufert: Das Abhängigkeitsverhältnis des 1. Petrusbriefs vom Römerbrief, ZwTh 17, 1874, S. 360–388 (Lit.).
Dagegen z. B. Kühl, a.a.O. S. 435 f.; Windisch in HNT 15 zu 1Petr 2,13–17; Lohse in ZNW 45, 1954, S. 73 f.; Bammel in ThLZ 85, 1960, Sp. 837.

12. Vgl. Windisch (siehe vorige Anm.), S. 62 ff.

13. Friedrich, a.a.O. Sp. 1142. Vgl. Dibelius (siehe Anm. 9), S. 180 ff.; Käsemann in ZThK 56, 1959, S. 319; 361; Bammel (siehe Anm. 11), Sp. 837.

14. Schrage, a.a.O. S. 52 f.; ders.: Die konkreten Einzelgebote in der paulinischen Paränese, 1961, S. 225 (Lit.); Kittel: Das Urteil des Neuen Testaments über den Staat, Ztschr. f. syst. Theol. 14, 1937, S. 651–680, bes. S. 668 f.

15. Johannes Weiß (1917), S. 461 f.; Walter Bauer: Jedermann sei untertan der Obrigkeit, in: Aufsätze und kleine Schriften, 1967, S. 265 f.

gültig, ob das letztere zutrifft oder nicht.

Käsemann [16] parallelisiert unseren Text mit den antienthusiastischen Ermahnungen des Paulus in 1Kor 11,2 ff. und versucht, Röm 13,1–7 von diesem Hintergrund her zu verstehen. Aber der Enthusiasmus kennt meines Wissens keine kämpferische Staatsverneinung. Der Staat gehört für den Pneumatiker zu diesem Kosmos, den er schon überwunden hat und der keine revolutionäre Anstrengung mehr verdient.

Den konkreten Hintergrund der jüdisch-christlichen Paränese von Röm 13,1–7 und verwandter Stellen bilden vielmehr zelotische und apokalyptische Strömungen; denn die Apokalyptik setzt die Herrschaft Gottes gegen die irdischen Mächte, die der Herrschaft Gottes im Wege stehen und beseitigt werden müssen, soll der neue Äon anbrechen [17]. Nicht der gnostische, sondern der apokalyptische Dualismus motiviert jene Ermahnungen, die irdischen Herrschaften nicht außerhalb der Schöpfung und der Herrschaft Gottes zu stellen.

Wird der Abschnitt Röm 13,1–7 insofern in sich selbst gut verständlich, so tritt seine Fremdheit im Kontext noch einmal deutlich hervor; denn in diesem Kontext geht es um das ausschließlich innergemeindliche Problem des liebevollen Verhaltens zu dem im Glauben schwachen Bruder.

Je weniger es möglich ist, 13,1–7 im unmittelbaren Kontext zu verstehen [18], um so mehr bemühen sich die Exegeten, statt dessen die römische Adresse dieses Abschnittes nachzuweisen.

Die Vertreter der Auffassung, die römische Gemeinde setze sich weitgehend aus Judenchristen zusammen, haben 13,1–7 dabei gewöhnlich so erklärt, daß sie den Abschnitt zugleich ihrer These dienstbar machten: die Juden seien überhaupt aufsässig gegen die römische Obrigkeit gewesen, und die Judenchristen hätten sich nicht anders aufgeführt oder seien doch entsprechend verdächtigt worden [19]. Aber abgesehen davon, daß von einer

---

16. Grundsätzliches zur Interpretation von Röm 13, in: Exegetische Versuche und Besinnungen, II, 2. Aufl., 1965, S. 204–222.

17. Offb Joh 13; Or. Sibyl. VIII 37 f. 139 ff.; Rabbinisches bei Billerbeck III, S. 303 f. Vgl. Dodd, a.a.O. S. 201 f.; Harald Fuchs: Der geistige Widerstand gegen Rom in der antiken Welt (1938), 2. Aufl., 1964, S. 62–73 (Lit.).

18. Siehe S. 185 ff.

19. Vorsichtig noch Eichhorn, a.a.O. S. 219–221, und Baur (1845), S. 386 f. Mangold (1884) dagegen meint, 13,1–7 reiche fast allein schon dazu aus, den judenchristlichen Charakter der römischen Gemeinde zu beweisen. Vgl. weiter de Wette (1847), S. 173; Thiersch, a.a.O. s: 169 f.; Willibald Beyschlag, a.a.O. S. 647; Krenkel, a.a.O. S. 159; Hausrath (1875) III, S. 395 ff.; Hilgenfeld, a.a.O. S. 316; Schenkel, a.a.O. S. 112; Heinrich Julius Holtzmann (1886), S. 263; Kneucker, a.a.O. S. 24 f.; Sanday-Headlam, a.a.O. S. 369 ff.; Zahn (1910), S. 302; Dodd, a.a.O. S. 201 f.; Lietzmann (1933), S. 111; B. Reicke: Diakonie, Festfreude

judenchristlichen Adresse des Römerbriefes keine Rede sein kann, geht diese Deutung von der situationsfremden Voraussetzung aus, als habe sich die Synagoge ständig gegen die heidnische Behörde gestellt, und zwar besonders in Rom. Das Gegenteil war der Fall, wie man nur übersehen kann, wenn man den Zelotismus Palästinas um das Jahr 70 für die Diaspora zu allen Zeiten voraussetzt. Die Unruhen, die unter Claudius zur Vertreibung der Juden aus Rom führten, darf man in diesem Zusammenhang nicht nennen: sie richteten sich offensichtlich nicht gegen die staatliche Obrigkeit. Zu dem allen ist extrem unwahrscheinlich, daß der jüdische Zelotismus des Ostens die *Christen* Roms beeinflußt hat, selbst wenn es in Rom in stärkerem Maße Judenchristen gegeben haben sollte [20].

Wer heidenchristliche Adressaten im Römerbrief voraussetzt, hat es schwerer, Röm 13,1–7 aus einer aktuellen römischen Situation zu erklären. Weizsäcker [21] rechnet nach Vorgang anderer [22] ebenfalls mit einer Staatsfeindlichkeit der römischen Christenheit, hält diese aber für eine Frucht heidenchristlicher Schwärmerei, erwachsen aus der Meinung, Christen könnten keiner heidnischen Obrigkeit gehorchen – eine ebenso unwahrscheinliche wie überhaupt und speziell für Rom unbelegbare These, die aber bei Heinrici [23] Beifall gefunden hat.

Sehr viel allgemeiner urteilt v. Campenhausen [24], es sei „vielleicht kein Zufall, daß Paulus hierauf gerade in einem nach Rom gerichteten Briefe zu sprechen kommt. Hier war das Problem besonders unausweichlich gestellt und immer aktuell." Aber man vermag nicht einzusehen, warum das Problem ‚übergeordneter Gewalten' außerhalb Roms weniger aktuell gewesen sein sollte.

Lütgert schließt aus 8,17.31.33 ff., die Gemeinde in Rom habe wegen ihrer enthusiastisch motivierten revolutionären Tendenzen bereits unter akuten Verfolgungen zu leiden gehabt und in 13,1–7 mahne Paulus sie deshalb, jeden Anlaß zu solchen Verfolgungen zu vermeiden [25]. Aber in 13,1–7 ist

---

und Zelos, 1951, S. 297 f.; Schlatter, a.a.O. S. 350; O. Cullmann: Der Staat im Neuen Testament, 1956, S. 41; Hans Wilhelm Schmidt, a.a.O. S. 218; Borg, a.a.O. passim.

20. Vgl. Weizsäcker (1876), S. 262; Pfleiderer (1882), S. 491 ff.; Bernhard Weiß (1886), S. 537 f.; Delling, a.a.O. S. 18, Anm. 30; Marxsen (1963), S. 93; Schrage, a.a.O. S. 51 f.

21. (1876) S. 262; vgl. ders. (1902), S. 420 f.; Die Anfänge christlicher Sitte, in: Jb. f. dt. Theol. 21, 1876, S. 1–36, bes. S. 17 ff.

22. Siehe bei Tholuck, a.a.O. S. 679 f.

23. In: Studien und Kritiken 54, 1881, S. 520. Vgl. auch Grafe, a.a.O. S. 92; v. Hofmann, a.a.O. S. 535; Godet (1893), S. 462 f.; v. Dobschütz (1902), S. 96; Zahn (1910), S. 555. Dagegen ausdrücklich Mangold (1884), S. 229 ff.; Schrage, a.a.O. S. 52.

24. Tradition und Leben, 1960, S. 186.

25. A.a.O. S. 100 ff.; mit revolutionären Tendenzen von Pneumatikern in Rom rechnet auch Friedrich, a.a.O. Sp. 1137 f. Vgl. ferner H. Weinel: Die Stellung des Urchristentums zum

von keinen Verfolgungen die Rede, und auch aus Kap. 8 kann man solche Verfolgungen nur bei recht eigenwilliger Exegese grundlos erschließen. Nirgendwo setzt Paulus in seiner Korrespondenz mit Rom enthusiastische Christen in der Hauptstadt voraus. Schließlich gibt es auch sonst keine Belege für die von Lütgert vermutete aktive Staatsfeindlichkeit der christlichen Pneumatiker.

Spitta[26] verbindet das Problem von Röm 13,1–7 nicht ungeschickt mit seiner These, Röm 12,1–15,7 (+ 16,1–20) sei von Paulus nach einer ersten römischen Gefangenschaft nach Rom geschrieben worden. Er bezweifelt nämlich unter Verweis auf 1Kor 6,1ff., daß Paulus Röm 13,1–7 habe schreiben können, *bevor* er in seinem ersten Prozeß jene positiven Erfahrungen mit der römischen Justiz gemacht hat, die angeblich zu seiner Freilassung führten. Indessen ist schon die These von einer zweiten römischen Gefangenschaft nicht haltbar. Und 1Kor 6,1ff. steht keineswegs in Widerspruch zu Röm 13,1–7[27].

Diese und andere Versuche, für 13,1–7 eine konkrete römische Situation vorauszusetzen, sind überdies ohne jeden Anhalt an diesen Versen selbst.

Röm 13,1–7 gehört also nicht nur nicht an seine jetzige Stelle im Römerbrief; der Abschnitt gibt auch durch nichts seine römische Adresse zu erkennen[28]. Wo sollte man ihn auch in Röm A oder Röm B sinnvoll unterbringen? Allerdings findet man auch in den anderen Schreiben der redaktionell verfertigten ältesten paulinischen Briefsammlung keinen sinnvollen Platz für diesen situationslosen, isolierten und bei Paulus einmaligen, von christlichen, geschweige denn paulinischen Gedanken zudem nicht beeinflußten Text.

Darum versteht man, daß 13,1–7 von manchen Forschern Paulus überhaupt abgesprochen wurde.

Kallas[29] verweist vor allem auf die Naherwartung des Paulus und auf seine Abwertung des ,alten Äons', die eine Belehrung über die Ordnungsfunktion des Staates nicht erwarten lassen. Aber Paulus hält sich für das Verhalten der Christen diesem Äon gegenüber durchweg an das in der Synagoge Übliche; dem entspricht Röm 13,1–7. Auch darf man gegen die paulinische Herkunft von 13,1–7 nicht anführen, Paulus zufolge habe der Christ Unrecht zu leiden (1Kor 6,1–8), während in Röm 13,1–7 ein Vergeltungsgedanke

---

Staat, 1908, S. 14; G. Schrenk, in: ThWNT II, S. 443,4ff.; Käsemann (siehe Anm. 13), S. 376; Delling, a.a.O. S. 18f.
26. (1901), S. 91ff.
27. Vgl. Delling, a.a.O. S. 35ff.
28. Vgl. C. D. Morrison: The Powers that Be, 1960, S. 104f. (Lit.).
29. Romans 13,1–7: An Interpolation, NTS 11, 1964/65, S. 365–374.

bejaht werde; denn die eschatologische Situation des Christen wird von Paulus gerade nicht als eine allgemeine öffentliche Ordnung des alten Äons verstanden, und in Röm 13,1–7 steht nicht, die Christen sollten den Staat für ihre Rechte in Anspruch nehmen. Daß Paulus nur in diesem Abschnitt zum Problem des Staates Stellung nimmt, mag auffallen, ist aber nicht verwunderlich; denn er bestätigt ja nur ein Verhalten, das ihm und seinen Gemeinden bereits als Mitgliedern oder Anhängern der Synagoge selbstverständlich war. Daß Paulus den Begriff ἐξουσία sonst nicht für die staatliche Obrigkeit verwendet, ist angesichts des traditionellen Charakters von 13,1–7 gleichfalls kein Argument gegen die Herkunft dieses Abschnittes aus paulinischer Tradition.

Auch Barnikol[30] bestritt den paulinischen Ursprung von Röm 13,1–7 mit ähnlichen Argumenten wie Kallas, darüber hinaus aber auch mit dem zweifelhaften Nachweis, bis ca. 180 sei 13,1–7 in der Kirche unbekannt gewesen. Aber wir kennen keinen Römerbrieftext ohne 13,1–7. 13,1–7 gehört deshalb spätestens der ältesten Ausgabe der Paulusbriefe an, die bereits um die erste Jahrhundertwende vorlag.

Röm 13,1–7 enthält eine in der Sache deutliche, der Synagoge und der frühen Christenheit gemeinsame Aussage: Dem apokalyptischen Dualismus gegenüber, der Gottesherrschaft und irdische Macht schroff antithetisiert, wird eingeschärft, daß auch die irdischen Machthaber im Dienst Gottes stehen und seinem guten Schöpfungswillen dienen.

Röm 13,1–7 hat seinen jetzigen Platz im Korpus Paulinum erst durch den Redaktor der ältesten Briefsammlung erhalten.

Es gibt keine zwingenden inhaltlichen Gründe, die Paulus als Autor bzw. als Tradent von Röm 13,1–7 ausschließen. Das Fehlen jeden christlichen Zuges in diesen Versen muß bei paulinischer Autorschaft freilich Verwunderung erwecken.

Ein ursprünglicher Platz für Röm 13,1–7 in den vom Redaktor gesammelten originalen Briefen des Paulus läßt sich nicht finden.

Es ist darum sehr gut möglich, daß Röm 13,1–7 nicht von der Hand des Paulus stammt.

Dann handelt es sich neben 1Thess 2,15f.[31] um die einzige größere und tendenziöse redaktionelle Einlage in die älteste Sammlung der Paulusbriefe. Da beide Interpolationen sich inhaltlich ergänzen, indem einmal die Christen von den aufrührerischen Juden distanziert werden, zum anderen die Treue

---

30. Vgl. auch Eggenberger, a.a.O. passim, der freilich ausschließlich und durchaus unzureichend mit dogmatischen Gründen argumentiert, das literarische Problem dagegen ignoriert.

31. Vgl. meine in Anm. 2 genannte Untersuchung S. 131, Anm. 212.

der Christen zum römischen Staat eingeschärft wird, liegt die Annahme am nächsten, daß sowohl Röm 13,1–7 wie 1Thess 2,15 f. erst durch den Redaktor der ersten Sammlung der Paulusbriefe in die paulinische Korrespondenz interpoliert wurden. Die Tendenz dieser redaktionellen Zusätze ist die apologetische, die wir auch in der übrigen christlichen Literatur aus der Jahrhundertwende, z. B. in den Evangelien, zunehmend finden.

3. 5,1–11

Den Abschnitt 5,1–11 hatten wir aus dem Gedankengang von Röm A vorläufig ausgeschieden, weil er die Gedankenfolge unterbricht und zum vorangehenden und folgenden Thema – die Einheit von Juden und Heiden angesichts des Glaubens – nichts beiträgt; siehe S. 16.
Daß 5,12 nicht nur glatt, sondern zwingend an 4,25 anschließt, liegt am Tage. Die mit dem διὰ τοῦτο (5,12) anvisierte, erst in 5,18 vollständig ausgesprochene Folgerung: ‚ἄρα οὖν ὡς δι᾽ ἑνὸς παραπτώματος εἰς πάντας ἀνθρώπους εἰς κατάκριμα, οὕτως καὶ δι᾽ ἑνὸς δικαιώματος εἰς πάντας ἀνθρώπους εἰς δικαίωσιν ζωῆς‘ ergibt sich direkt aus dem Bekenntnissatz 4,25: ‚ὃς παρεδόθη διὰ τὰ παραπτώματα ἡμῶν καὶ ἠγέρθη διὰ τὴν δικαίωσιν ἡμῶν‘ [32].

32. 5,12–21 ist also formal auf das engste mit 4,25 verbunden und setzt zugleich sachlich das bis dahin im Römerbrief ausgeführte Thema (εἰς πάντας! siehe S.16 f.) fort; vgl. z. B. Mangold (1884), S.333 ff. – Mit 5,1 einen neuen Abschnitt des Briefes beginnen zu lassen (so viele Exegeten, z. B. Fuchs, a.a.O. S.8; Lyonnet [1951/52], S.305; Michel, a.a.O. S.129; Hans Wilhelm Schmidt, a.a.O. S.89; Kümmel [1973], S.267 f., Anm.1 [Lit.]), geht also keineswegs an. In das seit der Orthodoxie geläufige Schema ‚Rechtfertigung‘ (Kap.1– 4 [5]) und ‚Heiligung‘ (Kap.[5]6–8) passen weder 5,1–11 noch 5,12–21 hinein. Dann wäre es besser, mit Melanchthon (Römerbriefkommentar, 1532, Ausg. Ebeling/Schäfer, 1965, S.169), Zahn (1910), S.170; 259, Olshausen, a.a.O. S.51 f.; Feuillet (1950), S.344, Leenhardt, a.a.O. S. 15 f. und anderen den ersten Abschnitt des Römerbriefes bis 5,11 reichen zu lassen. Vgl. auch Holsten (1879), S. 328.
Oder man unterteilt mit Léon-Dufour, a.a.O. passim:
1,18–3,20: A. La colère de Dieu sur les hommes pêcheurs.
3,21–5,11: B. La justice de Dieu sauve les hommes par la foi chrétienne.
5,12–21: Conclusion: le Nouvel Adam.
Aber alle diese *dogmatischen* Einteilungen gehen *als solche* von falschen Voraussetzungen aus.
Vgl. zum literarischen Problem von Röm 5,1–11 noch Kuss, (1963), S.199; Luz (1969), S.161 ff; 177 ff. Luz urteilt, 5,1–11 gehöre „sachlich in den durch 1,18ff. eingeleiteten Hauptteil über die Gerechtigkeit Gottes und die menschliche Ungerechtigkeit hinein", weil „die Gerechtigkeit Gottes zugleich auch Rettung vor dem eschatologischen Zorn einschließt" (S.179). Vgl. auch Klein: Bibelkritik als Predigthilfe, 1971, S.25: „Die Perikope hat im

Eine überzeugende inhaltliche oder formale Verbindung von 5,13 zu 5,11 läßt sich dagegen nicht aufzeigen, weshalb z.B. Michel[33] schwankt, ob er das *διὰ τοῦτο* als Schlußfolgerung aus V.11 oder aus 1,17–5,11 ansehen soll[34]. Die Schwierigkeiten des gedanklichen Aufbaus entstehen durch 5,1–11. Entfernt man diesen Abschnitt, entfallen die in der Hauptsache (siehe S.16f.). Betrachtet man 5,1–11 für sich, bestätigt sich der Eindruck, daß wir es mit einem aus anderem Zusammenhang stammenden und in den Römerbrief bloß eingelegten Stück paulinischer Briefliteratur zu tun haben. Paulus hat in 5,1–11 die (aufgehobene) Differenz Juden–Heiden nirgendwo im Blick. Das Thema des ganzen Abschnittes sind also nicht mehr die *Menschen* (ohne Unterschied) als Sünder und Gerechtfertigte – so bisher und im folgenden –; vielmehr spricht Paulus von der den Glaubenden zuteil gewordenen *Gabe*, und zwar vornehmlich im Blick auf die mit dieser Gabe gegebene Hoffnung.

V. (1)–2: Der Glaubende lebt in einem Stande der Gnade (des Friedens), der ihm erlaubt, sich der *Hoffnung* auf die göttliche Herrlichkeit zu rühmen.

V. 3–4: Auch die geduldige Bewährung im gegenwärtigen Leid führt in diese gewisse Hoffnung.

V. 5: Das eschatologische Angeld, der Geist, gibt als Unterpfand der Liebe Gottes die Gewißheit, daß diese Hoffnung nicht enttäuscht werden wird.

V. 6–7 würde man am liebsten entbehren. V. 8 schließt formal und in der Sache direkt an V. 5 an. Ob man V. 6–7 als vorläufige Zwischengedanken

Kontext des Röm. eine sehr exponierte Stellung: Mit ihr rückt Paulus das ihn seit 1,16f. beschäftigende Thema der *δικαιοσύνη θεοῦ* unter einen völlig neuen, und zwar den für ihn entscheidenden Aspekt." Die Urteile bleiben ganz der verfehlten dogmatischen Auslegung des Römerbriefs verhaftet und führen (so Luz ausdrücklich, vgl. ders. [1968] S.209f.) konsequenterweise dazu, 5,12–21 für eine Abschweifung zu halten, obschon doch (bzw. weil) 5,12–21 das in 1,16f. angegebene, bis 4,25 behandelte und durch 5,1–11 *unterbrochene* Thema wieder aufnimmt. Es ist eine deutliche Verlegenheitsauskunft, wenn Prümm, a.a.O. S.333 „dem 5.Kapitel eine Art vermittelnder Stellung zwischen dem ersten und dem zweiten Abschnitt" des Briefes zuweist. Charakteristisch für die durch den Einschub von 5,1–11 hervorgerufenen schwankenden Urteile der Forscher ist z.B. folgendes lapidare Urteil Haupts über den Abschnitt 5,12ff., „welchen ich nicht mit Zahn als den Anfang des zweiten Hauptteils auffassen kann. Er bildet vielmehr den Abschluß des ersten Teils" (1900, S.146). Vgl. auch die Schwierigkeiten, die Wilckens (a.a.O. S.152) gerade wegen seiner richtigen Beurteilung von 5,12–21 mit 5,1–11 hat.

33. A.a.O. S.138, Anm. 1; vgl. Luz (1969), S. 179.

34. Der *äußerlich* – und zwar nur äußerlich – gute Anschluß von 5,1 (*δικαίωσιν*) an 4,25 (*δικαιωθέντες*) spricht nicht für eine ursprüngliche Verbindung, sondern nur für das Geschick des Redaktors, der sich auch sonst sehr um äußerliche Stichwortanschlüsse bemüht. Dabei dürfte 5,1 eine allererst vom Redaktor gebildete Überleitung sein (siehe unten S.201).

des Paulus in Parenthese setzt oder als ursprüngliche Randbemerkungen zu
V. 8[35] ansieht, ist in der Sache bedeutungslos.
V. 8–9 und V.10 bringen zwei parallele Schlüsse a minore ad maius zur
Bestätigung des Gedankens von V. 5, daß die Hoffnung nicht enttäuscht
werden wird: Da Christus für uns starb, als wir noch Sünder waren, werden
wir um so gewisser als Gerechtfertigte und Versöhnte vor dem kommenden
Zorn bewahrt werden und das ewige Leben ererben.
V.11 wendet sich vom Rühmen der Hoffnung auf die zukünftige Herrlich-
keit zum Rühmen der gegenwärtigen Versöhnung – eine für Paulus typische,
den Gedankengang deutlich abschließende Wendung[36].
Die nächsten Parallelen zu 5,1–11 findet man in Röm 8[37]. Man vergleiche

5,2a	mit	8,17f.
5,3–4	mit	8,24–25.28
5,3–5	mit	8,35–37

35. V.7a und V.7b scheinen Bemerkungen von verschiedenen Händen zu sein, da V.7b nicht
V.7a, sondern da beide Sätze von ganz unterschiedlichen Gesichtspunkten aus V.6 bzw.
V.8 näher begründen wollen. V.7b unterstreicht offenbar das Außergewöhnliche, das in dem
Sterben Christi für uns Sünder liegt, und gehört als Randglosse zu V.8. V.7a dagegen
betont, daß wir *Ungerechte* sein bzw. gewesen sein müssen, wenn Christus für uns starb;
so aber gehört V.7a eng mit V.6 zusammen, wo mit dem ὄντων ἡμῶν ἀσθενῶν und dem
ὑπὲρ ἀσεβῶν ein entsprechender Schwerpunkt gleich doppelt gesetzt wird. Nun liegt Paulus
aber in V.8–10 nicht daran zu zeigen, daß wir durch den Tod Christi als Sünder *erwiesen*
werden, sondern daß Christus *für uns Sünder starb*, so daß den nunmehr Gerechtfertigten
das zukünftige Heil erst recht zukommt. Auch ist der Gebrauch von ἀσθενής in V.6 ganz
unpaulinisch. Darum liegt es nahe, auch V.6 + 7a als Randbemerkung eines Lesers zu
verstehen, der in den Worten des Paulus die Schuldverfallenheit des Menschen betont sah.
Die anscheinend partielle Verderbtheit von V.6, zumal die Stellung des Χριστός und das
doppelte ἔτι, mag dabei auf das Ungeschick des Abschreibers der notwendigerweise eng
geschriebenen Randbemerkungen zurückgehen.
Vgl. im übrigen Semler, a.a.O. S. 56f.; Michelsen, a.a.O. S. 385; Weisse (1867), S. 34;
Jülicher (1906), S. 93; ders. (1908), S. 250f.; Lietzmann (1933), S. 59; Fuchs, a.a.O. S. 16f.;
Sahlin, a.a.O. S. 97; Lipsius, a.a.O. S. 122.

36. Vgl. vor allem Röm 8,35–39 als Abschluß des ‚Hoffnungskapitels'.

37. Vgl. Dahl, a.a.O. bes. S. 37–42. Lyonnet (1951/52) zufolge rahmen 5,1–11 und Kap. 8 den
dazwischen liegenden Text ein: „Rom 5,1–11 annonce un thème qui sera repris et largement
développé au ch. 8" (S. 302). Leenhardt a.a.O. S.15f. meint: „. . . dans les huit premiers
chapitres . . . Paul fait deux développements parallèles", nämlich 1,18–5,11 und 5,12–8,39,
und für 5,1–11 und 8,18–39 gilt: „. . . la parenté de ces deux paragraphes est même tellement
frappante qu'on a pu en dresser un tableau synoptique" (mit Hinweis auf Dahl). H. Conzelmann spricht (NTS 12, 1966, Heft 3, S. 232) von einer Ringkomposition, die 5,1ff. und
8,33ff. verbinde; ähnlich bereits v. Hofmann, a.a.O. S. 627. Dupont (1955), S. 396 parallelisiert nicht ungeschickt 7,7–8,39 mit 1,1–5,21; beide Abschnitte seien dreigeteilt: „avant le
Christ, condition actuelle du chrétien, condition future".

5,5	mit	8,11.16f.23
5,8–10	mit	8,32
5,9	mit	8,30
5,11	mit	8,38f.

Zu diesen Parallelen zwischen 5,1–11 und Kap.8 stellt Dahl[38] mit Recht fest, „that chapter 8 contains a fuller development of the themes which are briefly stated in 5,1–11". Diese Beobachtung muß aber zu dem Urteil führen, daß 5,1–11 und Kap. 8 *Dubletten* sind, wie sie in *demselben* Brief schwerlich vorkommen können. Daß 5,1–11 nur das Thema aufstellt, welches dann in Kap. 8 entfaltet wird[39], leuchtet nicht ein; auch wenn 8,1–39 „a fuller eludication of the main points" bringt, sind die Ausführungen von 5,1–11 in sich konsistent und schon deshalb mit den Versen 3,1ff. und deren Verhältnis zu 6,1–23 bzw. zu 9,1–11,36 nicht zu vergleichen, weil 3,1ff. im Unterschied zu 5,1–11 an seiner Stelle sinnvoll im Zusammenhang eingeordnet und dem Thema des Römerbriefes zugeordnet ist.

Man erwartet einen Abschnitt wie Röm 5,1–11 ebenso wie Röm 8 als Höhepunkt bzw. gegen Ende eines Briefes, zumal Paulus auch sonst die eschatologischen Probleme gerne gegen Briefende abhandelt. Man vergleiche z. B.[40]:

Kor B	1Kor … 15,1–58 + 16,13–24,
Kor C	1Kor … 12,31b–13,13 + 16,1–12,
Kor E	2Kor 2,14–6,2,
Thess B	1Thess … 5,1–28.

Die für 5,1–11 charakteristischen Begriffe εἰρήνη, ἐλπίς, ὑπομονή, ἀγάπη, δόξα häufen sich in den paulinischen Briefen gegen Briefende. Nicht von ungefähr haben deshalb viele Ausleger wenigstens den ersten *Hauptteil* des Römerbriefes in 5,11 zu Ende gehen lassen.

Will man für 5,1–11 einen Platz in der übrigen erhaltenen Korrespondenz des Paulus suchen, so läßt sich der Abschnitt, aus Röm A herausgelöst, auch in Röm B und in dem Empfehlungsbrief für die Phöbe nicht unterbringen. Angesichts des ruhigen, keinen aktuellen Anlaß verratenden Tones von 5,1–11 scheiden auch alle eigentlichen Kampfbriefe als ursprüngliche Basis für 5,1–11 aus.

Man könnte ‚Röm‘ 5,1–11 in den Schluß von Kor E versetzen, nämlich zwischen 5,21 und 6,1. Der Anschluß wäre gut (δικαιοσύνη θεοῦ 2Kor 5,21 – δικαιωθέντες Röm 5,1); auch andere wichtige Begriffe von Röm 5,1–11 finden sich in 5,1–21: ἀγάπη, καταλλαγή. Allerdings verstünde man nicht, warum der Redaktor ‚Röm‘ 5,1–11 versetzt haben sollte, wenn der Abschnitt

---

38. A.a.O. S. 39.
39. So Dahl, a.a.O. S. 40.
40. Zur Literarkritik der Korintherbriefe siehe die Anm. 1 genannte Literatur.

ursprünglich zwischen 2Kor 5,21 und 6,1 stand. Eher wird man in 2Kor 5,14–21 und Röm 5,1–11 *Dubletten* zu sehen haben, also stark traditionell befrachtete und relativ ‚förmliche' Abschnitte, die wie Röm 8,12 ff. (vgl. auch 1Thess 5,9 f.) die Klimax eines Briefes bilden. Der Vergleich von Röm 5,1–11 mit 2Kor 5,14–21 bestätigt dann allerdings erneut, daß Röm 5,1–11 jetzt nicht an seinem gehörigen Platz steht.

Einen guten Platz scheint mir ‚Röm' 5,1–11 innerhalb von Thess A (2 Thess 1,1–12 + 3,6–16) einnehmen zu können, nämlich im Anschluß an 2Thess 1,12. In 2Thess 1,3–12 finden sich bereits die auch für Röm 5,1–11 charakteristischen Begriffe πίστις, ἀγάπη, ὑπομονή, θλῖψις, δόξα, χάρις. Das 2Thess 1,3–12 bestimmende Gerichtsmotiv wird in ‚Röm' 5,9 festgehalten.

Für die bedrängte heidenchristliche Gemeinde in Thessalonich wird die eschatologische Vollendung ἐν δυνάμει erhofft und erbeten, deren *Grund* dann in ‚Röm' 5,1–11 ausgeführt wird. Beide Abschnitte schließen begrifflich und sachlich gut aneinander an; sie ergänzen sich, ohne Dubletten zu sein. Verbindet man beide Texte miteinander, findet das jetzt beziehungslose εἰς τὴν χάριν ταύτην (Röm 5,2) seinen Bezug auf 2Thess 1,12 (κατὰ τὴν χάριν τοῦ θεοῦ). Der Anschluß wäre dabei besonders gut, wenn man Röm 5,1 als *redaktionelle* Überleitung von Röm 4,25 zu dem eingefügten Abschnitt ansprechen dürfte[41], so daß ursprünglich Röm 5,2 an 2Thess 1,12 anschloß. Das ungewöhnliche τοῦ θεοῦ ἡμῶν καὶ κυρίου Ἰησοῦ Χριστοῦ statt des ... καὶ τοῦ κυρίου Ἰησοῦ Χριστοῦ ließe sich dabei gleichfalls auf einen Eingriff des in den christologischen Anschauungen fortgeschrittenen Redaktors zurückführen. Die Betonung der *gegenwärtigen* καταλλαγή (Röm 5,11) am Ende der im übrigen futurisch ausgerichteten Ausführungen in Röm 5,1–11 würde passend zu den Thess A abschließenden Ermahnungen in 2Thess 3,6 ff. überleiten.

Thess A umfaßt dann 2Thess 1,1–12 + ‚Röm' 5,(1)2–11 + 2Thess 3,6–16: ein in sich geschlossenes Schreiben, mit dem Paulus die Korrespondenz mit den Thessalonichern eröffnet. Der Redaktor hätte, stimmt unsere Vermutung, Röm 5,(1)2–11 von seiner ursprünglichen Stelle entfernt, um dem Thess C entnommenen Hauptstück seines zweiten Thessalonicherbriefes (2,1–12) ‚ὑπὲρ τῆς παρουσίας τοῦ κυρίου ἡμῶν Ἰησοῦ Χριστοῦ (2,1) einen besseren Anschluß an den voranstehenden Abschnitt zu sichern, der in 1,7 ff. (Thess A) von der ἀποκάλυψις τοῦ κυρίου Ἰησοῦ ἀπ' οὐρανοῦ ... ἐν τῇ ἡμέρᾳ ἐκείνῃ spricht. Aus demselben Grund hat er auch die Danksagung 2,13–14, die ursprünglich 2,1–12 vorausging, umgestellt[42].

---

41. Solche redaktionellen Überleitungen sind auch Röm 15,4b (siehe S. 159 f.), 1 Kor 9,23 und 1 Kor 14,1a. b (siehe die in Anm. 1 genannte Literatur).
42. Siehe dazu meine in Anm. 2 genannte Untersuchung S. 140.

Der Vorschlag, Röm 5,1–11 in Thess A seinen ursprünglichen Platz an-
zuweisen, soll nur auf eine Möglichkeit hinweisen. Daß 5,1–11 an seiner
jetzigen Stelle nicht ursprünglich ist und überdies gar nicht zu Röm A
gehört, erscheint mir sicher. Dies Urteil hängt nicht davon ab, ob man den
originalen Platz von 5,1–11 innerhalb der (mehr oder weniger zufällig und
unvollständig) erhaltenen Korrespondenz des Paulus auffindet oder nicht.
Ich halte die Verbindung von Röm 5,1–11 mit Thess A allerdings für wahrscheinlich. Näheres müßte eine eingehende Auslegung von Röm 5,(1)2–11 im
Zusammenhang mit 2Thess 1,1–12 und 3,6–16 ergeben.
Diese originale Verbindung fördert auch das theologische Verständnis von
5,1–11. Zugleich entfällt eine zu allen Zeiten stark empfundene *crux inter-
pretum*, wenn man nicht mehr 5,1–11 innerhalb des Römerbriefes und den
Römerbrief unter Einschluß von 5,1–11 verstehen muß; die Auslegung des
Römerbriefes wird damit außerordentlich erleichtert.
Ebenso entfällt das Bedenken, das Bjerkelund (a. a. O. S. 139) gegen die Rekonstruktion von Thess. A bloß aus 1,1–12 + 3,6–16 äußert: „... es erscheint
uns unmöglich, daß ein Brief mit einer Danksagung eingeleitet wird, um
dann mit einem παϱαγγέλλω weitergeführt zu werden, dies widerspricht
nicht nur paulinischem Sprachgebrauch, sondern auch hellenistischer Brief-
terminologie und Stil."

4. Glossen im Römerbrief

Zu den historischen Problemen des Römerbriefes gehört auch die Frage
nach Glossen, die dem ursprünglichen Bestand des Textes später zugewachsen
sind.
Mit starker redaktioneller Glossierung in Kap. 15 rechneten jene Forscher,
die in der Nachfolge Baurs zwar nicht wie dieser beide Kapitel für nach-
paulinisch hielten, sondern die Verwendung eines echten Briefschlusses oder
(und) anderer paulinischer Fragmente annahmen, aber dennoch gegen die
paulinische Herkunft eines mehr oder weniger großen Teils des Bestandes
von Röm 15 (und 16) Bedenken trugen, vor allem Straatman[43], Lucht[44]
Volkmar[45], Scholten[46], Lipsius[47], Pfleiderer[48].
Die von diesen Forschern durchgeführten literarkritischen Analysen ent-

---

43. A.a.O.; siehe S. 152.
44. A.a.O.; siehe S. 111, Anm. 15.
45. (1875); siehe S. 111, Anm. 15.   46. A.a.O.; siehe S. 111, Anm. 15.
47. A.a.O. S. 195 ff. Unecht sind 15, 19b, 20b, 23 f. und 28 teilweise. Vgl. S. 171.
48. Pfleiderer (1902), S. 174 f., hält 15, 19–24. 28 b für Interpolationen oder doch für stark über-
    arbeitete Stellen. Vgl. S. 171, Anm. 68.

zünden sich häufig an echten literarischen Problemen. Solche Probleme sind: Das Verhältnis von Kap. 16 zum übrigen Brief; die Stellung von 15,7 im Kontext; das Verständnis von 15,8–13 im Kontext; die Spannungen zwischen den persönlichen Bemerkungen des Paulus in 15,14ff. und im Proömium; Dubletten von Rahmenstücken des Briefausgangs; die Stellung der Doxologie hinter 14,23 usw.

Alle diese literarischen Schwierigkeiten haben wir an gegebener Stelle besprochen und einer literarkritischen Lösung zugeführt, die eine starke nachpaulinische Glossierung in Röm 15f. ausschließt.

Umfangreiche, die bloße Glossierung übersteigende Interpolationen des ganzen Römerbriefes wurden angenommen vor allem von Weisse[49], Michelsen[50], Völter[51], v. Manen[52] und Pallis[53]. Alle derartigen Versuche[54], Interpolationen auszuscheiden, kann man für erledigt ansehen, ob sie nun auf einer psychologischen Stilanalyse des Paulus beruhen oder auf einer vom religionsgeschichtlichen Denken noch unberührten Scheidung theologischer ,Stimmen' im Römerbrief.

Dagegen bleiben ernsthafte Bedenken gegen einzelne Sätze bestehen[55]. In neuerer Zeit sind vor allem die folgenden Stellen diskutiert worden.

49. Die Schreiben des Paulus sind „mit einer fortgehenden Reihe von Interpolationen durchwoben, welche den ächt apostolischen Charakter ihres Stiles an vielen Stellen bis zur Unkenntlichkeit entstellen, und jene Verworrenheit des Sinnes verschuldet haben, die namentlich den Römerbrief seit alter Zeit zu einem Kreuz der Ausleger ... gemacht hat" (1855, S. 146). Weisse rekonstruierte den ,echten' Römerbrief sowie einen eingearbeiteten Brief nach Ephesus in ,Beiträge zur Kritik der paulinischen Briefe', 1867 herausgegeben von E. Sulze; dabei fällt mehr als ein Drittel des Briefes der psychologisierenden Stilkritik Weisses zum Opfer, der dem Apostel Abschweifungen oder Anakoluthe nicht zutraut.
50. A.a.O. passim; vgl. S. 162.
51. Völters Rekonstruktionen sind in seinen verschiedenen Publikationen nicht identisch. (1890) nimmt er die Hand des Paulus, drei Bearbeiter und einige Glossatoren an. Noch im Jahr zuvor hatte er eine wesentlich andere Analyse vorgelegt; siehe (1889), S. 274ff.
(1905) rechnet er ebenfalls mit einer paulinischen Grundschrift. Nur *einem* Überarbeiter weist er zu: 1,2–5a; 1,18–4,25 (ohne 2,14f. und 3,22b–26); 5,13f.20; 6,14f.; 7,1–25a; 8; 9,1–11,10. Spätere Zusätze sind 2,14f.; 3,22b–26; 7,25b; 11,11–36; 15,7–13; 15,17–23a; 16,1–20; 16,25–27.
52. A.a.O. passim. Er hält freilich auch die Grundschrift nicht für paulinisch und meint, eine genaue Scheidung von Vorlagen und redaktionellen Ergänzungen sei unmöglich.
53. A.a.O. passim. Der ursprüngliche ,Römerbrief' wurde zwischen 70 und 100 in Alexandrien von einem geborenen Juden für alle christlichen Gemeinschaften, in denen Heiden und Juden miteinander leben mußten, geschrieben. Später kamen ausgiebige Interpolationen und die römische Adresse hinzu, vor allem 1,19–31; 3,21–31; 5,3–7; 6,5–11.14–23; 7,1–8,39; 9,8–10,20; 11,11–12.21–22; 13,1–14; 14,16–15,13; 16,1–20. Randglossen sind 5,15.18f.
54. Vgl. noch Hawkins, a.a.O. passim.
55. Nicht zugänglich war mir Gratz: Über Interpolationen in dem Briefe des Paulus an die

1. 2,1 hat zum erstenmal Bultmann[56], einer mündlichen Anregung von Ernst Fuchs folgend, als eine verkündigungsartige Randglosse zu V. 3 ausgeschieden. Die erheblichen Schwierigkeiten, die 2,1 dem Verständnis im Kontext bieten, werden dadurch in relativ guter Weise gelöst. Freilich wird auch durch die Ausscheidung von 2,1 der Gedankengang des Paulus nicht völlig durchsichtig; unausgesprochene Zwischengedanken muß man weiterhin annehmen. Darum bleibt zu überlegen, ob nicht 2,1 in irgendeiner Weise zum Gedankengang des Paulus hinzugenommen werden muß, sei es auch so, daß man 2,1 für eine *paulinische* Erläuterung des unbefriedigenden Neuansatzes in 2,3 hält, an den Rand seines Briefes geschrieben und bei einer Abschrift falsch eingeordnet.

2. 2,16 stört als Abschluß der Argumentation 2,12–16 sehr. Der Anstoß ist früh und oft empfunden worden.

Man kann V. 14f. ausscheiden; dann fügt sich V. 16 gut an V. 13 an[57]. Oder man streicht V. 16[58]. Beidemal läge keine exegetische Randglosse vor, sondern eine Interpolation[59], die man nur ungern annimmt, wenn man bedenkt, daß sich neben Randglossen und redaktionellen Bemerkungen unpaulinische Interpolationen im ältesten Korpus Paulinum nicht sicher nachweisen lassen. Deshalb liegt eine Umsetzung von V. 16 hinter V. 12[60] oder hinter V. 29[61] oder hinter V. 5a[62] näher. In diesen Fällen wäre mit dem Versehen eines Abschreibers zu rechnen.

Wie ordnet sich aber V. 13 in den gesamten Gedankengang ein? V. 12 erörtert die zuvor massiv ausgesprochene Ansicht, daß Juden und Heiden vor Gott gleich sind, im Hinblick auf das Problem des Gesetzes: ob man ἀνόμως oder ἐν νόμῳ sündigt, spielt für das Urteil Gottes keine Rolle. Hin-

Römer, 1814, dem zufolge die folgenden Stellen Zusätze sind, die ein Zuhörer des Paulus aus dessen mündlichen Vorträgen an oft unpassenden Stellen einfügte: 1,24; 2,7–15; 4,15.17; 5,3.11.12.18; 7,2f.13.25; 8,6.36; 9,5. Diese Angaben nach Reiche a.a.O. I S.2.

56. (1967), S. 281; ältere Konjekturen zum Anfang von Kap. 2 notiert Clemen (1894), S. 78f.

57. Laurent, a.a.O. S. 17–19 (er hält V. 14f. für eine paulinische Randbemerkung); Völter (1890) S. 20; Clemen (1894) S. 80; Spitta (1901) S. 130; Jülicher (1908) S. 234.

58. Weisse (1867), S. 30; Baljon, a.a.O. S. 4ff.; Bultmann (1967), S. 282f.; vgl. Jülicher (1908), S. 234; Bornkamm (1959), S. 117; (1971), S. 141, Anm. 6a.
Sahlin, a.a.O., schlägt eine nicht überzeugende andere Korrektur vor.

59. Baljon, a.a.O. S. 6, vermeidet die Interpolation, indem er willkürlich das μου in V. 16 streicht und dann den Vers als Leseranmerkung zu V. 13 nimmt.

60. Wilke: Neutestamentliche Rhetorik, 1843, S. 216; 230. Weitere Forscher siehe bei Clemen (1894) S. 79.

61. Hitzig, a.a.O. S. 65.

62. Michelsen, a.a.O. S. 174 (bei Streichung von 5b–9).

sichtlich der Heiden, die ἀνόμως sündigen, wird dieser Gedanke in V.14f. (ὅταν γὰρ ἔθνη), hinsichtlich der ἐν νόμῳ handelnden Juden in V.17–25 (εἰ δὲ σὺ Ἰουδαῖος ἐπονομάζῃ) ausgeführt; die Verse 26–29 kehren zu dem Grundsatz von V.12 zurück. Dieser Argumentationsgang ist völlig klar. V.13 ist entbehrlich[63]. Zugleich hängt V.13 eng mit V.16 zusammen[64]. Soll man V.13 + 16 ausscheiden? Damit erhielten wir nicht nur in V.12 + 14f. einen vorzüglichen Zusammenhang, sondern auch statt einer Interpolation, als welche man V.16 für sich genommen ansehen muß, mit V.13 + 16 eine Bemerkung zu V.5–11, wobei V.16 deutlich auf V.5 zurückgriffe. Diese Bemerkung, die ihren ursprünglichen Platz hinter V.11 hätte und in zwei Teilen[65] an wenig passender Stelle in den Text geraten wäre, müßte in der vorliegenden Fassung von Paulus stammen (κατὰ τὸ εὐαγγέλιόν μου V.16). Das Versehen ginge dann auf den Abschreiber des paulinischen Manuskripts zurück, an dessen Rand V.13 + 16 als ein paulinischer Nachtrag zu V.11 standen. Allerdings ist V.13 auch an seiner jetzigen Stelle sinnvoll. Einfacher ist deshalb die Umstellung von V.16 hinter V.13, die Dodd, a.a.O. S.31.35, einem Vorschlag von Moffatt folgend, empfiehlt. Dann hätte ein Schreiber V.16 zunächst vergessen und an wenig passender Stelle nachgetragen.

3. Zu 5,6f. siehe S.199, Anm.35.

4. Zu 6,17b schreibt Bultmann[66]: „Der klare antithetische Satz χάρις δὲ τῷ θεῷ ὅτι ἦτε δοῦλοι τῆς ἁμαρτίας, ἐλευθερωθέντες δὲ ἀπὸ τῆς ἁμαρτίας ἐδουλώθητε τῇ δικαιοσύνῃ ist durch den stupiden Zwischensatz: ὑπηκούσατε δὲ ἐκ καρδίας εἰς ὃν παρεδόθητε τύπον διδαχῆς empfindlich gestört, durch einen Satz, der gleich zwei unpaulinische Wendungen enthält, das ἐκ καρδίας und das τύπος διδαχῆς. Die Exegeten werden wieder in quälende Bemühungen gestürzt, was vom Blickpunkt des Paulus aus unter

---

63. Der Vers wurde darum oft ausgeschieden; vgl. Eichhorn, a.a.O. S. 549, der V. 13–15 für einen Nachtrag des Paulus hält, auf den Briefrand geschrieben; Weisse (1867) S. 30; Michelsen, a.a.O. S. 175 (gemeinsam mit V. 11); v. Manen scheidet V.13–15 aus und bemerkt mit Recht zu V.13: „Vs.13 past niet bij 12, in zoover het niet den grond aangeeft, waarom zij die ἀνόμως en ἐννόμως zondigen, gelijkelijk de straf hunner ongerechtigheid zullen dragen" (a.a.O. S.56). Vgl. Bornkamm (1959), S. 99f. Mattern, a.a.O. S.129ff.

64. Weisse (1867), S. 30f., streicht nicht ungeschickt V. 13 *und* V.16. Auch Kamlah, a.a.O. S. 39, beobachtet, daß 2, 16 sich gut an 2, 13 anfügt.

65. Ähnlich steht es mit der Glosse 2 Kor 3,17 + 18b; vgl. meine Untersuchung über ‚Die Gnosis in Korinth', 3. Aufl., 1969, S. 299ff.

66. (1967), S. 283; vgl. Fuchs, a.a.O. S. 44.

dem τύπος διδαχῆς zu verstehen sei, während es völlig klar ist, daß der Glossator die spezifisch paulinische Lehre meint. Freilich: wer nicht empfindet, daß in dem Abschnitt 6,15–23 die großartige Entfaltung der Dialektik der ἐλευθερία einerseits, des ὑπακούειν bzw. des δοῦλος εἶναι andererseits durch das triviale ὑπακούειν gegenüber dem τύπος διδαχῆς verdorben wird, dem wird mit anderen Gründen nicht mehr viel zu helfen sein." Schon Weisse[67] hatte 6,17b ausgeschieden. Die starken Gründe dafür liegen auf der Hand und dürften stärker wiegen als das Unbehagen gegenüber dieser singulären Interpolation in das älteste Korpus Paulinum[68], ein Unbehagen, das man freilich dadurch abschwächen kann, daß man 6,17b der Hand des Redaktors zuschreibt, der die paulinischen Briefe eben als τύπος διδαχῆς herausgibt.

5. 7,25b ist eine Zusammenfassung des vorangehenden Abschnitts und gehört als *paulinischer* Satz hinter V. 23[69]. Die Bemerkung V. 25b trifft nun aber den Sinn der voranstehenden Verse nicht wirklich, so daß sie schwerlich von der Hand des Paulus selbst stammen kann. Dies hat Bultmann[70] nach Vorgang anderer[71] in überzeugender Weise nachgewiesen. Folglich ist 7,25b die Randbemerkung eines Lesers zu der Argumentation bis V. 23, die bei einer frühen Abschrift an falscher Stelle in den Text geriet.

6. 8,1 gehört als paulinischer Satz hinter 8,2, wo er allerdings V. 2 und V. 3 unnötig auseinanderreißt[72], oder er ist eine Randbemerkung, die 7,25a + 8,2f. resümiert (vgl. ᾿κατέκρινεν 8,3 / κατάκριμα 8,1)[73]. Gegen den paulinischen Ursprung des Satzes spricht, nimmt man den Satz für sich, nichts. Da er aber offenbar gemeinsam mit 7,25b sekundär seinen

---

67. (1867), S. 36.
68. Unbefriedigend und willkürlich sind die von Sahlin, a.a.O. S. 97–99, vorgeschlagenen umständlichen Emendationen zu 6,16–20.
69. So K. Lachmann; editio maior II S. Xf.; Lietzmann, An die Römer, HNT 8, 1. Aufl., 1906, S. 39; Müller, a.a.O. S. 250f.
70. (1967) S. 278f.
71. Weisse (1867) S. 38; Michelsen, a.a.O. S. 185; Baljon, a.a.O. S. 17f.; Völter (1905), S. 226; Jülicher (1908), S. 273; Friedrich, a.a.O. Sp. 1141; H. Braun in: ZThK 56, 1959, S. 3; Fuchs, a.a.O. S. 82f.; Käsemann, a.a.O. S. 202.
   Vgl. Michel, a.a.O. S. 179f. Keuck, a.a.O., dessen Versuch, V. 27b als Frage zu verstehen, die mit einem zu ergänzenden μὴ γένοιτο zu beantworten ist und die so den folgenden Abschnitt einleitet, schwerlich überzeugen kann.
72. So Müller, a.a.O. S. 251.
73. So Michelsen, a.a.O. S. 185ff.; Weisse (1867), S. 38; Bultmann (1967), S. 279; Fuchs, a.a.O. S. 83; Käsemann, a.a.O. S. 204. Vgl. Mattern, a.a.O. S. 91f.

Platz im Gedankengang des Briefes gefunden hat, liegt es am nächsten, ihn wie 7,25 b für eine nachpaulinische Randbemerkung zu halten.

7. Auch 10,17 ist eine Randbemerkung, die an falscher Stelle in den Text geriet. Sie gehört hinter V. 15. Für paulinisch hält sie Müller[74]. Andere rechnen mit der Hand eines Lesers[75]. Dafür spricht schon das typische ἄρα (vgl. 7,25 b; 8,1). Außerdem stellt V. 17 einen dogmatischen Satz auf, an dem die Verse 14 und 15 gar nicht interessiert sind. Denn V. 14–15 a zielen auf die Feststellung von 15b, die Bauer[76] vermutlich sachgemäß übersetzt: ‚Wie rechtzeitig haben sich die Freudenboten eingestellt, die das Heil verkünden!' – zielen also auf die Behauptung, *allen* sei verkündigt worden. Diese Behauptung wird in V. 18 wiederholt[77], sie liegt aber V. 17 ganz fern.

8. 11,9 f. unterliegt Lipsius[78] zufolge „dem Verdachte, eine in den Text gedrungene Randbemerkung eines Lesers nach der Zerstörung Jerusalems zu sein". Es ist zuzugeben, daß das in dem Zitat ausgesprochene Urteil definitiver Verwerfung Israels in Spannung zu dem folgenden, besonders zu 11,25 f. steht. Indessen gilt dieses Urteil für das Verhältnis von 9,1–11,10 insgesamt zu 11,25 f. Literarkritisch läßt sich diese Spannung schwerlich lösen.

9. 13,5 hält Bultmann[79] für eine exegetische Anmerkung zu 13,6, und zwar nicht ohne Grund. Das διὰ τοῦτο von V. 6 kann sich nicht auf V. 5, sondern nur (den ‚Erkenntnisgrund' einführend, wie Bultmann formuliert) auf V. 4 beziehen, während V. 5 eine Folgerung aus der Tatsache zieht, daß der Staat Gottes Diener ist. Allerdings ist es dann nicht erforderlich, V. 5 als Anmerkung speziell zu V. 6 anzusehen; V. 5 steht passend hinter V. 4. Da 13,1–7 vermutlich ein unpaulinisches Traditionsstück ist, das der Redaktor dem Römerbrief beigefügt hat (siehe S. 191 ff.), liegt es am nächsten, V. 5 für einen (vielleicht von dem Redaktor stammenden) Zusatz in diesem Traditionsstück zu halten, nicht eigentlich für eine Randglosse.

---

74. A.a.O. S. 253.
75. Weisse (1867), S. 48; Spitta (1901), S. 150, Anm. 3; Bultmann (1967), S. 280; Luz (1968), S. 32, Anm. 76.
    Vgl. Michel, a.a.O. S. 262.
76. Wörterbuch zum NT s. v.
77. Schon deshalb ist es verfehlt, V. 15b mit Müller, a.a.O. S. 253 f., als ursprüngliche Randbemerkung des Paulus zwischen V. 14 und V. 15a einzufügen (dagegen mit Recht Bultmann, 1967, S. 280) oder V. 18 als redaktionelle Notiz auszuscheiden (so Spitta, 1901, S. 150 f.).
78. A.a.O. S. 173.
79. (1967) S. 281 f.

In den meisten Fällen ist eine *sichere* Entscheidung nicht möglich, ob eine unpaulinische Randbemerkung in den Text geriet; oder ob eine Inkonsequenz der paulinischen Gedankenführung vorliegt; oder ob eine paulinische Randnotiz, vielleicht an falscher Stelle, in den Text eingeordnet wurde; oder ob durch ein Versehen des Abschreibers ein zunächst ausgelassener Satz an falscher Stelle nachgetragen wurde; oder ob eine echte Interpolation vorliegt.

Für die Wiederherstellung des authentischen paulinischen Wortlautes fällt zudem erschwerend ins Gewicht, daß Randbemerkungen, die sich nicht durch falsche Stellung verraten, überhaupt schwer auszumachen sind, und daß erst recht versehentliche oder absichtliche Auslassungen kaum entdeckt, geschweige denn rückgängig gemacht werden können [80].

Die *Erwägung*, ob hier oder dort eine Glosse, eine Umstellung, eine Auslassung oder eine ähnliche Textverderbnis vorliegen könnte, bleibt dennoch für das Verständnis des Textes überaus wichtig und ist im allgemeinen wichtiger als eine definitive Entscheidung im Einzelfall. Es ist deshalb bedauerlich, daß das Problem der Textemendationen heute weniger Beachtung findet als es – trotz der unkritisch übertriebenen kritischen Arbeiten des vorigen Jahrhunderts zum Text der Paulusbriefe – verdient.

Dabei darf man nicht die Möglichkeit, durch Emendationen einen ursprünglichen Text wieder herstellen zu können, *a limine* in Frage stellen, wie es heute leider nicht selten – jedenfalls praktisch – geschieht [81]. Daß die Abschrift oder das Original des Römerbriefes, die der ersten Ausgabe des Korpus Paulinum zugrunde lagen, von jeglichen Randbemerkungen und Versehen der Schreiber verschont geblieben waren, kann man schwerlich annehmen, wenn man die frühe Überlieferung des Römerbriefes unter die allgemein gültigen Bedingungen stellt – und das muß man tun [82].

---

80. Wie steht es z. B. mit 4,1 und mit 4,17b?
81. Vgl. z. B. Kümmel (1964) S. 225. Es ist zu erwarten, daß auch die ‚Randbemerkung zur Textkritik' von K. Aland (Glosse, Interpolation, Redaktion und Komposition in der Sicht der neutestamentlichen Textkritik, in: Apophoreta, Festschrift für E. Haenchen, 1964, S. 7ff.) in dieser Richtung wirksam werden wird. Aland beschäftigt sich ausführlich und kritisch unter anderem mit den im Römerbrief vermuteten Glossen, obschon textkritische Erwägungen in diesem Zusammenhang fehl am Platze sind; denn die genannten Emendationen beziehen sich alle auf vermutete Textverderbnisse, die sich bereits in dem Urexemplar des Korpus Paulinum, von dem alle unsere Manuskripte abhängen, fanden. Daß für die Zeit der Überlieferung vor der Fertigstellung der ‚offiziellen' Sammlung textkritische Maßstäbe keine Gültigkeit besitzen, weiß Aland allerdings im Prinzip auch; vgl. S. 21 f. 28.
82. „. . . daß die Ränder und Zwischenräume, wie noch jetzt, nachträglich vielfach beschrieben wurden und diese Zusätze dann beim Kopieren an eine falsche Stelle gerieten, wissen wir aus zahlreichen uns erhaltenen Manuskripten und Äußerungen antiker Schriftsteller", schreibt

Relativ problematisch ist freilich die Annahme bewußter Interpolationen, da solche Interpolationen historisch verständlich gemacht werden müssen. Eine Interpolation vermuteten wir nur für 6,17b, und zu diesem Satz hat bereits Bultmann erwogen[83], ob er nicht von dem Redaktor stamme, der auch die Schlußdoxologie angefügt habe[84]. Dies hat alle Wahrscheinlichkeit für sich, so daß nicht-redaktionelle Interpolationen für den Römerbrief allem Anschein nach außer Betracht bleiben können.

Clemen (1904) S. 17 unter Verweis auf Cic. ad. Att. V 1,3; Hieron. ep. 106; ad Sun. et Fret. 46.

83. (1967) S. 284.

84. Dagegen wendet K. Aland (siehe Anm. 81) S. 29 ein: „Man braucht nur zu vergleichen, wie 16,25–27 und wie 2,16 und 6,17 in der handschriftlichen Überlieferung aussehen, und wird zu dem Ergebnis kommen, daß die Rückführung auf denselben Urheber nicht möglich ist, ja daß nicht einmal von derselben Kategorie gesprochen werden kann." Dieser Einwand ist nicht stichhaltig; denn die unsichere Überlieferung der Schußdoxologie ist gar nicht auf die Tatsache zurückzuführen, daß sie eine redaktionelle Zutat zum Römerbrief ist. Sie gehört, wie wir sahen, dem ‚Urexemplar' des Korpus Paulinum, d. h. der *Ausgabe* der Paulusbriefe bereits an. Ihre wechselnde Stellung verdankt sie dem späteren Überlieferungsprozeß des Römerbriefes.

Ergebnis

Wir fassen die wichtigsten Ergebnisse der Untersuchung zusammen.
Der Römerbrief wird nur hinreichend verständlich, wenn man sieht, daß
er wie die meisten anderen Briefe des Korpus Paulinum seine vorliegende
Gestalt der Arbeit eines Redaktors, des Herausgebers der ältesten Sammlung
der Paulusbriefe, verdankt. Diese Einsicht ist der Schlüssel zur Lösung des
historischen Rätsels des Römerbriefes. Sobald man die Eingriffe des Redaktors rückgängig macht, gewinnt der Römerbrief *in seinen einzelnen Teilen*
greifbare historische Konturen.

1. Röm A umfaßt 1,1–4,25 + 5,12–11,36 + 15,8–13. Dies Schreiben ist
bis auf den Briefschluß vollständig erhalten. Es gliedert sich in

Präskript	1,1–7
Proömium mit Themenangabe	1,8–17
1. Hauptteil	1,18–3,20
2. Hauptteil	3,21–4,25
Synthese der Hauptteile	5,12–21
1. Exkurs	6,1–23
2. Exkurs	7,1–16
Dogmatische Beilage	7,17–8,39
Anhang (mit Übergang zum Briefschluß)	9,1–11,36 + 15,8–13.

Röm A ist eine Epistel, die Paulus zu Anfang der sogenannten dritten
Missionsreise in Ephesus schreibt, als sich seine Reise nach Rom bis auf
weiteres verzögert. Diese Epistel soll erreichen, was Paulus gerne schon
persönlich in Rom erreicht hätte: die aus dem Osten zugewanderten Heidenchristen der Hauptstadt, die als ehemalige ‚Gottesfürchtige‘ zum Teil noch
im Synagogenverband lebten, sollen zu einer ἐκκλησία im paulinischen
Sinn gesammelt werden, die das gesetzesfreie Evangelium des Paulus anerkennt, den Vorrang der Synagoge durch den ‚Glauben‘ aufgehoben weiß
und so als Stützpunkt des Paulus für seine Mission im Westen dienen
kann.

2. Röm B umfaßt 12,1–21 + 13,8–10 + 14,1–15,4a.7.5f. + 15,14–32
+ 16,21–23 + 15,33.
Röm B ist ein echter Brief, den Paulus schreibt, als er das östliche Missionsgebiet definitiv verläßt, um über Jerusalem nach Rom zu reisen. Er meldet
sich in Rom an und benutzt die Gelegenheit, die römische Gemeinde wie
eine seiner eigenen Gemeinden zum rechten, von der Liebe bestimmten
Verhalten gegenüber den im Glauben ‚Schwachen‘ anzuleiten, die sich in

ihrem Gewissen noch an bestimmte Regeln der synagogalen Speise- und Feiertagsgesetzgebung gebunden wissen. Brief A hat demzufolge den von Paulus intendierten Zweck erreicht. Das spezielle Thema von Brief B steht mit diesem Zweck in unmittelbarem Zusammenhang: Die Starken werden ermahnt, die Schwachen in Liebe zu ertragen, damit sie, wenn auch als Schwache, Glieder der Gemeinde bleiben können und nicht in dem Schoß der Synagoge zurückgetrieben werden.

Auch dieser Brief ist – mit Ausnahme des Briefeingangs – vollständig erhalten. 12,1 ist der förmliche Beginn des Briefkorpus.

3. Röm 16,1–20 ist ein Empfehlungsschreiben des Paulus für die Phöbe. Empfänger des Schreibens ist (das Haus des) Onesiphoros in Ephesus. Paulus trägt den Briefempfängern persönliche Grüße an alle einzeln genannten Christen bzw. christlichen Gemeinschaften in Ephesus auf, die mit einer Warnung vor den (bekannten) Irrlehrern ausgerichtet werden und die Gemeinde an Paulus und sein Evangelium binden sollen.

4. Die Doxologie Röm 16,25–27 stammt von der Hand des Redaktors und schloß ursprünglich die *Sammlung* der Paulusbriefe, in welcher der Römerbrief an letzter Stelle stand, ab.

5. Außer der Doxologie stammen von der Hand des Redaktors 15,4b und vielleicht 5,1 – Sätze, die der Kaschierung von Nahtstellen dienen. 16,24 ist erst in der späteren Überlieferungsgeschichte dem Text zugewachsen.

6. Nicht zur Korrespondenz mit Rom gehören 5,(1)2–11; 13,1–7; 13,11–14. 5,(1)2–11 und 13,11–14 sind paulinische Fragmente, die wahrscheinlich ursprünglich in die Korrespondenz mit Thessalonich gehörten und dem Redaktor ihren Platz im Römerbrief verdanken. 13,1–7 dürfte dagegen nicht von Paulus sein, sondern ein aus der Synagoge stammendes Traditionsstück darstellen, das der Redaktor in den Römerbrief aufgenommen hat.

7. Randbemerkungen verschiedenen Ursprungs sind vermutlich: 2,1; 2,13 + 16; 5,6f.; 6,17b; 7,25b; 8,1; 10,17.

Literaturverzeichnis

Dies Verzeichnis enthält vorwiegend Literatur zum Römerbrief.

Die aufgeführten Untersuchungen werden mit Verfassernamen und a.a.O. angeführt bzw., wenn von demselben Verfasser mehrere Untersuchungen aufgeführt sind, mit Verfassernamen und Jahr der Veröffentlichung der entsprechenden Untersuchung.

Weitere Literatur wird in den Fußnoten aufgeführt.

Albertz, Martin: Die Botschaft des Neuen Testaments, 1955.

Althaus, Paul: Der Brief an die Römer, NTD 6, 5. Aufl., 1946.

Appel, Heinrich: Einleitung in das Neue Testament, 1922.

Baljon, Johannes Marinus Simon: De tekst der brieven van Paulus aan de Romeinen, de Corinthiers en de Galatiers, 1884.

Bardenhewer, Otto: Der Römerbrief des Heiligen Paulus, 1926.

Barnikol, Ernst: Die drei Jerusalemreisen des Paulus, in: Forschungen zur Entstehung des Urchristentums, Bd. 2, 1929.

– Römer 15. Letzte Reiseziele des Paulus, in: ebd. Bd. 4, 1931.

– Römer 13. Der nichtpaulinische Ursprung der absoluten Obrigkeitsbejahung von Röm 13, 1–7, in: Studien zum NT und zur Patristik, E. Klostermann zum 90. Geburtstag dargebracht, TU 77, 1961, S. 65–133.

Barrett, Charles Kingsley: A Commentary on the Epistle to the Romans, (Black's New Testament Commentaries, 6) 1957.

Barth, Fritz: Einleitung in das Neue Testament, 3. Aufl., 1914.

Bartsch, Hans-Werner: Paulus und die Juden. Zur Auslegung des Römerbriefes, in: Kirche in der Zeit 20, 1965, S. 310–316.

– Die antisemitischen Gegner des Paulus im Römerbrief, in: Antijudaismus im Neuen Testament? 1967, S. 27–43.

– Die historische Situation des Römerbriefes, in: Stud. Ev. IV (TU 102) 1968, S. 282–291.

– Die Empfänger des Römerbriefes, in: Stud. Theol. 25, 1971, S. 81–89.

Baumgarten-Crusius, Ludwig Friedrich Otto: Commentar über den Brief Pauli an die Römer (Exegetische Schriften Bd. 2, 1) 1844.

Bauer, Bruno: Kritik der paulinischen Briefe, Bd. III, 1852.

Baur, Ferdinand Christian: Über Zweck und Veranlassung des Römerbriefes und die damit zusammenhängenden Verhältnisse der römischen Gemeinde, in: Tübinger Ztschrft. für Theol., Heft 3, 1836, S. 59–178 (jetzt in: Ausgewählte Werke, hg. von Klaus Scholder, 1963, Bd. 1).

– Paulus, 1. Aufl., 1845 (2. Aufl., 1866).

– Über Zweck und Gedankengang des Römerbriefs nebst der Erörterung einiger paulinischer Begriffe mit besonderer Rücksicht auf die Commentare von Tholuck und Philippi, in: Theol. Jb. 16, 1857, S. 60–108; 184–209.

Beck, Johann Tobias: Erklärung des Briefes Pauli an die Römer, Bd. I. II, 1884.

Belser, Johannes Evangelist: Einleitung in das Neue Testament, 2. Aufl., 1905.

Best, Ernest: The Letter of Paul to the Romans (The Cambridge Bible Commentary) 1967.

Berthold, Leonhard: Historischkritische Einleitung in sämmtliche Schriften des alten und neuen Testaments, 6. Theil, 1819.

Beyschlag, Willibald: Das geschichtliche Problem des Römerbriefs, in: Theol. Stud. und Krit. 40, 1867, S. 627 ff.

Beyschlag, Karlmann: 1. Clem. 40–44 und das Kirchenrecht, in: Reformatio und Confessio, Festschrift für W. Maurer, 1965, S. 9–22.

– Clemens Romanus und der Frühkatholizismus, (Beiträge zur hist. Theol.) 1966.

Bisping, August: Erklärung des Briefes an die Römer, 3. Aufl., 1870.

Bjerkelund, Carl J.: Parakalo, 1967.

Bleek, Friedrich: Einleitung in das Neue Testament, 1862.

Bleek, Friedrich, und Wilhelm Mangold: Einleitung in das Neue Testament, 4. Aufl., 1886.

Böhmer, Eduard: Des Apostels Paulus Brief an die Römer, 1886.

Bornkamm, Günther: Die Offenbarung des Zornes Gottes, in: Das Ende des Gesetzes, 1952, S. 9–33.

– Taufe und Neues Leben bei Paulus, in: ebd. S. 34–50.

– Sünde, Gesetz und Tod, in: ebd. S. 51–69.

– Der Lobpreis Gottes, in: ebd. S. 70–75.

– Paulinische Anakoluthe, in: ebd. S. 76–92.

– Gesetz und Natur (Röm 2, 14–16), in: Studien zu Antike und Christentum, 1959, S. 93–118.

– The Letter to the Romans as Paul's Last Will and Testament, in: Austr. Bibl. Rev. 11, 1963, S. 2–14.

– Paulus (UB 119) 1969, bes. S. 103 ff.

– Der Römerbrief als Testament des Paulus, in: Geschichte und Glaube II, Ges. Aufsätze Bd. IV, 1971, S. 120–139.

Borg, Marcus: A new Context for Romans 13, in: NTS 19, 1972/73, S. 205–218.

Borse, U.: Die geschichtliche und theologische Einordnung des Römerbriefes, in: Bibl. Ztschrft. 16, 1972, S. 70–83.

Bousset, Wilhelm, und Gressmann, Hugo: Die Religion des Judentums im späthellenistischen Zeitalter (HNT 21), 3. Aufl., 1926.

Brandenburger, Egon: Adam und Christus (WMANT 7) 1962.

Bruce, Frederick Fyvie: The Epistle to the Romans, 1963.

Brückner, W.: Die chronologische Reihenfolge, in welcher die Briefe des Neuen Testaments verfaßt sind, 1890.

Brunot, Amédée: Le génie littéraire de Saint Paul, Lectio Divina 15, 1955, S. 45 f.

Bultmann, Rudolf: Theologie des Neuen Testaments, 5. Aufl., 1965.

– Glossen im Römerbrief, in: Exegetica, 1967, S. 278–284.

Cerfaux, Lucien: La théologie de l'Eglise suivant Saint Paul, 1965.

Clemen, Carl: Die Einheitlichkeit der paulinischen Briefe, 1894.

– Paulus, sein Leben und Wirken, Bd. I. II, 1904.

– Die Entstehung des Neuen Testaments, 1906.

Conzelmann, Hans: Paulus und die Weisheit, in: NTS 12, 1965/66, S. 231–244.

Corssen, Peter: Zur Überlieferungsgeschichte des Römerbriefes, in: ZNW 10, 1909, S. 1–45; 97–102.

Credner, Karl August: Einleitung in das Neue Testament, 1836.

Dahl, Nils Astrup: Two Notes on Rom. 5, in: Stud. Theol. 5, 1951, S. 37–48.

De Bruyne, Donatianus: Les deux derniers chapitres de la lettre aux Romains, in: Rev. Bened. 25, 1908, S. 423–430.

– La finale marcionite de la lettre aux Romains retrouvée, in: Rev. Bened. 28, 1911, S. 133–142.

Deissmann, Adolf: Licht vom Osten, 4. Aufl., 1923.

Delitzsch, Franz: Einleitung in den Brief an die Römer, in: Luth. Ztschrft. 1849, Heft 4.

Delling, Gerhard: Römer 13,1–7 innerhalb der Briefe des Neuen Testaments, 1962.

Descamps, Albert: La structure de Rom. 1–11 (Studiorum Paulinorum Congressus, Vol. I) in: Analecta Biblica 17, 1963, S. 3–14.

Dietzsch: Adam und Christus (Röm. 5,12–21), 1871.

Dobschütz, Ernst von: Die urchristlichen Gemeinden, 1902.

– Die Entstehung des Römerbriefes, in: Deutsch-Evangelisch 3, 1912, S. 341–348; 395–400; 469–476.

Dodd, Charles Harold: The Epistel of Paul to the Romans, 1932.

McDonald, J. J. H.: Was Romans 16 a Separate Letter? in: NTS 16, 1969/70, S. 369–372.

Donfried, Karl Paul: A Short Note on Romans 16, in: JBL 89. 1970, S. 441–449.

Duncan, George S.: Important Hypotheses Reconsidered. VI. Were Paul's Imprisonment Epistles written from Ephesus? in: Expos. Times 68, 1955/56, S. 164 f.

Dupont, Jacques: Pour l'histoire de la doxologie finale de l'Épître aux Romains, in: Rev. Bened. 58, 1948, S. 3–22.

– Le problème de la structure littéraire de l'épître aux Romains, in: Rev. Bibl. 62, 1955, S. 365–397.

– Appel aux faibles et aux forts dans la communauté Romaine (Rom. 14, 1–15, 13), in: Analecta Biblica 17, 1963, S. 357–366.

Eggenberger, Christian: Der Sinn der Argumentation in Röm 13,2–5, in: Kirchenblatt für die reformierte Schweiz, 100, 1944, S. 54 ff. 118 f.; 101, 1945, S. 243 f.

Eichholz, Georg: Der ökumenische und missionarische Horizont der Kirche, in: Tradition und Interpretation, 1965, S. 65–98.

– Prolegomena zu einer Theologie des Paulus im Umriß, in: ebd. S. 161–189.

– Die Theologie des Paulus im Umriß, 1972.

Eichhorn, Johann Gottfried: Einleitung in das Neue Testament, Band III 1, 1812.

Erbes, K.: Zeit und Ziel der Grüße Röm. 16,3–15 und der Mitteilungen 2. Tim. 4,9–21, in: ZNW 10, 1909, S. 128–147; 195–218.

Ewald, Heinrich: Die Sendschreiben des Apostels Paulus, 1857.

Fahy, T.: St. Paul's Romans were Jewish Converts, in: The Irish Theol. Quart. 26, 1959, S. 182–191.

Feine, Paul: Der Römerbrief, 1903.

– Die Abfassung des Philipperbriefes in Ephesus, mit einer Anlage über Röm. 16,3–20 als Epheserbrief, 1916.

– Einleitung in das Neue Testament, 5. Aufl., 1930.

Feine, Paul, und Johannes Behm: Einleitung in das Neue Testament, 8. Aufl., 1936.

Feuillet, André: Le plan salvifique de Dieu d'après l'Épître aux Romains, in: Rev. Bibl. 57, 1950, S. 336–387; 489–529.

– La citation d'Habacuc 2,4 et les huit premiers chapitres de l'épître aux Romains, in: NTS 6, 1959/60, S. 52–80.

Flatt, Johann Friedrich von: Vorlesungen über den Brief Pauli an die Römer, 1825.

van der Flier, G. J.: Historisch-kritisch onderzoek naar de echtheit van Rom. XV en XVI, Diss. Utrecht, 1866.

Friedrich, Gerhard: Art. Römerbrief, in: RGG, 3. Aufl., Bd. V, 1961, Sp. 1137–1143.

Fritzsche, Christian Friedrich: Pauli ad Romanos epistola, cum commentariis perpetuis, I 1836; II 1839; III 1843.

Fuchs, Ernst: Die Freiheit des Glaubens (Beitr. zur Evgl. Theol. 14) 1949.

Funk, Robert W.: The Apostolic *,parbusia':* Form und Significance, in: Christian History and Interpretation, Studies presented to John Knox, 1967, S. 249–268.

Gäumann, Niklaus: Taufe und Ethik, Studien zu Röm 6. (Beitr. zur Evgl. Theol. 47) 1967.

Gaugler, Ernst: Der Römerbrief, I 1945; II 1952.

Gaugusch, L.: Untersuchungen zum Römerbrief. Der Epilog (15,14–16,27), in: Bibl. Ztschrft. 24, 1938/39, S. 164–184; 252–266.

Georgi, Dieter: Die Geschichte der Kollekte des Paulus für Jerusalem, 1965.

Glöckler, Conrad: Der Brief des Apostels Paulus an die Römer, 1834.

Godet, Frédéric: Kommentar zu dem Brief an die Römer, I, 2. Aufl., 1892; II, 2. Aufl., 1893.

– Einleitung in das Neue Testament, Bd. 1, 1894.

Goodspeed, Edgar Johnson: An Introduction to the New Testament, 1937.

– Phoebe's Letter of Introduction, in: Harv. Theol. Rev. 44, 1951, S. 55–57.

Grafe, Eduard: Über Veranlassung und Zweck des Römerbriefes, 1881.

Gratz: Über Interpolationen in dem Briefe des Paulus an die Römer, 1814.

Grau, Rudolf Friedrich: Entwicklungsgeschichte des neutestamentlichen Schrifttums, Bd. 2, 1871.

Grayston, Kenneth: Not ashamed of the Gospel. Rom 1,16a and the Structure of the Epistle, in: T.U. 87, 1964, S. 569–573.

Griesbach, Johann Jacob: Curarum in historiam textus graeci epistolarum Pauli specimen I, 1777, S. 45 ff.

Grotius, Hugo: Annotationes in Novum Testamentum, ed. nova, Tom 2,1, 1756.

Guthrie, Donald: The Pauline Epistles, New Testament Introduction 1, 2. Aufl., 1963.

Harder, Günther: Der konkrete Anlaß des Römerbriefes in: Theologia viatorum 6, 1954, S. 13–24.

Harnack, Adolf von: Marcion, 1924.

Hartke, Wilhelm: Die Sammlung und die ältesten Ausgaben der Paulusbriefe, Diss. Bonn, 1917.

Haupt, Erich: Rezension von Theodor Zahn, Einleitung in das Neue Testament, in: Theol. Stud. und Krit. 73, 1900, S. 131–160.

– Rezension von Adolf Jülicher, Einleitung in das Neue Testament, 1894, in: Theol. Stud. und Krit. 68, 1895, S. 375–398.

Haussleiter, Johannes: Der Vegetarismus in der Antike, 1935.

Hausrath, Adolf: Der Apostel Paulus, 2. Aufl., 1872.

– Neutestamentliche Zeitgeschichte, Bd. 3, 2. Aufl., 1875.

Hawkins, Robert M.: Romans: A Reinterpretation, in: JBL 60, 1941, S. 129–140.

Hesedamm, Carl: Der Römerbrief beurtheilt und geviertheilt, 1891.

Heumann, Christoph August: Erklärung des Neuen Testaments, Bd. 7, 1755.

Hielscher, F.: Forschungen zur Geschichte des Apostels Paulus, 1925.

Hilgenfeld, Adolf: Historisch-kritische Einleitung in das Neue Testament, 1875.

Hitchcock, F. R. M.: A Study of Romans 16, Church Quart. Rev. 121, 1935/36, S. 187–209.

Hitzig, Ferdinand: Neutestamentliche Kritik auf dem Grunde der Erklärung, in: Monatsschrift des wissenschaftlichen Vereins in Zürich, Bd. 1, 1856, S. 57–68.

Höpfl, Hildebrand, und B. Gut: Introductionis in Sacros utriusque Testamenti libros compendium, Vo. III, Introductio specialis in Novum Testamentum, 6. Aufl., 1962.

Hofmann, Johann Christian Konrad von: Der Brief Pauli an die Römer (Die heilige Schrift des Neuen Testaments, 3) 1868.

Holsten, Carl: Zum Evangelium des Petrus und Paulus, 1868.

– Rezension von v. Hofmann, Der Brief Pauli an die Römer (1868), in: Ztschrft. für wiss. Theologie 15, 1872, S. 446–456.

– Der Gedankengang des Römerbriefes Cap. I–XI mit Beziehung auf ‚des Paulus Römerbrief‘ von Volkmar in: Jb. für prot. Theol. 5, 1879, S. 95 ff.; 314 ff.; 680 ff.

– Mangold's Römerbrief, in: Prot. Kirchenzeitung 32, 1885, S. 195 f.

Holtzmann, Heinrich Julius: Der Stand der Verhandlungen über die beiden letzten Capitel des Römerbriefes, in: Ztschrft. für wiss. Theologie 17, 1874, S. 504–519.

– Umschau auf dem Gebiet der neutestamentlichen Kritik, in: Jb. für prot. Theol. 2, 1876, S. 239–281.

– Lehrbuch der historisch-kritischen Einleitung in das Neue Testament, 2. Aufl., 1886.

– Der Leserkreis des Römerbriefes, in: Jb. für prot. Theol. 12, 1886, S. 107–131.

Holtzmann, Oskar: Das Neue Testament, Bd. 2, 1926.

Huby, Joseph (S. J.): Saint Paul, Épître aux Romains (1. Aufl. 1939). Ed. S. Lyonnet, 1957.

Hug, Johann Leonhard: Einleitung in die Schriften des Neuen Testaments, Bd. 2, 2. Aufl., 1821.

Jatho: Pauli Brief an die Roemer, I 1858; II 1859.

Jeremias, Joachim: Zur Gedankenführung in den paulinischen Briefen, in: Studia Paulina, 1953, S. 146–157.

Jervell, Jacob: Der Brief nach Jerusalem. Über Veranlassung und Adresse des Römerbriefes, in: Stud. Theol. 25, 1971, S. 61–73.

Judge, E. A., und G. S. R. Thomas: The Origin of the Church at Rome. A new Solution, in: Reformed Theol. Rev. 25, 1966, S. 81–94.

Jülicher, Adolf: Einleitung in das Neue Testament, 5. und 6. Aufl., 1906.

– Der Brief an die Römer (SNT 2) 2. Aufl., 1908.

Jülicher, Adolf, und Erich Fascher: Einleitung in das Neue Testament, 7. Aufl., 1931.

Käsemann, Ernst: An die Römer (HNT 8a) 1973.

Kähler, Else: Die Frau in den paulinischen Briefen, 1960.

Kamlah, Erhardt: Traditionsgeschichtliche Untersuchungen zur Schlußdoxologie des Römerbriefes, Diss. Tübingen 1955.

Karris, Robert J.: Rom. 14, 1–15, 13 and the Occasion of Romans, in: CBa 35, 1973, S. 155 bis 178.

Keggermann: Dissertatio de duplici epistolae ad Romanos appendice, 1767.

Keuck, Werner: Dienst des Geistes und des Fleisches. Zur Auslegungsgeschichte und Auslegung von Röm 7, 25 b, in: Theol. Quart. 141, 1961, S. 257–280.

Kinoshita, Junji: Romans – Two Writings combined, in: Novum Test. 7, 1965, S. 258–277.

Klausner, Joseph: Von Jesus zu Paulus, 1950.

Klein, Günter: Der Abfassungszweck des Römerbriefes, in: Rekonstruktion und Interpretation, Gesammelte Aufsätze zum NT, 1969, S. 129–144.

Klijn, Albertus Frederik Johannes: An Introduction to the New Testament, 1967.

Kleuker, Johann Friedrich: Über den Ursprung und Zweck der apostolischen Briefe, 1799.

Klostermann, August: Korrekturen zur bisherigen Erklärung des Römerbriefes, 1881.

Kling, Christian Friedrich: Über den historischen Charakter der Apostelgeschichte und die Ächtheit der beiden letzten Kapitel des Römerbriefes, in: Theol. Stud. und Krit. 10, 1837, S. 290–327.

216

Kneucker, J. J.: Die Anfänge des Römischen Christenthums. Ein Vortrag, 1881.

Knox, John: A Note on the Text of Romans, in: NTS 2, 1955/56, S. 191–193.

Knox, W.: St. Paul and the Church of the Gentiles, 1961.

Köllner, Eduard: Commentar zu dem Briefe des Paulus an die Römer, 1834.

Koppe, Johann Benjamin: Novum Testamentum graece perpetua adnotatione illustratum, Vol. IV, complectens epistolam Pauli ad Romanos, curavit Christoph Friedrich Ammon, 3. Aufl., 1824.

Köstlin, Karl Reinhold: Rezension von Baur, Paulus, in: Neue Jenaische allgemeine Literatur-Zeitung, 1846, Nr. 280, bes. S. 1117–1119.

Köstlin, Julius: Untersuchungen über den Lehrgehalt des Römerbriefs mit Beziehung auf die kirchliche Lehrform, in: Jb. für dt. Theol. 1, 1856, S. 68–131.

Krehl, A. L. G.: Der Brief an die Römer ausgelegt, 1845.

Krenkel, Max: Paulus der Apostel der Heiden, 1869.

Krieger, Norbert: Zum Römerbrief, in: Novum Test. 3, 1959, S. 146–148.

Kühl, Ernst: Der Brief des Paulus an die Römer, 1913.

Kümmel, Werner Georg: Einleitung in das Neue Testament, 12. Aufl., 1964 (Feine-Behm-Kümmel), 17. Aufl., 1973.

Kuss, Otto: Der Römerbrief, 2. Aufl., 1963.

– Paulus über die staatliche Gewalt, in: Auslegung und Verkündigung I, 1963, S. 246–259.

– Paulus, Die Rolle des Apostels in der theologischen Entwicklung der Urkirche, 1971.

Lagrange, Marie-Josèphe: Saint Paul. Épître aux Romains, 3. Aufl., 1922.

Laurent, J. C. M.: Neutestamentliche Studien, 1866.

Leenhardt, Franz Jehan: L'Épître de Saint Paul aux Romains (Commentaire du Nouveau Testament 6) 1957.

Lemme, Ludwig: Das Judenchristentum der Urkirche und der Brief des Clemens Romanus, in: Neue Jb. für dt. Theol. 1, 1892, S. 325–480.

Leon, Harry: The Jews of Ancient Rome, 1960.

Léon-Dufour, Xavier: Situation littéraire de Rom. V, in: Rech. de Science Rel. 51, 1963, S. 83–95.

Leonhard, W.: Theme and Composition of the Epistle to the Romans, in: Austr. Cath. Rev. 25, 1948, S. 8–14.

Lietzmann, Hans: An die Römer (HNT 8) 4. Aufl., 1933.

– Zwei Notizen zu Paulus, in: Kleine Schriften II, 1958, S. 284–291.

Lightfoot, Joseph Barber: Biblical Essays, 1893.

Lipsius, Richard Adelbert: Der Brief an die Römer (Handkommentar zum NT, 2. Bd.), 2. Aufl., 1892.

Loewe, Heinrich: Der Römerbrief des Apostels Paulus, 1927.

Lohmeyer, Ernst: Ein Brief, in: Nuntius Sodalicii Neotestamentici Upsaliensis 1, 1949, Sp. 1–2.

Lohse, Eduard: Die Entstehung des Neuen Testaments, 1972.

Loman, Abraham Dirk: Quaestiones Paulinae: Prolegomena, in: Theol. Tijdschrift 16, 1882, S. 141–185.

Lömmermark, L. G.: *Till frågan om romarbrevets integritet, in: Svensk Exeg. Arsbok 33, 1968, S. 141–148.*

Lucht, H.: Über die beiden letzten Kapitel des Römerbriefes. Eine kritische Untersuchung, 1871.

Lucius, Paul Ernst: Die Therapeuten und ihre Stellung in der Geschichte der Askese, 1879.

– Der Essenismus in seinem Verhältniss zum Judenthum, 1881.

Lührmann, Dieter: Das Offenbarungsverständnis bei Paulus und in paulinischen Gemeinden (WMANT 16) 1965.

Lütgert, Wilhelm: Der Römerbrief als historisches Problem, 1913.

Lutterbeck, Johann Anton Bernhard: Die neutestamentlichen Lehrbegriffe, Bd. 2, 1852.

Luz, Ulrich: Das Geschichtsverständnis des Paulus, 1968.

– Zum Aufbau von Röm 1–8, in: Theol. Ztschrft. 25, 1969, S. 161–181.

Lyonnet, Stanislas: Note sur le plan de l'Épître aux Romains, in: Rech. de Science Rel. 39, 1951/52, S. 301–316.

– Les épîtres de Saint Paul aux Galates, aux Romains (Bible de Jérusalem), 1953.

van Manen, Willem Christian: Paulus II. De brief aan de Romeinen, 1891.

– Die Unechtheit des Römerbriefes, 1906.

Mangold, Wilhelm: Der Römerbrief und die Anfänge der römischen Gemeinde, 1866.

– Der Römerbrief und seine geschichtlichen Voraussetzungen, 1884.

Manson, Thomas Walter: St. Paul's Letter to the Romans – and Others, in: Studies in the Gospels and Epistles, 1962, S. 225–241.

Manson, W.: Notes on the Argument of Romans (ch. 1–8), in: A. J. B. Higgins (Hg.): New Testament Essays, Studies in Memory of T. W. Manson, 1959, S. 150–164.

Martin, James P.: The Kerygma of Romans, in: Interpretation 25, 1971, S. 303–328.

Marxsen, Willi: Der ἕτερος νόμος Röm 13, 8, in: Theol. Zeitschrift 3, 1955, S. 230–237.

– Einleitung in das Neue Testament, 1963.

Mattern, Lieselotte: Das Verständnis des Gerichtes bei Paulus (AThANT 47) 1966.

Meinertz, Max: Einleitung in das Neue Testament, 5. Aufl., 1950.

Meyer, Eduard: Ursprung und Anfänge des Christentums, Bd. 3, 1923.

Meyer, Heinrich August Wilhelm: Kritisch-exegetisches Handbuch über den Brief des Paulus an die Römer, 5. Aufl., 1872.

Michaelis, Wilhelm: Einleitung in das Neue Testament, 3. Aufl., 1961.

Michel, Otto: Der Brief an die Römer, MeyerK IV, 12. Aufl., 1963.

Michelsen, J. H. A.: Kritisch onderzoek naar den oudsten tekst van „Paulus' brief aan de Romeinen", in: Theol. Tijdschrift 20, 1886, S. 372–386; 473–490; 21, 1887, S. 163–203.

Minear, Paul Sevier: The Obedience of Faith. The Purposes of Paul in the Epistle to the Romans, 1971.

Moffat, James: An Introduction to the Literature of the New Testament, 3. Aufl., 1918.

Mowry, Lucetta: The Early Circulation of Paul's Letters, in: J.B.L. 63, 1944, S. 73 bis 86.

Müller, Friedrich: Zwei Marginalien im Brief des Paulus an die Römer, in: ZNW 40, 1941, S. 249–254.

Müller-Bardorff, Johannes: Paulus, 1970.

Munck, Johannes: Paulus und die Heilsgeschichte, 1954.

– Christus und Israel. Eine Auslegung von Röm 9–11, 1956.

Murray, John: The Epistle to the Romans, Bd. 1, 1960; Bd. 2, 1965.

Nababan, Albert Ernst Seritua: Bekenntnis und Mission in Röm. 14 und 15, Diss. Heidelberg 1963.

Neander, August: Geschichte der Pflanzung und Leitung der christlichen Kirche durch die Apostel, Bd. 1, 5. Aufl., 1862.

Neugebauer, Fritz: Zur Auslegung von Röm. 13, 1–7, in: Kerygma und Dogma 8, 1962, S. 151–172.

Nitzsch, Friedrich: Marcion und die zwei letzten Capitel des Römerbriefs, in: Ztschrft. für die hist. Theol. 30, 1860, S. 285–288.

Noack, Bent: Current and Backwater in the Epistle to the Romans, in: Studia Theol. 19, 1965, S. 155–166.

Nygren, Anders: Der Römerbrief, 1951.

Olshausen, Hermann: Der Brief des Paulus an die Römer, 1835.

Oltramare, Hugues: Commentaire sur l'épître aux Romains, I. II, 1881.

Ortigues, Edmond: La composition de l'Épître aux Romains (1–8), in: Verbum caro 8, 1954, S. 52–81.

Pachali, Heinrich: Der Römerbrief als historisches Problem. Bemerkungen zu W. Lütgerts gleichnamiger Abhandlung, in: Theol. Stud. und Krit. 88, 1914, S. 481–505.

Pallis, Alexander: To the Romans, 1920.

Paulus, Heinrich Eberhard Gottlob: De originibus epistolae paulinae ad Romanos paralipomena, 1801.

– Des Apostels Paulus Lehr-Briefe an die Galater- und Römer-Christen, 1831.

Pfleiderer, Otto: Über Adresse, Zweck und Gliederung des Briefes Pauli an die Römer, in: Jb. für prot. Theol. 8, 1882, S. 486–537.

– Das Urchristentum, Bd. 1, 2. Aufl., 1902.

Philippi, Friedrich Adolph: Commentar über den Brief Pauli an die Römer, Bd. 1, 1848; Bd. 2, 1850.

Pierson, Allard, und Samuel Adrian Naber: Verisimilia, 1886.

Preisker, Herbert: Das historische Problem des Römerbriefes, in: Wiss. Ztschrft. Jena 2, 1952/53, Heft 1, S. 25–30.

Prümm, Karl: Zur Struktur des Römerbriefes. Begriffsreihen als Einheitsband, in: Ztschrft. für kath. Theol. 72, 1950, S. 333–349.

Rabanos, Ricardo (C. M.): Boletin bibliografico de la carta a los Romanos, in: Salmanticensis, Tom. VI, 1959, S. 705–790.

Rambach, Johann Jacob: Introductio historico-theologica in epistolam Pauli ad Romanos, 1727.

Rauer, Max: Die ‚Schwachen' in Korinth und in Rom nach den Paulusbriefen, (Bibl. Stud. 21, Heft 2–3) 1923.

Reiche, J. G.: Versuch einer ausführlichen Erklärung des Briefes Pauli an die Römer, Bd. 1, 1833; Bd. 2, 1834.

Renan, Ernest: Saint Paul, 1869.

– Paulus, 1935.

Rengstorf, Karl Heinrich: Paulus und die älteste römische Christenheit, in: Stud. Ev. II, T.U. 87, 1964, S. 447–464.

Renie, J.: Authenticité de l'épitre aux Romains, Rev. Apol. 66, 1938, S. 704–710.

Reuss, Eduard: Die Geschichte der Heiligen Schriften Neuen Testaments, Band 1, 5. Aufl., 1874.

Richards, J. R.: Romans and I Corinthians: Their Chronological Relationship and Comparative Dates, in: NTS 13, 1966/67, S. 14–30.

Richter, Georg: Kritisch-polemische Untersuchungen über den Römerbrief, 1908.

Rigaux, Béda: Paulus und seine Briefe, 1964.

Riggenbach, Eduard: Die Adresse des 16. Capitels des Römerbriefes, in: Neue Jb. für dt. Theol. 1, 1892, S. 498–525.

– Die Textgeschichte der Doxologie Röm. 16, 25–27, in: ebd. S. 526–605.

– Die Schwachen und Starken in der römischen Gemeinde, in: Theol. Stud. und Krit. 66, 1893, S. 649–678.

Rinck, Wilhelm Friedrich: Lucubratio in Acta Apostolorum, Epistolas Catholicas et Paulinas, 1830.

Ritschl, Albrecht: Die Entstehung der altkatholischen Kirche, 2. Aufl., 1857.

– Besprechung von J. C. M. Laurent, Neutestamentliche Studien, in: Jb. für dt. Theol. 11, 1866, S. 352 ff.

Roenneke, Eugen: Das letzte Kapitel des Römerbriefes im Lichte der christlichen Archäologie, 1927.

Roller, Otto: Das Formular der paulinischen Briefe, 1933.

Roosen, A.: Le genre littéraire de l'Épître aux Romains, in: Stud. Ev. II, T.U. 87, 1964, S. 465–471.

Ropes, James Hardy: The Epistle to the Romans and Jewish Christianity, in: Studies in Early Christianity, ed. by S. J. Case, 1928, S. 353–365.

Rougy, H.: La salutation de l'épitre aux Romains, in: Rev. Ec. Liege 22, 1931, S. 228 bis 235.

– Les faibles et les forts dans la communauté romaine, in: ebd. 30, 1938/39, S. 313 bis 317.

Rückert, Leopold Immanuel: Commentar über den Brief Pauli an die Römer, 1831.

Sabatier, Auguste: L'Apôtre Paul, 3. Aufl., 1896.

Sahlin, Harald: Einige Textemendationen zum Römerbrief, in: Theol. Ztschrft. 9, 1953, S. 92–100.

Sanday, William, und Arthur C. Headlam: A Critical and Exegetical Commentary on the Epistle to the Romans, 5. Aufl., 1902.

Schaefer, Aloys: Erklärung des Briefes an die Römer, 1891.

Schelkle, Karl Hermann: Römische Kirche im Römerbrief, in: Ztschrft. für kath. Theol. 81, 1959, S. 393–404.

Schenke, Hans Martin: Aporien im Römerbrief, in: Theol. Lit. Ztg. 92, 1967, Sp. 881–888.

Schenkel, Daniel: Art. ‚Römer', in: Bibel-Lexikon, Bd. V, 1872, S. 106–116.

Schille, Gottfried: Die urchristliche Kollegialmission, (AThANT 48) 1967.

Schlatter, Adolf: Gottes Gerechtigkeit. Ein Kommentar zum Römerbrief, 2. Aufl., 1952.

Schlier, Heinrich: Die ‚Liturgie' des apostolischen Evangeliums, in: Das Ende des Gesetzes, Exegetische Aufsätze und Vorträge, Bd. 3, 1971, S. 169–183.

Schmid, Christian Friedrich: De Paulinae ad Romanos epistolae consilio atque argumento quaestiones, Tübinger Osterprogramm 1830.

– Apologiae litterarum ad Romanos paulinarum fragmenta, Tübinger Weihnachtsprogramm 1834.

Schmidt, K.: Die Anfänge des Christentums in der Stadt Rom, 1879.

Schmidt, Johann Ernst Christian: Historisch-kritische Einleitung ins Neue Testament, 1804.

Schmidt, Hans Wilhelm: Der Brief des Paulus an die Römer (ThHk NT 6) 1962.

Schoeps, Hans Joachim: Theologie und Geschichte des Judenchristentums, 1949.

Scholten, Johann Heinrich: Rom. XV en XVI, in: Theol. Tijdschrift 10, 1876, S. 1–33.

Schott, Heinrich August: Isagoge historico-critica in libros Novi Foederis sacros, 1830.

Schott, Theodor: Der Römerbrief seinem Endzweck und Gedankengang nach ausgelegt, 1858.

Schrage, Wolfgang: Die Christen und der Staat nach dem Neuen Testament, 1971.

Schrenk, Gottlob: Der Römerbrief als Missionsdokument, in: Studien zu Paulus (AThANT 26) 1954, S. 81–106.

Schürer, Emil: Besprechung der Einleitungen von Hilgenfeld und von Bleek-Mangold, in: Theol. Stud. und Krit. 49, 1876, S. 755–778.

– Besprechung von B. Badt: Ursprung, Inhalt und Text des 4. Buches des sib. Orakel, in: Theol. Lit. Ztg. 3, 1878, Sp. 358f.

– Besprechung vom Grafe: Über Veranlassung und Zweck des Römerbriefes, in: Theol. Lit. Ztg. 7, 1882, Sp. 419f.

– Besprechung von Mangold; Der Römerbrief und seine geschichtliche Voraussetzung, in: Theol. Lit. Ztg. 9, 1884, Sp. 329–334.

Schultz, Hermann: Die Adresse der letzten Capitel des Briefes an die Römer, in: Jb. für dt. Theologie 21, 1876, S. 104–130.

Schulz, David: Anzeige der Einleitungen von Eichhorn und De Wette, in: Theol. Stud. und Krit. 2, 1829, S. 563–636, bes. S. 609ff.

Schumacher, R.: Die beiden letzten Kapitel des Römerbriefes, 1929.

Schwegler, Albert: Das nachapostolische Zeitalter, 1846.

Schweitzer, Albert: Geschichte der Paulinischen Forschung, 2. Aufl., 1933.

Scott, Ernest Findley: Paul's Epistle to the Romans, 1947.

Seeberg, Alfred: Die beiden Wege und das Aposteldekret, 1906.

Semler, Johann Salomo: Paraphrasis epistolae ad Romanos, 1769.

Sevenster, J. N.: Waarom spreekt Paulus nooit van vrienden en vriendschaps (ad Rom. 16, 1–16), in: Ned. Theol. Tijdschr. 9, 1954, S. 356–363.

Seyerlen, Rudolf: Entstehung und erste Schicksale der Christengemeinde in Rom, 1874.

Sickenberger, Joseph: Die Briefe des Heiligen Paulus an die Korinther und Römer (HSchNT 6) 4. Aufl., 1932.

– Einleitung in das Neue Testament, 5. und 6. Aufl., 1939.

Smith, William Benjamin: Address and Destination of St. Paul's Epistle to the Romans, in: JBL 1901, S. 1–21.

– Unto Romans: XV and XVI, in: JBL 1901, S. 129–157; 1902, S. 117–169.

– Did Paul write Romans? in: The Hibbert Journal, I, 2, 1903, S. 308–334.

– Der vorchristliche Jesus, 2. Aufl., 1911.

Soden, Hermann v.: Urchristliche Literaturgeschichte, 1905.

Spitta, Friedrich: Zur Geschichte und Litteratur des Urchristentums, Bd. I, 1893, S. 16–30.

– Ebd. Bd. III 1 (Untersuchungen über den Brief des Paulus an die Römer) 1901.

– Zu Röm 15, 4. 7. 8, in: Theol. Stud. und Krit. 86, 1913, S. 109–112.

Starke, Christoph: Synopsis bibliothecae exegeticae in Vetus et Novum Testamentum, N.T.V, 1872.

Steck, Rudolf: Der Galaterbrief nach seiner Echtheit untersucht nebst kritischen Bemerkungen zu den paulinischen Hauptbriefen, 1888.

Steinhofer, Friedrich Christoph: Erklärung der Epistel Pauli an die Römer, 1851.

Straatman, J.W.: Het slot van den brief von Paulus aan de Romeinen, in: Theol. Tijdschrift 2, 1868, S. 24–57.

Stürmer, Karl: Auferstehung und Erwählung, 1953.

Suhl, Alfred: Der konkrete Anlaß des Römerbriefs, in: Kairos 13, 1971, S. 119–130.

Taylor, T. M.: The Place of Origin of Romans, in: JBL 67, 1948, S. 281–295.

Thiersch, Heinrich Wilhelm Josios: Die Kirche im apostolischen Zeitalter, 1. Aufl., 1852.

Tholuck, Friedrich August Gottreu: Commentar zum Brief an die Römer, 5. Aufl., 1856.

Trocmé, Étienne: L'Épître aux Romains et la méthode missionaire de l'apôtre Paul, in: NTS 7, 1960/61, S. 148–153.

Volkmar, Gustav: Über Clemens von Rom und die nächste Folgezeit, in: Theol. Jb. 15, 1856, S. 287–369.

- Paulus Römerbrief, 1875.
Völter, Daniel: Ein Votum zur Frage nach der Echtheit, Integrität und Composition der vier paulinischen Hauptbriefe, in: Theol. Tijdschrift 23, 1889, S. 265–325.
- Die Composition der paulinischen Hauptbriefe. I Der Römer- und Galaterbrief, 1890.
- Paulus und seine Briefe, 1905.
Weber, Hans Emil: Die Beziehungen von Röm. 1–3 zur Missionspraxis des Paulus, 1905.
Weiß, Bernhard: Kritisch-Exegetisches Handbuch über den Brief des Paulus an die Römer. (MeyerK) 7. Aufl., 1886; 8. Aufl., 1891.
- Lehrbuch der Einleitung in das Neue Testament, 1897.
Weiß, Johannes: Besprechung von F. Spitta, Zur Geschichte und Litteratur des Urchristentums I, in: Theol. Lit. Ztg. 17, 1893, Sp. 395.
- Das Urchristentum, 1917.
Weisse, Christian Hermann: Philosophische Dogmatik oder Philosophie des Christentums, Bd. 1, 1855; Bd. 3, 1862.
- Beiträge zur Kritik der paulinischen Briefe, 1867.
Weizsäcker, Carl: Über die älteste Römische Christengemeinde, in: Jb. für dt. Theol. 21, 1876, S. 248–310.
- Das apostolische Zeitalter der christlichen Kirche, 3. Aufl., 1902.
Wendland, Paul: Die urchristlichen Literaturformen (HNT 1, 3), 2. und 3. Aufl., 1912.
de Wette, Wilhelm Martin Leberecht: Kurze Erklärung des Briefes an die Römer, 4. Aufl., 1847.
- Lehrbuch der historisch-kritischen Einleitung in die kanonischen Bücher des Neuen Testaments, 5. Aufl., 1848.
Wiefel, Wolfgang: Die jüdische Gemeinschaft im antiken Rom und die Anfänge des Christentums. Bemerkungen zu Anlaß und Zweck des Römerbriefes, in: Judaica 26, 1970, S. 65–88.
Wikenhauser, Alfred: Einleitung in das Neue Testament, 4. Aufl., 1961.
Wikenhauser, Alfred, und Josef Schmid: Einleitung in das Neue Testament, 6. Aufl. 1973.
Wilckens, Ulrich: Über Abfassungszweck und Aufbau des Römerbriefs, in: Rechtfertigung als Freiheit, Paulusstudien, 1974, S. 110–170.
Williams, P.R.: Pauls's Purpose in Writing Romans, in: Bibliotheca Sacra 128, 1971, S. 62–67.
Wieseler, K.: Art. ‚Römer, Brief Pauli an die', in: Herzogs Realencyclopaedie, Band 20, 1866, S. 583–606.
Wood, John: The Purpose of Romans, in: Evang. Quart. 40, 1968, S. 211–219.
Young, F. M.: Romans 16. A Suggestion, in: Exp. T. 47, 1935/36, S. 187–209.
Zahn, Theodor: Einleitung in das Neue Testament, Band 1, 3. Aufl., 1906.
- Der Brief des Paulus an die Römer, 1910.
Zeller, Eduard: Die Apostelgeschichte nach ihrem Inhalt und Ursprung kritisch untersucht, 1854.
- Anzeigen: Erklärung des Römerbriefs, Theol. Jb. 3, 1844, S. 585–600.
Zsifkovits, Valentin: Der Staatsgedanke nach Paulus in Röm. 13, 1–7 (Wiener Beiträge zur Theologie 8), 1964.
Zuntz, Günter: The Text of the Epistles, 1953.

Register der Namen

(angefertigt von Reinhard Rittner)

223

Stellenregister zum Römerbrief

– in Auswahl –